蕭延平校刻蘭陵堂本《太素》

（下）

主　編◎錢超塵
副主編◎王育林　劉　陽

《黄帝内經》版本通鑒

第二輯

北京科学技术出版社

《黄帝内經》版本通鑒·第二輯

蕭延平校刻蘭陵堂本《太素》（下）

解題　劉　陽

黃帝內經太素

甲子冬

蕭延平題

黄帝内經太素卷第十七 證候之一

通直郎守太子文學臣楊上善奉　敕撰注

黄陂蕭延平北承甫校正

平按此篇自此五色之死也以上殘缺篇目亦不可考故自心之合脈也至白如枯骨者死從素問五藏生成篇補入自此五色之死也至鍼之緣而去也見素問卷三第十五藏生成篇又見甲乙經卷一第十五惟編次小異自目色赤至末見靈樞卷十一第七十四論疾診尺篇又見甲乙經卷十二第四

心之合脈也其榮色也其主腎也肺之合皮也其榮毛也其主心也肝之合筋也其榮爪也其主肺也脾之合肉也其榮脣也其主肝也腎之合骨也其榮髮也其主脾也是故多食鹹則脈凝泣而變色多食苦

則皮槁而毛拔多食辛則筋急而爪枯多食酸則肉胝䐢而脣揭多食甘則骨痛而髮落此五味之所傷也故心欲苦肺欲辛肝欲酸脾欲甘腎欲鹹此五味之合五藏之氣也平按素問作此五味之所合也五藏之氣新校正云按全元起本云此五味之合五藏之氣也連上文太素同故色見青如草茲者死黃如枳實者死黑如炲者死赤如衃血者死白如枯骨者死以上從素問五藏生成篇補入此五色之死也茲青之惡色也炲音苔謂草烟栖聚炲煤黑之惡色也衃凝惡之血也枯骨白之惡色也　平按素問之下有見字青如翠羽者生黑如烏羽者生赤如雞冠者生黃如蟹腹者生白如豕膏者生此五色見而生者也此五者皆病候不死者色也　平按素問黑如烏羽者生在白如豕膏者生下見而生者也作之見生也甲乙羽下冠下腹下膏下均無者生二字生於心如

以縞裹朱生於肺如以縞裹紅生於肝如以縞裹紺生於脾如以縞裹栝樓生於腎如以縞裹紫此五藏所生之榮也縞工道反白練此五者皆是无病平人之色也　平按甲乙樓作蔞蔞下有實字素問榮上有外字甲乙同味當五藏白當肺辛赤當心苦青當肝酸黃當脾甘黑當腎鹹此言五味藏色所當也　平按素問味上有色字故白當皮赤當脈黃當肉青當筋黑當骨此言五事五色所當也　平按素問青當筋在黃當肉上諸脈者皆屬於目諸髓者皆屬於腦諸筋者皆屬於肝諸血者皆屬於心諸氣者皆屬於肺此四支八谿之朝夕也諸脈髓筋血氣等五屬血氣皆於四支八谿朝夕往來八谿八脈也　平按素問肝作節故人臥血歸於肝肝受血而能視足受血而能步掌受血而能握指受血而

能捕人卧之時肝足掌手指四事皆受作於四能有所用也　平按捕素問作攝注指上手字據經文肝足掌指四事疑衍卧出而風吹之血涘而膚者爲痺涘於脈者爲泣涘於足者爲厥出不覆身也卧不覆身爲風所吹寒風入腠血寒凝聚積膚爲痺積脉血澁積足爲厥厥逆也　平按涘素問作凝而膚而字素問作於應依素問爲允此五者血行而不得反其故空爲厥痺此諸五者爲得寒邪入血凝澁不得流入空竅中故聚爲足厥之病有三无五五當字誤也　平按五素問作三故空素問作空故據本注應依素問爲允人有大谷十二分小谿三百五十四名小十二關此皆衛氣之所留止邪氣之所容也鍼之緣而去也小曰谿大曰谷谿谷皆流水處也故十二經脉名爲大谷三百六十五絡名曰小谿據前後體例无五十四手足十二大節名十二關此等谿谷關節皆是氣之行止之處故爲衛氣所留邪氣所容緣此鍼石行之以去諸疾也　平按小十二關素問作少十二俞新校正云太素俞作關容素問作客鍼之緣而去也素問作鍼石緣而去之目色赤者病在心白在肺青在肝黄在脾黑在腎

黃色不可名者病在胸中謂黃之色不可譬喻言之言之故不可名之也　平按甲乙白青黃黑下均有色者病三字

黄帝内經太素卷第十七　證候之一

黄陂陳[illegible]

黄帝内經太素卷第十九 設方

通直郎守太子文學臣楊上善奉　敕撰注

黄陂蕭延平北承甫校正

知古今

知要道

知方地

知形志所宜

知祝由

知鍼石

知湯藥

知官能

知古今 平按此篇自篇首至末見素問卷四第十四湯液醪醴論篇

黃帝問於岐伯曰爲五穀湯液及醪醴奈何 醪汁滓酒醴宿酒也此並擬以去病爲之奈何也 平按素問無於岐伯三字 岐伯對曰必以稻米炊之稻薪稻米者完稻薪者堅曰此得之天之和高下之宜故能至完伐取得時故能至堅 稻米得天之和氣又高下得所故完稻薪收伐得時所以堅實用炊以爲醪醴可以療病者也 平按曰此得上素問有帝曰何以然岐伯七字之天之和素問作天地之和至堅下有也字

黃帝問於岐伯曰上古聖人作湯液醪醴爲而不用何也曰上古聖人作爲湯液醪醴者以爲備耳夫上古作湯液故爲而弗服 伏羲以上名曰上古伏羲以下名曰中古黃帝之時稱曰當今上古之時呼吸與四時合氣不違嗜欲亂神不爲憂患傷性精神不

越志意不散營衛行通腠理緻密神清性明邪氣不入雖作湯液醪醴以爲備擬不爲服用者也　平按黃帝問於岐伯曰素問作帝曰何也下素問有岐伯二字上古作自古作爲作之作

中古之世德稍衰也邪氣時至服之萬全

上古行於道德建德既衰下至伏羲故曰稍衰也帝王德衰不能以神化物使疵癘不起嗜欲情生腠理開發邪氣因入以其病微故服湯液醪醴稍衰而猶純故因湯液而萬病萬全

曰今之世不必已何也

不定皆全故曰不必已也　平按素問曰上有帝字

曰當今之世必齊毒藥攻其中鑱石鍼艾治其外形弊血盡而功不立者何也

廣前問意問意曰良藥可以養性毒藥以療病黃帝不能致德邪氣入深百姓疾甚盡齊毒藥以攻其內鑱石鍼艾以療其外外則形弊內則血氣盡而形不愈其意何也　平按素問曰上有岐伯二字外下有也字及帝曰二字

曰神不使何謂神不使

人之神明有守以營於身即爲有使也　平按曰上素問有岐伯二字何謂上有帝曰二字

曰鍼石者道也精神越志意散故病不可愈也

鍼石道者行鍼石者須有道也有道者神不馳越志不異求意不妄思神清內使雖有邪客服之湯液醪醴萬全也　平按素問曰上有岐伯二字越作不進散作

不治新校正云按全元起本云精神進志意定故病可愈太素云精神越志意散故病不可愈與此正同今精壞神去營衛不可復收今時五藏精壞五神又去營衛之氣去而不還故病不愈何者視欲無窮而憂患不止故精氣施壞營涖衛除故神去之而病之所以不愈者也以下釋前精壞神去營衛不行所由也一則縱耳目於聲色樂而不窮二則招憂患於悲怨苦而不休天之道也樂將未畢哀已繼之故精氣施壞營涖衛除神明去身所以雖療不愈也故無恒愚品不可爲醫作巫斯之謂也　平按視素問作嗜施素問作弛營涖素問作榮泣病下素問無之所以三字

知要道平按此篇自篇首至末見靈樞卷七第四十五外揣篇又見甲乙經卷五第七

黃帝曰余聞九鍼九篇余親受其調頗得其意夫九鍼者始於一而終於九然未得其要道也九篇謂九鍼章別即爲篇非是一部總有九篇也調謂一同指歸要道謂渾一之妙也　夫九鍼者小之則無内九鍼之道小之有内則内者爲小鍼

道非小也故知鍼道小者小之窮也大之則無外鍼道之大有外者爲大鍼道非大也故知鍼道大者大之極也深不可爲下鍼道之深更有下者則鍼道非深故知鍼道深者深之深高不可爲蓋鍼道之高更有高者則鍼道有蓋故知鍼道高者高之高　平按甲乙無深不可爲下二句恍惚無窮流溢亡極余知其合於天道人事四時之變也窮之更妙故不可窮也極之愈巧故亡極也天道人事四時之變既然余知鍼道與之同者也然余願聞雜之豪毛渾束爲一可乎余知鍼理與道變似萬端而願參之同毫釐之細渾之若衆妙之一也同毫釐之細有神使之明若眾妙之一得萬事之畢　平按靈樞願下無聞字雜作襍甲乙余上無然字願下無聞雜之毫毛五字束作求岐伯曰明乎哉問也非獨鍼焉夫治國亦然毫細渾一人道用之鍼液可以遐年以之保國可以延祚非大聖之明孰能問此　平按靈樞鍼下有道字甲乙無此一段黃帝曰余聞鍼道非國事也鍼道去病存已國事即先人後已存身與利人兩異恐鍼道非理國之要　平按靈樞余下有願字甲乙無此一段岐伯曰夫治國者夫唯道焉非道何可小大深淺雜合而爲一乎哉理國安人也鍼

道存身也安人之與存身非道不成故通兩者渾然爲一也兩者通道故身國俱理耳夫積小成大故小大不可異也益淺爲深故深淺不可殊也鍼道者即小與淺也理國者即大與深也所以通爲一即鍼道理國得其妙也　平按甲乙無夫治國者四字雜作離黃帝曰願卒聞之

岐伯曰日與月焉水與鏡焉鼓與響焉以下設日月水鏡鼓響六譬欲窮存身安人微妙之道夫日月之明不失其彰水鏡之察不失其形鼓響之應不後其聲治則動搖應和盡得其情鍼藥有道故渾一而用巧理國有道故政同而理能是以鍼藥正身即爲內也用之安人即爲外也內譬日月水鏡鼓響者也外譬光影形象音聲者也鍼法存身和性即道德者也攝物安人即仁義者也故理身理國動搖應和盡和羣生之情斯乃至真之道也不後者同時者也　平按彰靈樞作影依本注亦宜作影治則動搖應和靈樞作動搖則應和自上節黃帝曰願卒聞之至盡得其情甲乙無

黃帝曰窘乎哉照照之明不可蔽也其不可蔽者不失陰陽也以陰陽察於內外故照照不可蔽者也　平按靈樞照照作昭昭合而察之切而驗之見而得之若清水明鏡不

失其形也以内外合而察之以志意切而取驗故得之見而得之見得之明若水鏡之明不相失之也五音不彰五色不明五藏波蕩五音五色即外也五藏即内也以五藏神性波蕩故音色不彰明若是則外内相襲若鼓應桴響之應聲影之似形也舉此三譬以曉物情也襲者因也鼓聲與形爲内近也桴影及響爲外遠也　平按靈樞鼓下有之字自黃帝曰窘乎哉至似形也甲乙無故遠者司外揣内近者司内揣外遠者所司在外以感於内近者所司在内以應於外故曰揣也揣度也是謂陰陽之極天地之蓋請藏之靈蘭之室弗敢使洩是爲陰内陽外感應之極理以是天地足蓋无外之大故請藏靈蘭室寶而重之　平按靈樞洩作泄下有也字甲乙無請藏之以下十一字

知方地平按此篇自篇首至末見素問卷四第十二異法方宜論篇又見甲乙經卷六第二又見日本心醫方卷一治病大體第一

黃帝問於岐伯曰醫之治病也一病而治各不同皆愈何也岐伯曰地勢使然五方土地各異人食其土生病亦異療方又別聖人量病所宜一病合以餘方

瘵之皆得愈者大聖之巧　平按素問然下有也字醫心方無甲乙無此一段故東方之域天地之法始生也魚鹽之地濱海傍水其民嗜魚而食鹹皆安其處美其食天地之法東方為春萬病始生之方也人生魚鹽之地故安其處美其食也　平按法素問作所醫心方作法鹽原鈔本省作監醫心方作鹽按史記貨殖傳注鹽謂鹽直用不煉為鹽素問作鹽取人易解謹依素問作鹽甲乙東方上無故字東方下無之域至之地十三字嗜魚素問作食魚食鹹素問作嗜鹹甲乙醫心方同甲乙無皆安其處美其食七字醫心方同魚者使人熱中鹽者勝血故其民皆黑色踈理魚性是熱故食之令人熱中鹽水也血者火也水以剋火故勝血而人色黑也　平按鹽甲乙作鹹醫心方作鹽故其病皆為癰瘍其治宜砭石故砭石者亦從東方來熱中踈理之人多生癰瘍病也瘍養良反瘡也砭鑱破癰已成冷石熨其初起此言東方病異療　平按為癰瘍甲乙作多壅腫無故砭石下九字西方者金玉之域沙石之處也天地之所收引也其民陵居而多風水土剛強其民不衣而疊

篇其民笮食而脂肥故邪不能傷其形體其病皆生於内其治宜毒藥毒藥者亦從西方來笮許白反西方金亦金玉之所出故爲金玉之域也西方爲秋故爲萬物收引之方也不衣者不以絲爲衣而以疊篇其身食物皆壓笮磨碎不以完粒食之人多脂肥腠理緻密風寒暑溼外邪不傷而爲飲食男女内邪生病故宜用毒藥攻之 平按疊篇素問作褐薦按史記貨殖傳索隱云疊毛織也醫心方亦作疊篇旁注云篇竹草也笮食素問甲乙作華食醫心方作笮注與楊注同又注壓上袁刻脱皆字北方者天地所閉藏之域也其地高陵居風寒冰凍其民樂野處而乳食藏寒生病其治宜灸焫灸焫者亦從北方來北方爲冬故爲萬物閉藏之方也北方其地漸高是陰中之陰故風寒也所樂之處既於寒所美之食非温故五藏寒而生病宜以灸焫焫燒也而悦反有本凍爲湖量北方無湖也 平按冰凍素問甲乙作冰冽生病素問病上有滿字南方者天地所養長陽氣之所盛處也其地汚下水土弱霧露之所聚也其民嗜酸而食胕故

其民緻理而色赤其病攣痺其治宜微鍼故九鍼者亦從南方來南方爲夏萬物養長陽盛之方也陽中之陽其地漸下故水土弱霧露之所聚也污下溼也胕快付反義當腐南方爲火色赤故人多赤色也以居下溼多攣痺病故宜用九鍼也　平按素問陽下無氣字地污下作地下甲乙同醫心方作地洼下旁注云洼與辰反食胕甲乙作食躁新校正云全元起本作食魚

中央者其地平以溼天地所生物色者衆中央爲土故其地平溼中土之所生物色多　平按物色者衆素問作萬物也衆甲乙作物者衆其民食雜而不勞故其病多痿厥寒熱其治宜導引按蹻故按蹻亦從中央出蹻巨紹反人之食雜則寒温非理故多得寒熱之病不勞則血氣不通故多得痿厥之病故導引按蹻則寒熱咸和血氣流通此非但愈斯二疾萬病皆可用之蹻又九紹反舉平也　平按其治宜導引按蹻醫心方作道引無按蹻二字故按蹻素問作導引按蹻

故聖人雜合以治各得其所故治所以異而病皆愈者得病之情知治之大體也五方水土生病不同隨療各異聖人即知一病爲衆藥所療故以所宜爲工得

療病之大體也　平按得其所下素問甲乙醫心方均有宜字依本注亦應有宜字

知形志所宜平按此篇自形樂志苦至出氣惡血見素問卷七第二十四血氣形志篇又見靈樞卷十二第七十八九鍼論又見甲乙經卷六第二又見日本醫心方卷一治病大體第一自陽明多血氣至末素問靈樞見同前篇又自陽明多血氣至少陰少血多氣靈樞卷十第六十五五音五味篇亦有此文

形樂志苦病生於脈治之以灸刺形身之見也志心之志也心以主脈以其心勞邪氣傷脈心之應也故以灸刺補寫脈病也形苦志樂病生於筋治之以熨引形苦筋勞邪氣傷筋肝之應也筋之病也醫而急故以熨引調其筋病也藥布熨之引之使其調也　平按形苦志樂一段素問在形樂志樂一段下形樂志樂病生於肉治之以鍼石形志俱逸則邪氣客肉脾之應也多發癰腫故以砭鍼及石熨調之也山海經曰高氏之山其上多玉有石可以爲砭鍼堪以破癰腫者也　平按注多發癰腫腫字袁刻誤作脾形苦志苦病生於咽喝治之以藥形志俱苦勞氣客邪傷氣在於咽喝肺之應也喝肺喘聲也有本作渴故療之湯液丸散藥之也

平按咽喝素問作咽嗌甲乙作困竭藥素問作百藥靈樞甲乙作甘藥醫心方引太素仍作藥形數驚恐筋脈不通

病生於不仁治之以按摩醪藥是謂五形驚恐主腎形多驚懼邪客筋脈

筋脈不通腎之應也痛生筋脈皮膚之間爲痺不仁故以按摩醪醴五形言陳其所宜也　平按素問筋脈作經絡五形下有志也二字醫心方無是謂五形

四字故曰刺陽明出血氣手陽明大腸脈足陽明胃脈也二脈上下連注其氣最强故此二脈盛者刺之血氣俱寫

平按故曰二字素問無甲乙作故志曰刺太陽出血惡氣手太陽小腸脈也足太陽膀胱脈也二脈上下連注津液

最多故二脈盛者刺之寫血邪客之者寫去惡氣也刺少陽出氣惡血手少陽三焦脈也足少陽膽脈也二脈上下連

注其氣最多故此二脈盛者刺之寫氣邪客之者寫去惡血也刺太陰出血氣手太陰肺脈也足太陰脾脈也此二太陰與二

陽明雖爲表裏其氣血俱盛故並寫血氣也　平按素問出血氣作出氣惡血甲乙同新校正云按太素云刺陽明出血氣刺太陰出血氣楊上善云陽明太

陰雖爲表裏其血氣俱盛故並寫血氣如是則太陰與陽明等俱爲多血多氣前文太陰一云多血少氣二云多氣少血莫可的知詳太素血氣並寫之旨則

二説俱未爲得自與陽明同爾刺厥陰出血惡氣手厥陰心包絡脈也足厥陰肝脈也與二少陽以爲表裏二陽氣多

血少陰陽相反故二陰血多氣少是以二厥陰盛以寫血也邪客之者寫去惡氣刺少陰出氣惡血手少陰心脈也足少陰腎脈也與二太陽以爲表裏二太陽既血多氣少亦陰陽相反二陰氣多血少是以二少陰盛寫於氣也邪客之者寫去惡血也　平按刺少陰句素問甲乙在刺厥陰前注陰陽上袁刻脫亦字陽明多血氣太陽多血少氣少陽多氣少血太陰多血氣厥陰多血少氣少陰少血多氣此言刺三陰三陽出血出氣差別所以也　平按太陰多血氣素問作太陰常多氣少血靈樞作多血少氣甲乙同新校正云按甲乙經十二經水篇云太陽太陰血氣多少與素問不同又陰陽二十五人形性血氣不同篇與素問同蓋皇甫疑而兩存之也今考甲乙經陰陽二十五人形性血氣不同篇所云太陰常多血少氣仍與素問異或宋臣所見甲乙經與今本甲乙經不同姑存之以備參考足陽明太陰爲表裏少陽厥陰爲表裏太陽少陰爲表裏是謂足之陰陽也手陽明太陰爲表裏少陽心主爲表裏太陽少陰爲表裏是謂手之陰陽也今知手足陰陽所在　平按素問兩太陽少陰爲表裏在兩少陽上兩陽明太

陰爲表裏在兩少陽下注今知手足入字素問將此注作經惟所在作所苦凡治病必先去其血去其所苦伺之所欲然後寫有餘補不足凡療病法諸有痛苦由其血者血聚之處先刺去之刺去血巳伺候其人情之所欲得其虛實然後行其補寫之法也平按素問血下有乃字靈樞無此一段注血聚聚字袁刻誤作刺

知祝由平按此篇自篇首至末見素問卷四第十三移精變氣論篇

黄帝問於岐伯曰余聞古之治病者唯其移精變氣可祝由而巳也今世治病毒藥治其內鍼石治其外或愈或不愈何也上古之時有疾但以祝爲去病所由其病即巳今代之人苦於鍼藥而療病不愈者爲是病有輕重爲是方術不妙　平按素問無於岐伯三字古之治病者者字素問無而巳下無也字岐伯曰往古民人居禽獸之閒上古禽獸多而人少人在禽獸之閒巢居以避禽獸故稱有巢氏也　平按素問曰上有對字人上無民字動作以避寒陰居以避暑以躁勝寒故動作以避寒以靜勝熱故陰居以避暑內無眷慕之

累外無申宦之形此恬惔之世邪不能深入也故毒藥不治其内鍼石不治其外故可移精祝由而已也既爲恬惔之世有性莫不恬惔自得恬然自得内無眷慕之情惔然至樂外無申宦之役申宦不役於軀故外物不形眷慕不勞於志故内欲不累内外恬惔自然泰和外邪輕入何所深哉是以有病以祝爲由移精變氣去之無假於鍼藥也　平按申宦素問作伸官惔作憺新校正云全元起伸作臾注既袁刻作此新校正云全元起云祝由南方神當今世不然憂患琢其内苦形傷其外眷慕起於心則憂其内申宦苦其形則傷於外也　平按素問世上有之字琢作緣又失四時之逆順寒暑之宜賊風數至陰虛邪朝夕内至五藏骨髓外傷空竅肌膚故所以小病必甚大病必死者故祝由不能已也黄帝曰善夏則涼風以適情冬則求溫以從欲不順四時逆順之宜不依冬夏寒暑之適由是賊風至於腠理虛邪朝夕以傷體虛邪傷體内入藏而客髓賊風開腠外客肌以傷竅所以微疾積而成大病也加而致死苦之鍼藥尚不能愈況祝由之輕其可遣也　平按逆順素

問作從逆虗

上無陰字

知鍼石平按此篇自篇首至神無營於衆物見素問卷八第二十五寶命全形論篇又見甲乙卷五第四自黄帝曰願聞禁數至逆之有咎見素問卷十四第五十二刺禁論篇甲乙同上自黄帝曰願聞九鍼虛實之道至四方各作解見素問卷十四第五十四鍼解篇又見甲乙卷五第四及卷五第二惟意是而編次不同自黄帝問岐伯曰有病頸癰者至末見素問卷十三第四十六病能論篇又見甲乙經卷十一第九

黄帝問岐伯曰天覆地載萬物悉備莫貴於人人以天地之氣生四時之法成君王衆庶盡欲全形形之所疾莫知其情留淫日深著於骨髓心私患之余欲以鍼除其疾病爲之奈何天地之間人最爲貴人君衆庶莫不寶身然不知病之脆微留連骨髓故請療之方也　平按所疾素問作疾病患作慮新校正云太素慮作患　岐伯曰夫鹽之味鹹者其氣令器津泄弦絶者其音嘶敗木陳者其葉落發病深

者其聲噦言欲識病徵者須知其候鹽之在於器中津泄於外見津而知鹽之有鹹也聲嘶知琴瑟之弦將絶葉落者知陳木之已蠹舉此三物衰壞之徵以比聲噦識病深之候也　平按木陳者其葉落發素問作木敷者其葉發新校正引太素亦作木陳者其葉落王履溯洄集所引木陳二字亦無發字注兩徵字素問新校正引楊注均作徵袁刻同津下素問新校正所引楊注有液字葉落下者知二字袁刻誤作如人有此三者是謂壞府毒藥毋治短鍼毋取此皆絶皮傷肉血氣爭異人有聲噦同三譬者謂是府壞之候也府者中府謂五藏也壞者則聲噦也中府壞者病之深也其病既深故鍼藥不能取也以其皮肉血氣各不相得故也　平按素問治上無毋字爭異作爭黑新校正云詳岐伯之對與黃帝所問不相當因引太素自夫鹽之味至血氣淨異一段謂太素與此經只三字不同而注意大異復引楊注自言欲知病徵者至各不相得故也謂楊氏注義與黃帝上下問答義相貫穿王氏解鹽鹹器津義雖淵微至於注弦絶音嘶木敷葉發殊不與帝問相協不若楊義之得多也黃帝曰余念其病心爲之亂惑反甚其病不可更代百姓聞之爲殘賊爲之奈何余念微病淫留至深衆庶不知遂著骨髓余痛其心反甚於病不能去已故曰不可更代百姓聞此積微成大壞府之言莫不以爲殘賊之深

欲知爲之奈何也平按余念其病素問作余念其痛岐伯曰夫人生於地懸命於天天與之氣地與之形二氣合之爲人也故形從地生命從天與是以人應四時天地以爲父母也地合氣命之曰人人能應四時者天地爲之父母天與之氣地與之形二氣合之爲人也故形從地生命從天與是以人應四時天地以爲父母也荷主萬物者謂之天子天地所貴者人人之所歸者聖唯聖荷物故號曰天子也平按荷主二字素問作知天有陰陽人有十二節此言天子所知凡有二合四能天有十二時分爲陰陽子午之左爲陽子午之右爲陰人之左手足六大節爲陽右手足六大節爲陰此爲一合也天有寒暑人有虛實十二爻寒暑之氣十一月陽氣漸息陰氣漸消至四月陽氣在盈陰氣正虛至五月陰氣漸息陽氣漸消至十月陰氣在盈陽氣正虛陰陽即爲寒暑者也盈虛以爲虛實者也人亦如之消息盈虛有虛有實爲二合也能經天地陰陽之化者不失四時天地合氣命之曰人故能知天地陰陽變化理與四時合契此一能也能知十二節之理者聖智不能欺知人陰陽十二節氣與十二時同循之而動不可得失雖有聖智不能加也欺加也此二能也平按素問知上無能字欺下有也字能存八動之變者五勝

更立八動八節之氣也八節之氣合金木水火土五行之氣更廢更立血氣亦然此三能也能達虛實之數者獨出獨入呿吟至微秋豪在目能達寒暑之氣虛實相移者則壽蔽天地能獨出死地獨入長生其言也呿吟至真微妙之道其智也目察秋毫深細之理此四能也呿音去卽露齒出氣　平按素問新校正引楊注云呿謂露齒出氣與此同

黃帝曰人生有形不離陰陽萬物負陰抱陽沖氣以爲和萬物盡從三氣而生故人之形不離陰陽也天地合氣別爲九野分爲四時月有小大日有短長萬物並至不可勝量虛實呿吟敢問其方從道生一謂之朴也一分爲二謂天地也從二生三謂陰陽和氣也從三以生萬物分爲九野四時日月乃至萬物一一諸物皆爲陰陽氣之所至故所至處不可勝量不可量物並有虛虛實實之談請言其道方道也岐伯曰木得金而伐火得水而滅土得水而達萬物盡然不可勝竭言陰陽相分五行相剋還復相資如金以剋木水以剋火土以剋水始土剋水得水通易餘四時皆然並以所剋爲資萬物皆爾也　平按土得水而達素問水作木而達下素問有金得火而缺水得土而絕二句故

鍼有懸布天下者五也故鍼等利人之道凡有五利也黔首共飲食莫知之也黔黑也渠廉反人之首黑故名黔首也飲食服用也黔首服用此道然不能得其意也　平按飲食素問作餘食新校正云按全元起本餘食作飽食注云愚人不解陰陽不知鍼之妙飽食終日莫能知其妙益又太素作飲食楊上善云黔首服用此道然不能得其意

一曰治神存生之道知此五者以爲攝養可得長生也魂神意魄志以神爲主故皆名神欲爲鍼者先須理神也故人無悲哀動中則魂不傷肝得無病秋無難也無怵惕思慮則神不傷心得無病冬無難也無愁憂不解則意不傷脾得無病春無難也無喜樂不極則魄不傷肺得無病夏無難也無盛怒者則志不傷腎得無病季夏無難也是以五過不起於心則神清性明五神各安其藏則壽近遐算此則鍼布理神之旨也乃是崆峒廣成子之道也　平按注先須理神也素問新校正引此注作先須治神各安其藏其字原鈔作甚依新校正所引作其壽近遐算新校正所引作壽延遐算

二曰治養身飲食男女節之以限風寒暑溼攝之以時有異單豹巖穴之害即內養身也實恕慈以愛人和塵勞而不迹有殊張毅高門之傷即外養身也內外之養周備則不求生而久生無期壽而壽長也此則鍼布養身之極也玄元皇帝曰太上養神其次養形斯之謂也　平按養身素問新校正云太素身作形此仍作身注巖穴新校正所引作外彫恕慈作慈恕養身身字均作形壽長作長壽又按注單豹張毅事見淮南子人間訓

三曰知

毒藥爲真藥有三種上藥養神中藥養性下藥療病此經宗旨養神養性唯去怵惕之慮嗜欲之勞其生自壽不必假於鍼藥者也有病生中無出毒藥以爲真惡故須知之　平按素問藥字不重四曰制砭石大小東方濱海水傍人食鹽魚多病癰腫故制砭石大小用破癰也　平按素問砭作砭五曰知輸藏血氣之診輸爲三百六十五穴者也藏謂五藏血氣診謂經絡諸脈診候也　平按素問輸作府五法俱立各有所先此五法各有所長故用之各有所先也今末世之刺虛者實之滿者洩之此皆衆工所共知之粗工守形實者寫之虛者補之斯乃衆人所知不以爲貴也　平按素問洩作泄知之作知也若夫法天則地隨應而動者知之者若響隨之者若影刺虛實之道法天地以應萬物若響應聲如影隨形得其妙得其機應虛實而行補寫也　平按素問甲乙動下無者字知作和道無鬼神獨往獨來應天地之動者謂之道也有道者其鬼不神故與道往來無假於鬼神也　平按獨往獨來素問甲乙作獨來獨往黃帝曰願聞其道岐伯曰凡刺之真必先治神五藏已定九候已

備迺緩存鍼凡得鍼真意者必先自理五神五神既理五藏血氣安定九候已備於心乃可存心鍼道補寫虛實　平按九候已備甲乙作九候已明迺緩存鍼素問作後乃存鍼甲乙同衆脉弗見衆凶弗聞外内相得毋以形先病人衆病脉候不見於内諸病聲候不聞於外内外相得爲真不唯形之善惡爲候也　平按弗見素問作不見甲乙作所見弗聞甲乙作所聞可梲往來迺施於人梲五骨反動也先知内外相得之理動而往來乃可施人也　平按梲素問甲乙作玩人有虛實五虛勿近五實勿遠五謂皮肉脉筋骨也此五皆虛勿近寫之此五皆實勿遠而不寫　平按人有虛實甲乙作虛實之要至其當發間不容眴至其氣至機發不容於眴目也容於眴目即失機不得虛實之中眴音舜　平按眴素問甲乙作瞋新校正云甲乙瞋作瞚全元起本及太素作眴手動若務鍼燿而眴手轉鍼時專心一務　平按眴素問甲乙作勻靜意視義觀適之變可以靜意無勞於衆物也視其義利觀其適當知氣之行變動者也是謂冥冥莫知其形此機微者乃是窈冥衆妙之道淺識不知也見其烏烏見其稷稷從見其飛不見其雜烏烏稷稷鳳凰雄雌聲也鳳凰

羣雜而飛雄雌相和不見其雜有觀鳳者別其聲殊辨其形異故曰不雜譬善用鍼者妙見鍼下氣之虛實了然不亂也　平按烏烏袁刻誤作烏烏雜素問甲乙作雜伏如横弩起如發機如横弩者比其智達妙術也起如機者比行之得中　平按起如甲乙作起若黄帝曰何如而虛何如而實岐伯曰刺虛者須其實也刺實者須其虛也虛為病者補之須實實為病者寫之須虛也終氣以至慎守勿失得氣補寫終時慎之勿使過與不及也　平按終素問甲乙作經深淺在志志記也計鍼下深淺可記之不得有失深淺有失更增其病故須記遠近若一使之得中不可過與不及故曰若一也形如臨深淵手如握虎神無營於衆物行鍼專務設二喻以比之一如臨深淵更營異物必有顛墜之禍亦如握虎不堅定招自傷之害故行鍼調氣不可不用心也　平按素問甲乙無形字黄帝曰願聞禁數岐伯曰藏有要害不可不察五藏之氣所在須知鍼之為害至要故欲察而識之肝生於左肝者為木在春故氣生左肺藏於右肺者為金在秋故氣藏右也肝為少陽陽長之始故曰生也肺為少陰陰藏之初故曰藏也　平按注生也藏也素問新校正

三

蘭陵堂刊

所引楊注無兩也字心部於表心者爲火在夏居於大陽最上故爲表腎治於裏腎者爲水在冬居於大陰最下
故爲裏也心爲五藏部主故得稱部腎間動氣内理五藏故曰裏也平按注内理五藏新校正所引楊注理作治故曰裏也裏作治脾爲
之使脾者爲土王四季脾行穀氣以資四藏故爲之使也胃爲之市胃爲脾府也胃貯五穀授氣與脾以資四藏故爲市也
鬲肓之上中有父母心下鬲上謂肓心爲陽父也肺爲陰母也肺主於氣心主於血共營衞於身故爲父母也　平
按注謂肓新校正所引楊注作爲肓七節之傍中有志心脊有三七二十一節腎在下七節之傍腎神曰志五藏之
靈皆名爲神神之所以任物得名爲心故志心者腎之神也　平按志心素問作小心新校正云太素作志心注五藏之靈皆名爲神神之所以任物得名爲
心袁刻脫此十八字物得名爲心故志心者腎之神也十三字新校正所引作得名爲志者心之神也九字順之有福逆之
有咎人之上順血氣下順志心有長生之福逆之有入死地之禍也　平按順素問作從黃帝曰願聞九鍼
之解虛實之道請解九鍼應於九數虛實之道也岐伯曰刺虛則實之者
鍼下熱也刺寒虛者得鍼下熱則爲實和也　平按熱也下素問有氣實乃熱也五字滿而洩之者鍼

下寒也刺熱實者得鍼下寒則爲虛和也平按寒也下素問有氣虛乃寒也五字宛陳則除之者出惡血也宛陳惡血平按宛素問甲乙作菀邪勝則虛之者出鍼勿按也勿按者欲洩其邪氣也徐而疾則實者徐出鍼而疾按也寫法徐出鍼爲是只爲疾按之即邪氣不洩故爲實平按注疾下袁刻重一疾字疾而徐則虛者疾出鍼而徐按之補法疾出鍼爲是只是徐徐不即按之令正氣洩故爲虛也平按疾如徐素問甲乙作疾而徐言實與虛者寒溫氣多少也言寒溫二氣偏有多少爲虛實也若無若有者疾不可知也言病若有若無故難知也平按不可知袁刻作不可不知注故下袁刻增一甚字察後與先者知病先後知相傳之病先後者爲虛與實者工守勿失其法刺虛欲令實刺實欲使虛工之守也平按素問無守字若得若失者離其法雖失其正法故得失難定也虛實之要九鍼最妙者爲其各有所宜要在各有所宜補寫之時者與氣開閉相

合也補閉寫開合熱爲時平按素問閉作闔九鍼之名各不同形者鍼官其所之當補寫也九鍼之形及名別者以官主病之別又補寫殊用也平按素問官作窮所下無之字寫下有也字刺其實須其虛者留鍼陰氣降至迺去鍼也刺於熱實留鍼使鍼下寒無熱乃出鍼平按素問實上無其字降作隆刺其虛須其實者陽氣降至鍼下熱迺去鍼也刺於寒虛留鍼使鍼下熱無寒乃出鍼也平按素問虛上無其字降作隆降之巳至慎守勿失者勿變更寒溫之氣降至鍼下勿令太過不及使之變爲餘病也平按降之素問作經氣更下有也字深淺在志者知病之內外也下鍼淺深得氣即知病在藏府也近遠如一者深淺其候等也深淺得候即知合中不令過與不及形如臨深淵者不敢墮也恐其失也手如握虎者欲其壯也專務甚也神毋營於眾物者靜志觀病人毋左右視也言志一不亂也義毋邪下者欲瞻病

人目制其神令氣易行也不自御神爲義邪下平按義毋邪下者下素問有欲端以正也必正其神者二句所謂三里者下膝三寸也所謂付之者舉膝分易見也言三里付陽穴之所在也付陽穴在外踝上三寸舉膝分之時其穴易見也又付三里所在者舉膝分其穴易見也　平按付素問作跗新校正云全元起本跗之作低胻太素作付之按骨空論跗之疑作跗上又按素問王注云三里穴名正在膝下三寸骱外兩筋肉分間極重按之則足跗上動脈止矣故曰舉膝分易見巨虛者摇喬足胻獨陷者也下廉者陷者也在三里下三寸足胻外獨陷大虛之中名曰巨虛巨虛之中上廉足陽明脈與大腸合下廉足陽明脈與小腸合喬高也謂此外踝上高舉處也摇而取之　平按素問無摇字喬作蹻獨陷者也作獨陷者陷者也作陷下者也黃帝問岐伯曰余聞九鍼上應天地四時陰陽願聞其方令可傳於後世而以爲常岐伯曰夫一天二地三人四時五音六律七星八風九野此舉天地陰陽之數　平按素問而以爲常作以爲常也人形亦應之鍼各有

所宜故曰九鍼人形應於九數故曰各別有所宜　平按素問人形作身形人皮應天人肉應地人脈應人人之筋應時平按素問筋上無之字人聲應音人陰陽合氣應律人齒面目應星平按素問王注人面應七星所謂面有七孔應之也新校正云此注乃全元起之辭也人出入氣口應風平按素問無口字人九竅三百六十五絡應野言人九分應九數也故一鍼皮二鍼肉三鍼脈四鍼筋五鍼骨六鍼調陰陽七鍼益精八鍼除風九鍼通九竅除三百六十五節氣此之謂也各有所主也人身既應九數行鍼亦有九別也調陰陽者應六律也益精者益五藏精應七星謂北斗七星除風應八風通九竅應三百六十五節之氣九野者也以其人身有主合之也平按素問謂下無也字注野下袁刻脫者字人心意應八風人邪氣應天地心意邪氣應天地之中八風也　平按人邪氣應天地素問作人氣應天人面應七星人髮齒耳目五聲

應五音六律人陰陽脈血氣應地人肝目應之九九竅三百六十五肝主於目在天爲日月其數當九故九竅合九野三百六十五數也　平按素問無人面應七星一句新校正云全元起本無九竅下七字人一以觀動靜九數各有九分義故人之一分法動靜也天二以候五色七星應之以候髮毋澤也天之二分之義候五色七星分髮皆天之候　平按素問無也字五音一以候宮商角徵羽五音一分之義以候人之五聲也六律有餘不足應之六律升降以候虛實二地一以候高下有餘地之一分之義以候高下有餘也九野一節輸應之以候閉九野一分之義候三百六十五節氣輸穴閉之不溲也三人變一分候齒溲多血少人九變一分之義候齒及溲多血少　平按素問三上有節字一分下有人字十分角之變九數各九之此言十分未詳或字誤十分之義角音之變也五分以候緩急五分之義以候緩急也六分不足六分以候不足三分寒關節三分以候寒關節也　平按闗袁刻誤作開素問亦作闗

人九分四時節人寒温燥溼人第九之分以候四時節寒温燥溼也　平按素問人九分作第九分時下無節字四時一應之以候相反一四時一分以候相反　平按相反下袁刻脫一字四方各作解四時一分以候四方作解此之九數一一各有九分取之作解多少不等或取一或取二三四等章句難分但指句而已也

平按素問王注云此一百二十四字蠹簡爛文義理殘缺莫可尋究而上古書故且載之以佇後之具本也新校正云詳王氏云一百二十四字今有一百二十三字又亡一字據本書自九竅三百六十五起至四方各作解止與素問校毋澤下本書多一也字三人變一分上本書少一節字下少一人字九分四時下本書多一節字仍止一百二十三字楊氏亦謂章句難分但指句而已則其不可尋究故不自今日始也姑存之以待來者

黃帝問岐伯曰有病頸癰者或石治之或以鍼灸治之而皆已其眞安在岐伯曰此同名異等者也同稱癰名鍼灸石等異療之　平按素問鍼上無以字甲乙其真安在作其治何在異上有而字夫癰氣之息者宜以鍼開除去息者增長也癰氣長息宜以鍼刺開其穴寫去其氣　平按素問甲乙去下有之字夫氣盛血聚宜石而寫之

皆所謂同病異治者氣盛血聚未爲膿者可以石熨寫其盛氣也氣盛膿血聚者可以砭石之鍼破去也　平按素問甲乙聚下有者字皆作此

知湯藥平按此篇自篇首至末見素問卷四第十四湯液醪醴論篇

黃帝問岐伯曰法病之始生也極微極精必先舍於皮膚今良工皆稱曰病成名曰逆則鍼石不能治也良藥不能及也今良工皆持法守其數親戚兄弟遠近音聲日聞於耳五色日見於目而病不愈者亦可謂不蚤乎精謂有而不虛也但有病在皮膚微小精實不虛若不療者定成大病故良工稱爲病成以其病者精志眷慕於親戚耳目翫樂於聲色日久病成不可療也由其不破於脃微也　平按素問法病作夫病必先舍作必先入結持法作得其法可謂作何暇新校正云按別本暇作謂注有而不虛原鈔作有而虛不原校作不虛精實不虛虛字袁刻誤作無

岐伯曰病爲本工爲標標

本不得邪氣不服此之謂也若本無病則亦無療方故知有病爲本然後設工是則以病爲本以工爲末也標末也風寒暑溼所生之病以爲本也工之所用鍼石湯藥以爲標也故病與工相契當者無大而不愈若工病不相得者雖微而不遺故曰不得邪不服也

黃帝問曰其病有不從豪毛生而五藏傷以竭有病不以風寒暑溼外邪襲於豪毛腠理入而爲病而五藏傷竭此爲總言　平按素問有上無病字生而作而生傷以竭作陽以竭也新校正云按全元起本及太素陽作傷義亦通津液虛廓腎傷竭也廓空也　平按虛廓素問作充郭廓袁刻誤作廓其魂魄獨心傷竭也　平按其魂魄獨素問作其魄獨居孤精於內氣耗於外雖有五藏之精而外少吐納之氣耗少也肺傷竭也形別不與衣相保皮膚不仁不與衣相近脾傷竭也保近也　平按形別不與衣相保素問作形不可與衣相保此四亟急而動中是氣巨於內而形施於外治之奈何此四候即是五藏傷竭病生於內故曰動中亟數也是爲五藏大氣數發病生於內病形施外療之奈何也　平按素問亟作極巨作拒注巨大氣也應作巨袁刻作拒

岐伯曰卒治權衡卒終也權衡藏府陰陽二脈也病從內起終須調於藏府陰陽二脈使之和也

平按素問作平治於權衡去宛陳宛陳惡血聚也有惡血聚刺去也茎微動中四亟腎間動氣得和則陰茎微動四竭得生故本標得邪氣服　平按素問茎作茎新校正云太素茎作茎與此正同動下無中字亟作極溼衣繆處以復其形繆異也衣肉不相保附故曰繆處調之既得腎氣動巳則衣肉相得故曰復其形也　平按溼衣繆處素問作温衣繆刺其處開鬼門五神通之者也潔靜府潔清靜也心之不濁亂精以時命門所藏之精既多以時而有服五湯有五疏修五藏五湯五味湯也藥有五味以合五行相剋相生以爲補寫五氣得有疏通以修五藏也　平按素問五湯作五陽有五疏修五藏作巳布疏滌五藏故精自生形自盛骨肉相保巨氣迺平黃帝曰善哉腎間動氣人之生命故氣之和則精生精生則形盛形精既盛則骨肉相親於是大氣平和是爲病形雖成療之有驗　平按注下精生精字袁刻脫

知官能平按此篇自篇首至末見靈樞卷十一第七十三官能篇又見甲乙經卷五第四鍼道篇

黃帝問岐伯曰余聞九鍼於夫子衆多矣不可勝數

余推而論之以爲一紀余司誦之子聽其理非則語余請受其道令可久傳後世無患得其人乃傳非其人勿言言道之博大不可勝數余學之於子推尋窮問其理十有二載余今司而誦之以示於子其言有不當不可余必當合理余望傳乎所授之人傳之後代使久而利物也平按請受其道靈樞作請正其道岐伯稽首再拜曰請聽聖王之道道在岐伯授之與帝帝得之於神故是聖王之道也黄帝曰用鍼之理必知形氣之所在帝誦岐伯所授鍼理章句凡有四十七章形之所在肥瘦氣之所在虛實一也左右上下肝生於左肺藏於右心部於表腎居其裏男女左右陰陽上下並得知之二也陰陽表裏五藏爲陰居裏六府爲陽居表三也血氣多少三陰三陽之脉知其血氣之多少四也行之逆順營氣順脉衛氣逆行五也出入之合血氣有出入合處六也誅伐有過誅伐邪氣惡血七也平按誅靈樞作謀知解結結謂病脉堅緊砂而平之八也知補虛寫實上下之氣能知補寫上下之氣九也平按靈樞之氣作氣門明於四海審其

所在髓血氣穀四海審知虛實所在十也　平按靈樞明下有通字審寒熱淋露因於露風生於寒熱故曰寒熱淋露十一也　平按靈樞寒上無審字滎輸異處五行滎輸有異十二也　平按滎靈樞作以審於調氣審吐納導引以調氣十三也明於經隧經正經奇經也隧諸絡也故曰寫其經隧無傷其經即其信也十四也左右支絡盡知其會支絡小絡也皆知小絡所歸大絡會處十五也　平按靈樞支作肢寒與熱爭能合而調之陰陽之氣不和者皆能和之十六也虛與實鄰知決而通之鄰近也虛實二氣不和通之使平十七也　平按靈樞和作知左右不調把而行之明於逆順迺知可治把持也人身左右脈不調者可持左右寸口人迎診而行之了知氣之逆順乃可療之十八也　平按靈樞注云把一作犯注了字袁刻脫陰陽不奇故知起時奇分也陰陽之脈相并渾而不分候之知其病起之時十九也審於本末察其寒熱得邪所在萬刺不殆知官九鍼刺道畢矣妙通標本則知寒熱二邪所在故無危殆是爲官主九鍼之道二十也明於五輸徐疾所在明藏府之經各有五輸輸中補寫徐

疾所在並須知之二十一也屈伸出入皆有條理行鍼之時須屈須伸鍼之入出條數並具知之二十二也言陰與陽合於五行知分陰陽之氣以爲五行二十三也五藏六府亦有所藏五藏藏五神六府藏五穀二十四也四時八風盡有陰陽各得其位合於明堂各處色部八風八節之風也四時八節之氣各在陰陽之位並合明堂處於五行五色之部明堂鼻也二十五也五藏六府候五色之部察知五藏六府二十六也察其所痛左右上下察五色知其痛在五藏六府上下左右二十七也知其寒溫何經所在知十二經所起寒溫各有主二十八也審尺之寒溫滑濇知其所苦言能審候尺之皮膚二十九也　平按靈樞尺作皮膚二字鬲有上下知氣所在穀入於胃清氣上肺故在鬲上濁氣留入胃中在於鬲下三十也　平按靈樞鬲作膈知下有其字甲乙作知其氣之所先得其道希而疎之稍深以留之故能徐之爲補之道希疎深留徐動其鍼三十一也　平按希靈樞作稀甲乙作布而涿之注云太素作希而疎之靈樞甲乙徐下有入字大熱在上推而

下之從下上者引而去之視前病者常先取之 視病熱之上下寫而去之三十二也 大寒在外留而補之入於中者從合寫之 寒在皮膚留鍼使鍼下熱寒入骨髓亦可留鍼使熱寫出寒熱氣三十三也 鍼所不爲火之所宜 脉之陷下是灸所宜不可鍼也三十四也平按火靈樞甲乙作灸 上氣不足推而揚之下氣不足積而從之 上氣不足謂膻中氣少可推補令盛揚盛也下氣不足謂腎間動氣少者可補氣聚積聚也從順也三十五也 陰陽皆虛火自當之厥而寒甚骨廉陷下寒過於膝下陵三里陰絡所過得之留止寒入於中推而行之經陷下火即當之 火氣強盛能補二虛三十六 平按經陷下火即當之靈樞作經陷下者火則當之甲乙作即火當之 結絡堅緊火之所治 絡脉結而堅緊血寒故火攻療三十七也 平按靈樞緊作下火之所治作火所治之注攻字袁刻脫 不知所苦兩蹻之下男陽女陰良工所禁鍼論畢矣 有病

不知所痛可取陰陽二蹻之下二蹻之下男可取陰女可取陽是療不知所痛之病男陽女陰二蹻之脉不可取之三十八也　平按男陽女陰靈樞作男陰女陽用鍼之服必有法則上視天光下司八正以辟奇邪服學習也學用鍼法須上法日月星辰之光下司八節正風之氣以除奇邪三十九也而觀百姓審於虛實無犯其邪是天之露遇歲之虛救而弗勝反受其殃故曰必知天忌乃言鍼意而令百姓不犯虛實二邪歲露之忌可謂得鍼之旨耳天露者歲之八正虛邪風雨也四十也　平按靈樞是天之露天上有得字弗勝作不勝法於往古驗於來今觀於窈冥通於無窮粗之所不見良工之所貴莫知其形若神髣髴法於往古聖人所行逆取將來得失之驗亦檢當今是非之狀又觀窈冥微妙之道故得通於無窮之理所得皆當不似粗工以意唯矚其形不見於道有同良才神使獨鑒其所貴髣髴於真四十一也邪氣之中人也洫泝動形正邪之中人也微先見於色不知於身若無若亡若

存在形无形莫知其精洫謂溝渠即腠理也泝謂水之逆流即邪氣入腠理也八正虛邪氣入腠理時振寒起於豪毛動形者也正邪者因身形飢用力汗出腠理開逢虛風中人微而難知莫見其精四十二也　平按靈樞洫泝作洒淅不知於身作不知於其身若無上有若有二字其精作其情是故上工之取氣也迺救其萌牙下工守其已成因敗其形邪氣初客未病之病名曰萌牙上工知之其病成形下工知之四十三也是故工之用鍼也知氣之所在而守其門戶謂知邪氣處氣處於皮膚脈肉筋骨所在守其空穴門戶獘之四十四也明於調氣補寫所在除疾之意所取之處明於調氣補寫處所是處可補是處可寫不妄爲之四十五也寫必用員切而傳之平按員甲乙作方注云太素作員切而傳之靈樞甲乙作切而轉之其氣迺行疾入徐出邪氣迺出伸而迎之搖大其穴氣出迺疾補必用方平按方甲乙作員注云太素作方外引其皮令當其門左引其樞右推其膚微旋而徐推之

必端以正，安以靜堅心無解欲微以留氣下而疾出之推其皮蓋其外門眞氣迺存員謂之規法天而動寫氣者也方謂之矩法地而靜補氣者也樞謂鍼動也寫必用方補必用員彼出素問此是九卷方圓之法神明之中調氣變不同故爾四十六也用鍼之要無忘養神用鍼之道下以療病上以養神其養神者長生久視此大聖之大意四十七也以上四十七章内經之大總黃帝受之於岐伯故誦之以閔所聞也　平按養神靈樞作其神注閔袁刻作明按說文閔察也博雅云閔數也又前漢書文帝紀閔天下之義理多矣注閔猶更歷也亦通雷公問於黃帝曰鍼論曰得其人迺傳非其人勿言何以知其可傳黃帝曰各得其人任之其能故能明其事雷公曰願聞官能奈何人受命於天各不同性性既不同其所能亦異量能用人則所爲必當故因問答以通斯德者也　平按注德字袁刻作道黃帝曰明目者可使視也人之所能凡有八種視面部五行變色知其善惡此爲第一明人也　平按靈樞也作色聽耳者可使聽音聽病人五音即知其吉凶此爲第二聽聽人也接疾辭給者可使傳論而語餘人其知接疾其辯敏給此可爲物說道以悟人此第三智辯人也　平按靈樞接疾辭給者作捷疾辭語者可使傳論而語餘人作可使傳論語安靜手巧而心審諦者可使行鍼艾理血氣而調諸逆順察陰陽而兼諸方神清性明故安靜也動合所宜明手巧者妙察機微故審諦也此爲第四靜慧人也　平按靈樞安靜上有徐而二字緩節柔筋而心和調者可使導引行氣身則緩節柔筋心則和性調順此爲第五調柔人也調柔之人導引則筋骨易柔行氣則其氣易和也疾毒言語輕人者可使唾癰祝病心嫉毒言好輕人有此二惡物所畏之故可使之唾祝此爲第六口苦人也　平按靈樞祝作呪爪苦手毒爲事善傷者可使按積抑痺爪手苦毒近物易傷此爲第七苦手人也各得其能方迺可行其名迺章不得其人其功不成其師無名故曰得其人迺言非其人勿傳此之謂各用其能以有所當故曰得人如不得人道不可傳也　平按

靈樞章作彰謂下有也字手毒者可使試按龜置龜於器之下而按其上五十日而死矣甘手者復生如故毒手按器而龜可死甘手按之而龜可生但可適能而用之不可知其所以然也此為第八甘手人也　平按靈樞器下無之字如故下有也字

黃帝内經太素卷第十九　設方

黃陂陳孝啟校字

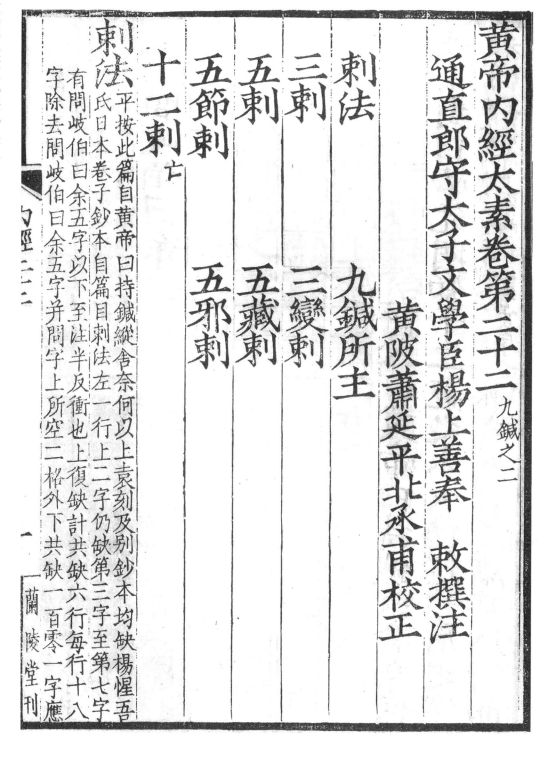

黃帝內經太素卷第二十二 九鍼之二

通直郎守太子文學臣楊上善奉 敕撰注

黃陂蕭延平北承甫校正

刺法　九鍼所主

三刺　三變刺

五刺　五藏刺

五節刺　五邪刺

十二刺 亡

刺法 平按：此篇自黃帝曰持鍼縱舍奈何以上袁刻及別鈔本均缺，楊惺吾氏日本卷子鈔本自篇目刺法左一行上二字仍缺，第三字至第七字有問岐伯曰余五字，以下至注半反衡也上復缺，計共缺六行，每行十八字，除去問岐伯曰余五字并問字上所空二格外，下共缺一百零一字，應空一百零一格自黃帝曰持鍼縱舍奈何至故拘攣見靈樞卷十第七十一邪客篇又見甲乙經卷五第七自黃帝問岐伯曰余聞鍼道於夫子至則經可通也見靈樞卷六第三十八逆順肥瘦篇又見甲乙經卷五第六自黃帝問曰逆順五體至末見靈樞卷二第五根結篇甲乙經同上

問岐伯曰余

半反衝也謂衝皮也黃帝曰持鍼縱舍奈何岐伯對曰必先明知十二經之本末起處為本出處為末膚之寒熱皮膚熱即血氣通寒即脈氣壅也平按膚上靈樞甲乙有皮字脈之盛衰滑濇其脈滑而

盛者病日進，虛而細者久而持。陽氣盛而微熱謂之滑也，多血少氣微寒謂之濇脈□□細微□□□□□　平按：而持，靈樞、甲乙作以持。大以濇者爲痛痺。多氣少血爲大，多血少氣爲濇，故爲痛痺也。陰陽如一者瘤難治，其本末陰陽之脈不可辨，故如一也。瘤，懸疣□類也，以不可辨，故本末難療也。　平按：瘤，靈樞、甲乙作病，其上甲乙有察字。上熱者病尚在，其熱以衰者其病亦去矣。頭及皮膚熱也，其頭及皮膚熱衰，病必去。　平按：上熱，靈樞作尚熱，甲乙作上下熱。以衰，靈樞、甲乙作已衰。注去上袁刻脫必字。因持其尺，察其肉之堅脆、小大、滑濇、寒温、燥溼也。持尺皮膚，決死生也。　平按：持上靈樞無因字。因視目之五色，以知五藏而決死生。五藏之精華並歸於目，心□□□□□藏□□視其血脈，察其五色，以知其寒熱痛痺。候色脈尺□□□□　平按：甲乙無其字。注右方有候色脈尺四字，左方缺，應空四小格。黃帝曰：持鍼縱舍，余未得其意也。□□□□□□□鍼縱舍，故重問也。岐伯曰：持鍼之道，欲端以正，安以靜持鍼當穴故端正以志不亂故安靜也先知虛實而行疾徐補寫所由也左指執骨右手修之毋與肉果之□□堅固故曰執骨之□手脩□不可傷肉果也果音顆　平按靈樞甲乙左指作左手脩之作循之果下無之字寫欲端以正補必閉膚□□直入直出故曰端正□□□□□□□□□　平按端下甲乙無以字補袁刻誤作萌注直入上原缺二字上一字不可辨下一字右方有欠字平據經文擬作寫欲二字轉鍼導氣邪得淫泆真氣得居□□□□□□□□□□□淫泆洩出令真氣居而不散也　平按邪得淫泆甲乙作邪氣不得淫泆黃帝曰扞皮開腠理奈何岐伯曰因其分肉在別其膚膚皮也以手按得分肉之穴當穴皮上下鍼故曰在別其膚也　平按在別靈樞甲乙作左別微內而徐端之適神不散邪氣得去黃帝曰善寫法雖以□□□□□□審詳爲先故曰微內而徐正之□□□□□得□□□□酒調也　平按注雖以下原缺六字上三字不可考下二字右方作必余余平擬作端正而必徐徐六字黃帝問岐伯曰人有八虛各何以候岐伯答曰以候

五藏八虛者兩肘兩腋兩髀兩膕此之虛故曰八虛以其虛故真邪二氣留過故爲機關之室真過則機關動利邪留則不得屈伸故此八虛候五藏之氣也　平按各何以候袁刻作各以何候曰上袁刻脫荅字　黃帝曰候之奈何岐伯曰肺心有邪其氣留於兩肘兩肘肺脈手太陰心脈手少陰二脈所行故肺心有邪肘爲候也　肝有邪其氣留於兩腋兩腋脇下肝氣在中肝有邪腋爲候也　脾有邪其氣留於兩髀脾足太陰脈循股內前廉入腹故脾有邪髀爲候也　腎有邪其氣留於兩膕腎脈足少陰出膕內廉故腎有邪膕爲候也　凡此八虛者皆機關之室真氣之所過血絡之所游邪氣惡血因不得住留留則傷筋絡骨節機關不得屈伸故痀攣此八大節相屬虛處乃是□□之動□機關又□□□□□□□□□機關之室痀其俱反曲脊背傴也　平按因不得住留靈樞作固不得住留故痀攣靈樞作故病攣也　黃帝問岐伯曰余聞鍼道於夫子衆多畢矣夫子之應若失而據未有

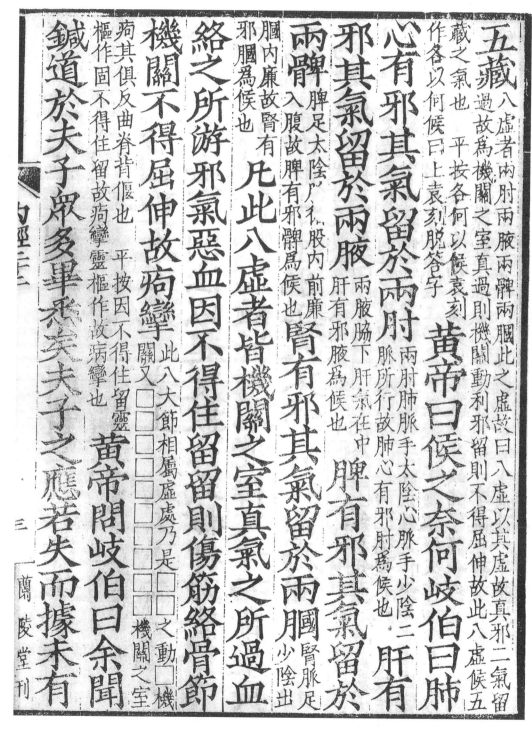

堅然者夫子之問學熟乎將審察於物而生乎據依也堅定也言夫子所說九鍼之應曲從物理而變似未有定爲也夫子所問所學從誰得乎□□□□□□□□心手也　平按靈樞應上有道字而生乎作而心生之乎岐伯荅曰聖人之爲道者上合於天下合於地中合於人事必有明法以起度數法式檢押乃後可傳焉□□□合理乃後傳之三合而爲法度故可傳也故匠人不能釋尺寸而意短長廢繩墨而起水平也工人不能置規而爲圓去矩而爲方匠人□尺寸之度非以意而爲短長准□□□□不有私而□水□□爲□巧也工□爲□□置□□□□欲爲□□無棄矩而□妙此爲大工也聖人之爲教也法自然之至理以起法度□爲而□稱聖人也　平按注匠人下原缺一字謹擬作准不有私上原缺四字謹依經文作繩墨之法四字水字上原缺一字水字下原缺二字爲下原缺一字謹依經文作而起水平以爲技巧也工下原缺一字爲下原缺二字置下原缺四字謹依經文作工欲爲員無置規而爲能無棄矩上原缺二字而下原缺一字謹依經文作欲爲方亦無棄矩而爲妙法度下原缺一字謹擬作之稱上原缺一字謹擬作後

知用此者固自然之物易用之教逆順之常繩墨非他亦自然之繩墨因其自然故其教用易是故違之則爲逆順之得常也平按固自然之物據注固應作因注違之袁刻作遵之黃帝曰願聞自然奈何岐伯曰臨深決水不用功力而水可竭也循掘決衝而經可通此言氣之滑濇血之清濁行之逆順夫自然者非爲自能與也所謂因氣之滑濇血之清濁行之逆順通之如臨深決水取自然之便而水可竭故曰自然也平按循掘掘字原缺靈樞甲乙作掘下經文亦作掘袁刻作地恐誤決衝下甲乙有不顧堅密四字此言此字原缺靈樞甲乙作此袁刻作於恐誤注夫自然者袁刻脫自字黃帝曰願聞人之白黑肥瘦少長各有數乎白黑色異也肥瘦形異也少長強弱異也刺之淺深多爲分不同故曰有數也平按注多下恐脫少字岐伯曰年質壯大血氣充盈膚革堅固因加以邪刺此者深而留之此爲肥人平按盈甲乙作盛注此爲肥人靈樞甲乙作經文廣肩腋項肉薄皮厚而黑色脣臨臨

然其血黑而濁其氣濇其爲人貪於取與刺此者深而留之多益其數此黑色人也　平按皮厚靈樞甲乙作厚皮臨臨然下甲乙有者字濇下靈樞甲乙有以遲二字取與甲乙作取予黃帝曰刺瘦人奈何岐伯曰刺瘦人者薄皮色少肉廉廉然薄脣輕言其血清氣滑易脫於氣易損於血刺此者淺而疾之瘦人謂夭□□皮也　平按注夭下原缺二字謹依經文擬作色薄二字袁刻夭作天皮作人黃帝曰刺常人奈何岐伯曰視其白黑各爲調之其端正長厚者其血氣和調刺此者無失常數之常謂平和不肥瘦人刺之依於深淺常數不深之不淺之也　平按長厚靈樞作敦厚甲乙作純厚常數之靈樞作常數也甲乙作其常數黃帝曰刺壯士真骨奈何岐伯曰刺壯士真骨堅肉緩節監監然此人重則氣濇血濁刺此者深而留之多

益其數壯士骨□堅大者也　平按縱節靈樞甲乙作緩節監監甲乙作驗驗注一作監監注骨下原缺一字謹擬作節勁則
氣滑血清刺此淺而疾之勁急也黃帝曰刺嬰兒奈何
岐伯曰嬰兒者其肉脆血少氣弱刺此者以豪鍼淺
刺而疾發鍼日再可也刺嬰兒日再者不得過多也黃帝曰臨深決水
奈何岐伯曰血清氣滑疾寫之則氣竭焉自有血清氣滑刺之如臨深決水不可行也若血濁氣濇而形壯氣盛可取自然之便刺而寫之如臨深決水　平按氣滑靈樞甲乙作氣濁黃帝曰循掘決
衝奈何岐伯曰血濁氣濇疾寫之則經可通也循其血氣掘決其衝寫而通之使其平也黃帝問曰逆順五體言人骨節之小大肉
之堅脆皮之薄厚血之清濁氣之滑濇脈之長短血
之多少經絡之數余已知之矣此皆布衣匹夫之士

也平按逆順五體甲乙作逆順九體經絡之數直接下文此皆布衣匹夫之士也無言人骨節之小大及余已知之矣數句夫王公大人血食之君身體柔脆肌肉耎弱血氣慓悍滑利其刺之徐疾淺深多少可得同乎平按夫王公大人血食之君甲乙作血食者三字注云九墟作血食之君靈樞耎弱作軟弱岐伯答曰夫膏粱菽藿之味何可同也氣滑則出疾氣濇則鍼大而入深深則欲留淺則欲疾以此觀之刺布衣者深以留刺大人者微以徐此皆因氣慓悍滑利者也脈氣五十動有代者順也不滿五十動一代者逆也言大人食以膏粱布衣□□□□□□□□故刺之深淺去留之異也平按氣滑則出疾下靈樞有其氣濇則出遲氣悍則鍼小而入淺甲乙同惟氣濇上無其字注布衣二字下原缺八字袁刻補食以菽藿四字仍與缺處未盡合謹依經文擬作匹夫之士食以菽藿八字黃帝問曰形氣之逆順奈何岐伯答曰形氣不足病氣有餘是邪勝也急

寫之急寫邪氣補形氣也形氣有餘病氣不足急補之急以正氣補之氣實則病除也形氣不足病氣不足此陰陽氣俱不足也不可刺之刺之則重不足重不足則陰陽俱竭血氣皆盡五藏空虛筋骨髓枯老者絶滅壯者不復矣俱不足者不可行刺宜以湯藥調也形氣有餘病氣有餘此謂陰陽俱有餘也急寫其邪調其實虛故曰有餘者寫之不足者補之此之謂也形氣爲陽病氣爲陰□俱有餘者可以寫邪氣以調形氣使和也平按注陰下原缺一字右方剩氣字半形謹擬作氣袁刻脱故曰刺不知逆順真邪相薄滿而補之則陰陽四溢腸胃充郭肝肺内䐜陰陽相錯滿而補之陰陽之氣滿於□□故曰四溢腸胃氣聚所以脹而充郭肝肺俱滿故曰内䐜叱擲反陰陽俱盛所以相錯也平按甲乙四溢作血氣皆溢内䐜作内脹注滿於下原缺二字上一字不可考下一字下半剩又字謹擬作四支二字

虚而寫之則經脈空虚血氣竭枯腸胃攝辟皮膚薄著毛腠夭焦予之死期攝辟腸胃無氣也攝紙輒反　平按竭枯甲乙作枯竭攝靈樞作偏甲乙作懾焦靈樞作膲故曰用鍼之要在乎知調調陰與陽精氣乃光合形與氣使神内藏光章盛皃神内藏者五神守藏也　平按知調下原缺一字靈樞作陰與陽調陰與陽七字甲乙重調字謹依甲乙擬作調乃光甲乙作乃充使神内藏使字原缺謹依靈樞甲乙補作使袁刻作五故曰上工平氣中工亂經下工絶氣危生故下工不可不慎也平氣致氣和也下工守形不知□氣傷□□實故不可不慎也　平按甲乙無故下工三字注氣傷上原缺一字謹依經文擬作平傷下原缺二字謹擬作生損二字必審其五藏變化之病五脈之應經絡之實虚皮之柔麤而後取之五脈五時之脈也柔麤謂調尺之皮膚柔弱麤强也　平按審下靈樞無其字甲乙審作察變化上有之字下無之病二字應上有相字皮下有膚字

九鍼所主平按此篇自篇首至末見靈樞卷二第七官鍼篇又見甲乙經卷五第二惟編次前後畧異

九鍼之要官鍼最妙官者謂用鍼時□□於鍼也　平按九鍼之要靈樞甲乙作凡刺之要九鍼之宜各有所爲長短大小各有所施不得其用病不能移病淺鍼深内傷良肉皮膚爲癕平按癕靈樞甲乙作癰病深鍼淺病氣不寫反爲大膿病小鍼大氣寫大疾必後爲害病大鍼小大氣不寫亦復爲敗夫鍼之宜大者大寫小者不移已言其過請言其所施言九鍼之用所宜各異並言用法也　平按大疾靈樞甲乙作太甚必後爲害靈樞作疾必爲害甲乙作病後必爲害大氣不寫靈樞作氣不寫泄亦復爲敗甲乙作亦爲後敗病在皮膚無常處者取以鑱鍼於病所膚白勿取鑱鍼頭大末兌主寫陽氣故皮膚痛無常處陽氣盛也痛處膚當色赤故白處痛移不可取也病在分肉間者取以員鍼於

病所員鍼之狀鋒如卵指摩分間內不傷肌以寫分氣也　平按注狀下袁刻脫鋒字卵下袁刻多一形字病在脉氣少當補者取以鍉鍼于井滎分輸鍉鍼之狀鋒如黍粟之兑主當行補於井滎之輸以致於氣也　平按滎甲乙作營袁刻作滎病爲大膿者取以鈹鍼鈹鍼之狀末如劍鋒以取大膿也　平按大膿者甲乙作大膿血鈹靈樞甲乙作鈹病痺氣暴發者取以員利鍼員利鍼狀如氂氂毛也用取暴痺痺病氣痛而不去者取以豪鍼豪鍼之狀尖如蟲蝱之喙靜以徐往留之養神以取痛痺也　平按痺病靈樞作病痺病在中者取以長鍼長鍼之狀鋒利身薄以取藏中遠痺也病爲水腫不能過關節者取以大鍼大鍼之狀尖如筳筳如平筳其鋒微圓以通關節也　平按靈樞過作通注狀下袁刻脫尖字病在五藏固居者取以鋒鍼寫於井滎分輸取以四時鋒鍼之狀刃三隅以發固居之疾寫於井滎分輸取以四時也　平按甲乙輸作俞三刺平按此篇自所謂三刺至不可以爲工也見靈樞卷二第七官鍼篇又見甲乙經卷五第二自凡刺之屬三刺至穀至末見靈樞卷二第九終

始篇又見甲乙經卷五第五

所謂三刺則穀氣出者，先淺刺絶皮以出陽邪，三刺者陽邪刺陰邪刺穀道氣刺也陽邪浮淺在皮故一刺淺之陽邪得出也　平按三刺下甲乙有之字再刺則陰邪出者，少益深絶皮致肌肉未入分間也，陰邪次深在於肌肉故再刺出之也　平按分下靈樞甲乙有肉字已入分肉之間則穀氣出。穀氣者正氣也故後刺極深以致正氣也　平按甲乙已入上有後刺深之四也故刺法曰：始刺淺之以逐邪氣而來血氣，後刺深之以致陰氣之邪，最後刺極深之以下穀氣。此之謂也。逐邪氣者逐陽邪來血氣引正氣也下穀氣不下引之令下也　平按以逐邪氣甲乙作以逐陽邪之氣無而來血氣四字以致陰氣之邪甲乙作以致陰邪之氣故用鍼者不知年之所加，氣之衰盛虛實之所起，不可以爲工也。人之大忌七歲已上次第加九至一百六名曰年加也不知年加氣之衰盛虛實爲不知也凡刺之屬三刺至穀三刺得於穀氣也　平按靈樞甲乙穀下有氣字邪僻妄合陰陽二邪妄與正氣相合一也陰陽易居藏府一氣相乘名曰易居二也　平按甲乙易居作移居逆順相反營氣逆肺衛氣順脈以爲相反三也沈浮異處春脈或沈冬脈或浮故曰異處四也四時不得謂四時脈不相順五也　平按甲乙不得作不相得稽留淫泆言血氣或有稽留纏過或有淫泆過度六也須鍼而去以此六過故須微鍼以去之也一刺則陽邪出再刺則陰邪出三刺則穀氣至穀氣至而止所謂穀氣至者已補而實已寫而虛故以知穀氣至也已補而實已寫而虛皆正氣至故病愈也　平按甲乙一刺再刺下均無則字穀氣至三字不重邪氣獨去者陰與陽未能調而病知愈也行補寫已邪氣已去以陰陽未調病雖不愈後必愈矣故曰補則實寫則虛痛雖不隨鍼減病必衰去矣引上經證也　平按痛甲乙作病靈樞鍼下無減字陰盛而陽虛先補其陽後寫其陰

而和之陰虛而陽盛先補其陰後寫其陽而和之重實寫之爲易重虛補之爲難故先補後寫也三脈重足大指之間三脈足陽明足厥陰足太陰三脈也足太陰脈起足大指端循指內側白肉際過覈骨後上內踝不言大指岐間此言重在大指間者從大指端循大指內側入大指間以過覈骨而上也足厥陰脈起大指聚毛上入大指間重在太陰之上上循足跗足陽明支別跗上入大指間重在厥陰之上　平按重靈樞甲乙作動甲乙經注云一作重又注重字原鈔均作重袁刻易作動必審其實虛虛而寫之是謂重虛重虛病益甚必審大指關三脈虛實以手按之先補虛者後寫實者若不知三脈有實寫其虛者是謂重虛重虛病益甚也凡刺此者以指按之脈動而實且病者疾寫之虛而徐者則補之反此者病益甚其重也陽明在上厥陰在中太陰在下三脈有動而實者有徐而虛者皆審調補寫也　平按而實且病者靈樞甲乙病作疾甲乙疾寫之作則寫之其重也靈樞甲乙重作動甲乙注云一作重太陰在下靈樞甲乙作少陰在下膺輸中膺背輸中背膺輸在胸中背輸在背中也　平按輸靈樞甲乙作腧

肩髆虛者取之上補肩髃肩井等穴曰取之上也平按髆靈樞作膊甲乙作髀重舌刺舌柱以錍鍼重舌謂舌下重肉生也舌柱舌下柱以錍鍼刺去血也平按錍靈樞甲乙作鈹手屈而不伸者其病在筋伸而不屈者其病在骨在骨守骨在筋守筋腎足少陰脈主骨可守足少陰脈發會之穴以行補寫肝足厥陰脈主筋可守足厥陰脈發會之穴以行補寫也補須一方實深取之希按其痏以極出其邪氣量此補下脫一寫字方處也欲行寫者須其寫處是實然後得為寫也深取之者令其出氣多也希遲也按其痏者遲按鍼傷之處使氣洩也平按希靈樞甲乙作稀痏袁刻誤作病注同一方虛淺刺之以養其脈疾按其痏無使邪氣得入行於補者須補處是虛也淺刺者惡其洩氣所以不深也以養其脈者留鍼養其所取之經也按其痏者按鍼傷之處疾闔其門使邪氣不入正氣不出也邪氣來也堅而疾穀氣來也徐而和鍼下得氣堅疾者邪氣也徐和者穀氣也平按堅靈樞甲乙作緊脈實者深刺之以洩其氣脈虛者淺刺之使

精氣無得出以養其脈獨出其邪氣實者邪氣盛也虚者正氣少也刺諸痛者深刺之諸痛者其脈皆實脈之實滿爲痛故刺深也　平按靈樞無深刺之諸痛者六字從腰以上者手太陰陽明皆主之從腰以下者足太陰陽明皆主之腰以上爲天肺主天氣故手太陰手陽明主之也腰以下爲地脾主地土故足太陰足陽明主之也　平按靈樞從腰以上者上有故曰二字甲乙兩主之上無皆字病在上者下取之病在下者高取之手太陰下接手陽明手陽明下接足陽明足陽明下接足太陰以其上下相接故手太陰陽明之上有病宜療足太陰陽明故曰下取之足太陰陽明之下有病宜療手太陰陽明故曰高取之也　平按注故手太陰陽明下袁刻脫之上二字病在頭者取之足病在腰者取之膕足之三陰三陽之脈從頭至足故病在頭取之足也足太陽脈循腰入膕故病在腰以取膕也病生于頭者頭重生于手者臂重生于足者足重治病者先刺其病所從生者頭手足有病之處其候皆重各審其病生所由以行補寫也春氣在豪

毛人之豪毛中虛故春之陽氣在豪毛　平按靈樞無豪字夏氣在膚膚肉上也陽氣在皮肉也　平按膚上靈樞甲乙有皮字秋氣在分肉分肉謂䐃肉分間也冬氣在筋骨筋附骨上最深故冬陽氣深在筋骨也刺此病者各以其時爲齊故刺肥人者以秋冬之齊刺瘦人者以春夏之齊秋冬之齊者刺至筋骨言其深也春夏之齊刺在於皮膚言其淺也　平按甲乙爲齊下無故字病痛者陰也痛而以手按之不得者陰也深刺之人之病痛以手按之得與□□□□□□病在深在□□□□平按甲乙病痛者作刺之痛者病在上者陽也在下者陰也癢者陽也淺刺之衞氣行皮膚之中壅遏作癢故淺刺之也　平按甲乙癢者陽也淺刺之七字在病在上者上注衞氣袁刻作衛氣病先起於陰者先治其陰而後治其陽病先起於陽者先治其陽而後治其陰皆療其本也　平按靈樞兩起字下無於字刺熱厥者留鍼反爲寒刺寒厥者留鍼反爲熱

留久者則无熱動鍼留之爲寒无寒靜鍼留之爲熱也刺熱厥者二陰一陽刺寒厥者二陽一陰所謂二陰者二刺陰也一陽者一刺陽也皮爲陽分也肌肉爲陰分也刺熱厥者二度刺陰留補其陰也一度刺陽留寫其陽也刺寒反之　平按自刺熱厥者留鍼反爲寒至一刺者陽也甲乙鍼道終始篇無此二段久病者邪氣入深刺久病者深內而久留之間日而復刺之先調其左右去其血脈刺道畢矣病久益深物理之恒故非深取久留不可去之邪氣不能速出故須間日而取之氣調左右血絡刺而去之可謂盡刺之理者也　平按刺久病者靈樞甲乙作刺此病者凡刺之法必察其形氣形肉未脫少氣而脈又躁躁厥者必爲繆刺之以下繆刺之法也形肉未脫察其形也少氣察其氣也脈躁察其脈也有此三種所由必須繆刺大絡左刺右右刺左也散氣可收聚氣可希希散也繆刺之益正氣散而收聚邪氣聚而可散也　平按希靈樞甲乙作布恐原鈔傳寫之誤深居靜處爲鍼調氣凡有六種深□□□□□□靜一也與神往來去妄

心隨作動二也　平按與靈樞甲乙作占注隨作二字袁刻缺此本尚完閉户塞牖魂魄不散去馳散守魂魄三也專意一神精氣不分去異思守精神四也　平按不分靈樞甲乙作之分無聞人聲以收其精去異聽守精氣五也必一其神令之在鍼淺而留之微而浮之以移其神氣至乃休休平和也平鍼下和氣六也　平按令之在鍼靈樞甲乙作令志在鍼微而浮之下原鈔缺半行細玩殘缺處中間筆畫甚重應是大字經文謹依靈樞甲乙補入以移其神氣至乃休八字男内女外堅巨勿出謹守勿内是謂得氣男者在家故爲内也女者出家故爲外也是男爲内氣女爲外氣鍼下得男内氣堅巨勿令出也得女外氣謹守勿令入内也　平按男内女外靈樞注云有作男外女内甲乙作男女内外巨靈樞甲乙作拒

三變刺平按此篇自篇首至末見靈樞卷二第六壽夭剛柔篇又見甲乙經卷十第一

黄帝問曰余聞刺有三變何謂三變伯高答曰有刺營者有刺衛者有刺寒痺之留經者黄帝問曰刺三

者奈何平按靈樞三下有變字伯高曰刺營者出血刺衛者出氣刺寒痹者內熱刺營見血出惡血也刺衛見氣出邪氣也刺痹見熱故曰三變寒温之氣停留於經絡久留鍼使之內熱以去其痹也　平按注寒温温字恐係濕字傳寫之誤黃帝問曰營衛寒痹之為病奈何伯高曰營之生病也寒熱少氣血上下行衛之生病也氣痛時來時去怫愾賁響風寒客於腸胃之中寒痹之為病也留而不去時痛而皮不行怫愾上扶物反下許氣反氣盛滿皃賁響腹脹皃也　平按氣痛時來時去靈樞作氣通時來時去甲乙作氣血時來去皮不行靈樞甲乙作皮不仁黃帝問曰刺寒痹內熱奈何伯高曰刺布衣者必火焠刺大人者藥熨之平按靈樞甲乙必火焠作以火焠之藥上有以字黃帝問曰藥熨之奈何伯高曰用醇酒二十升蜀椒四升乾薑一升桂一升平按醇酒二十升靈樞作二十斤蜀椒四升靈樞甲乙作一升乾薑一升靈樞作一斤桂一升靈樞作桂心一

斤凡四種皆㕮咀漬酒中用綿絮一斤細白布四丈平按甲乙皆㕮咀作各細㕮咀漬酒中作著清酒中四丈下有二尺二字皆並內酒中置酒馬矢溫中

蓋封塗勿使洩平按溫靈樞甲乙作熅蓋甲乙作善甲乙洩上有氣字五日五夜出布綿

絮曝乾復漬以盡其汁平按甲乙絮上無綿字靈樞曝乾下有之乾二字每漬必晬其

日乃出乾平按乃出乾靈樞乾下重一乾字甲乙作乃出布絮乾之並用滓與綿絮複布

爲複巾長六七尺爲六七巾平按與綿絮複布爲複巾長六七尺爲六七巾甲乙作與絮布長六七尺爲六八巾即用之生桑炭炙巾以熨寒痹所刺之處平按甲乙所刺作所乘

令熱入于病所平按靈樞甲乙入下有至字寒復炙巾以熨之三十

遍而止即汗出炙巾以拭身平按靈樞作汗出以巾拭身亦三十遍而

止起步內中無見風每刺必熨如此法病已矣此所

謂內熱者也酒椒薑桂四物性熱又洩氣故用之熨身皮膆適而可刺也此在冬日血氣不流之時熨之令通也㕮弗禹反咀才與反㕮咀謂調粗細分等也啐祖賴反一日周時也平按如此法病已矣靈樞甲乙無法字矣甲乙作失

五刺平按此篇自篇首至末見靈樞卷二第七官鍼篇又見甲乙經卷五第二

凡刺有五以應五藏一曰半刺半刺者淺內而疾發鍼毋令鍼傷多如拔髮爪以取皮氣此肺之應凡刺不減一分今言半刺當是半分故以拔髮爪欲令淺刺多則恐傷氣也　平按毋令鍼傷多靈樞甲乙作無鍼傷肉髮爪靈樞作毛狀取上無以字甲乙爪作狀二曰豹文刺豹文刺者刺左右前後鍼之中脈為故以取經絡之血者此心之應也左右前後鍼痏狀若豹文故曰豹文刺也中經及絡以出血也　平按靈樞甲乙左右上無刺字　三曰關刺關刺者直刺左右盡筋上以取筋痺慎無出血此肝之應也或曰開刺一曰豈刺

刺關身之左右盡至筋上以去筋痺故曰關刺或曰開刺也　平按或曰開刺靈樞作淵刺甲乙同惟或曰二字在四曰合刺之下四曰合刺合刺者左右雞足鍼于分肉之間以取肌痺此脾之應也刺身左右分肉之間痏如雞足之跡以合分肉間之氣故曰合刺也　平按合刺靈樞甲乙作合谷刺五曰輸刺輸刺者直入直出深内之至骨以取骨痺此腎之應也依於輸穴深内至骨以去骨痺故曰輸刺也　平按輸刺甲乙作腧刺

五藏刺平按此篇自篇首至末見靈樞卷五第二十五邪篇又見甲乙經卷九自第三至第八等篇

邪在肺則病皮膚寒熱上氣喘汗出欬動肩背肺病有五　平按皮膚下靈樞有痛字甲乙有痛發二字取之膺中外輸背三椎五椎之傍以手疾按之快然乃刺之取之缺盆中以起之膺中内輸在膺前也膺中外輸肺輸也在背第三椎兩傍心輸在第五椎兩傍各相去三寸按之快然此爲輸也肺之五病取於肺輸及肺缺盆中也　平按輸靈樞作腧甲乙作

俞三椎五椎靈樞作三節五藏甲乙無五椎二字以起之靈樞甲乙作以越之邪在肝則兩脇中痛寒中惡血在內行者善瘛節時腫肝病有四也平按則兩脇中痛甲乙作則病兩脇中痛行者善瘛節時腫靈樞作行善掣節時腳腫甲乙作胻節時腫善瘛取之行間以引脇下行間足厥陰脈滎肝脈也在大指間肝在脇下故引兩脇下痛與明堂少異也補三里以溫胃中三里足陽明胃脈人病寒中陽虛也故取三里補足陽明即胃中溫也取血脈以散惡血惡血在內上下行者取其病處脈血見者刺而散之也取耳間青脈以去其痺耳間青脈附足少陽脈瘈脈一名資脈在耳本如雞足青脈絡刺出血如豆可以去痺也平按痺靈樞作掣甲乙作瘈注附袁刻作跗邪在脾胃則肌肉痛陽氣有餘陰氣不足則熱中善飢陽氣不足陰氣有餘則寒中腸鳴腹痛陰陽俱有餘若俱不足則有寒有熱皆調於三里陽氣即足陽明也陰氣即足太陰也此脾之七病皆取三里以行補寫故曰調之平按則肌肉痛靈樞甲乙作病肌肉痛善飢袁刻誤作善肌皆調於三里甲乙

作背調其三里邪在腎則骨痛陰痺陰痺者按如不得腹脹腰痛大便難肩背頸項痛時眩取之湧泉崑崙視有血者盡取之湧泉足少陰脈井足心陷中屈足捲指宛中崑崙足太陽經在外踝後跟骨上陷中腎之痺病皆取此二穴刺去血也　平按則骨痛靈樞甲乙作則病骨痛按如不得作按之而不得頸項痛甲乙作頸項強痛邪在心則病心痛喜悲時眩仆視有餘不足而調之其輸心病三種皆調其手心主經脈之輸也　平按甲乙喜悲作善悲而調之其輸作而調其俞

五節刺平按此篇自篇首至末見靈樞卷十一第七十五刺節真邪篇自黃帝曰刺節言振埃至血變而止見甲乙經卷九第三自黃帝曰刺節言發矇至必應其鍼見甲乙經卷十二第五自黃帝曰刺節言去爪至故命曰去爪見甲乙經卷九第十二自黃帝曰刺節言徹衣至疾於徹衣見甲乙經卷七第一自黃帝曰刺節言解惑至疾如解惑見甲乙經卷十第二

黃帝問於岐伯曰余聞刺有五節柰何岐伯對曰固

有五節一曰振埃二曰發矇三曰去爪四曰徹衣五曰解惑節約也謂刺道節約也此言其名也　平按固有五節固字袁刻作刺黃帝曰子言五節余未知其意岐伯曰振埃者刺外經去陽病也以下言刺道五節之意也外經者十二經脈入府藏者以為內經行於四支及皮膚者以為外經也　平按外經經字靈樞無發矇者刺府輸去府病也六府三十六輸皆為府輸也去爪者刺關節之支絡也關四支也四關諸節人餘大節也支絡孫絡也　平按關袁刻誤作開注人餘恐係人身之誤徹衣者盡刺諸陽之奇輸也諸陽奇輸謂五十九刺故曰盡也解惑者盡知調陰陽補寫有餘不足相傾移也寫陰補陽寫陽補陰使平故曰相傾移也黃帝曰刺節言振埃夫子乃言刺外經去陽病余不知其所謂也願卒聞之岐伯曰振埃者陽氣大逆滿於胸中煩䐜肩息大氣逆上

喘喝坐伏病惡埃煙餲不得息以下問答解釋五刺節義埃塵微也謂此三種陽疾惡於埃塵煙氣其病令人氣滿閉塞得喘息言其埃也餲音噎也　平按靈樞甲乙大逆下有上字煩嗔作憤瞋病惡埃煙甲乙作病咽噎不得息請言振埃而疾於振埃也以下言其振埃也刺之去病疾於振埃故曰振埃也　平按而靈樞作尚黃帝曰善取之何如岐伯曰取之天容也天容在耳下曲頰後足少陽脈氣所發也黃帝曰其欬上氣窮詘胸痛者取之奈何岐伯曰取之廉泉也詘音屈窮詘氣不申也廉泉在頷下結喉上也廉斂鹽反黃帝曰取之有數乎岐伯曰取天容者無過一里而止取廉泉者血變而止黃帝曰善一里一寸也故明堂刺天容□一寸也　平按無過一里而止靈樞作無過一里甲乙作深無一里黃帝曰刺節言發矇余未得其意夫發矇者耳無所聞目無所見夫子乃言刺府輸何使然願聞其故矇莫東反謂目不明

也　平按輸甲乙作俞府輸下靈樞有去府病三字何下有輸字甲乙同岐伯曰妙乎哉問也此刺之約鍼之極也神明類也刺節發矇謂□刺去矇者也神明謂是耳目去矇得明故曰神明類也口說書卷猶不敢及也發矇愈疾之速得於神言書所不及也　平按敢靈樞作能請言發矇尚疾於發矇也岐伯望請自言發矇之速也黃帝曰善願手受之平按靈樞作願卒聞之岐伯曰刺此者必於日中刺其聽宮中其眸子聲聞於耳此其輸也平按甲乙日中作白日中聽宮作耳聽注一作聽宮聲聞於耳耳作外黃帝曰善何謂聲聞於耳岐伯曰邪刺以手堅按其兩鼻竅而疾偃其聲必應於鍼也平按甲乙邪刺作已刺而疾偃其聲作令疾偃其聲必應於鍼作必應於中黃帝曰善此所謂弗見為之而無目視見而取之神明得者矣日中正陽故開耳目取日中也手太陽脈支者至目兑眥卻入耳中手足少陽脈支者從耳後入耳

中出走耳前至目兑眥故此三脈皆會耳目聽宫俱連目中眸子眸子目中瞳子也刺聽宫輸時矇朧速愈故得聲聞於耳也鍼聽宫時按鼻仰卧者感氣合出於耳目即耳通目明矣此之妙者得之於神明非由有目而見者也

黄帝曰刺節言去爪夫子乃言刺關節之支絡願卒聞之岐伯曰腰脊者身之大關節也股胻者人之所以趨翔也莖垂者中身之機陰精之候津液之道也爪謂人之爪甲肝之應也肝足厥陰脈循於陰器故陰器有病如爪之餘須去之也或水字錯爲爪字耳腰脊於手足關節爲大故曰大關節也陰莖在腰故中身陰莖垂動有造化故曰機也精從莖中出故爲陰精□□爲津液道也平按去爪甲乙作去衣股胻者靈樞作肢脛者莖垂者甲乙作莖睾者中身之機靈樞甲乙作身中之機注陰精下所缺二字據經文應作之候二字

故飲食不節喜怒不時飲食不節言飲食過度言其喜怒不時反春夏也津液内溢乃下溜於臯言飲食多水溢流入陰器囊中也臯音高　平按甲乙作津液内流而下溢於睪靈樞溜作留水道不通日大不休俛仰不便趨翔不能此病榮然有水不

上不下水道既閉日日長大也㷀然水聚也不上者上氣不通不下者小便及氣下不洩也　平按日大不休甲乙作炅不休息注小便袁刻小誤作水鈹石所取形不可匿常不得蔽故命曰去爪黃帝曰善以下言去爪也蔽塞也言下鈹鍼使水形不得匿而不通不常閉塞　平按鈹靈樞作鈹甲乙常作裳故命曰作名曰黃帝曰刺節言徹衣夫子乃言盡刺諸陽之奇輸未有常處也願卒聞之岐伯曰是陽氣有餘而陰氣不足陰氣不足則內熱陽氣有餘則外熱與熱相薄熱於懷炭外重絲帛衣不可近身又不可近席腠理閉塞不汗舌焦脣槁腊嗌乾欲飲不讓美惡也藏之陰氣在內府之陽氣在外陰氣在外陰氣不足陽乘之故內熱薄停也重絲帛衣複衣也腊肉乾也內熱甚渴故飲不擇美惡也腊性亦反　平按與熱相薄靈樞作內熱相薄甲乙作兩熱相薄外重絲帛靈樞作外畏綿帛甲乙無此句甲乙衣下有熱字又不可近席作身熱不可近席靈樞不汗作則汗不出甲乙作而不汗槁腊甲乙作稿

厥注云黃帝古針經作稿腊嗌乾欲飲靈樞作乾嗌燥飲下甲乙無不讓美惡也五字黃帝曰善取之奈何岐伯曰取之其府大杼三痏有刺中膂以去其熱大杼内輸皆是足太陽脉氣所發寫陽氣之要穴也平按其府靈樞甲乙作天府有刺靈樞作又刺補手足太陰以出其汗熱去汗希疾於徹衣黃帝曰善手太陰主氣足太陰主穀氣此二陰氣不足爲陽所乘陰氣不泄以爲熱病故寫盛陽補此二陰陽去二陰得實陰氣得通流液故汗出熱去得愈疾於徹衣故曰徹衣也　平按以出其汗靈樞甲乙作以去其汗希靈樞作稀甲乙作晞黃帝曰刺節言解惑夫子乃言盡知調陰陽補寫有餘不足相傾移也惑何以解之岐伯曰大風在身血脉偏虛虛者不足實者有餘大風謂是痱風等病也輕重不得傾側宛伏手足及身不能傾側也宛謂宛轉也不知東西又不知南北心無知也　平按甲乙作不知東西南北乍上乍下乍反覆顛倒無常甚

於迷惑志昏性失也　平按乍反覆靈樞作乍反乍覆甲乙無乍字黃帝曰善取之奈何岐伯曰寫其有餘補其不足陰陽平復用鍼若此疾如解惑盡知陰陽虛實行於補寫使和也黃帝曰善請藏之靈蘭之室不敢妄出也靈蘭之室黃帝藏書之府今之蘭臺故□者也

五邪刺平按此篇自篇首至末見靈樞卷十一第七十五刺節真邪篇又自黃帝曰余聞刺有五邪至真氣存見甲乙經卷五第二自請言解論至此所謂引而下之者也見甲乙經卷七第三自大熱偏身至所謂推而散之者也見甲乙經卷七第二自黃帝曰有一脈生數十病者至末見甲乙經卷十第一下篇惟自當是之時善行水者以下至末袁刻及別鈔本均缺平從日本仁和寺宮御所藏殘卷十三紙中檢出補入經文楊注缺而復完洵堪寶貴也

黃帝曰余聞刺有五邪何謂五邪岐伯曰疾有時癰者有容大者有狹小者有熱者有寒者是謂五邪黃

蘭陵堂刊

帝曰刺五邪奈何岐伯曰凡刺五邪之方不過五章癉熱消滅腫聚散亡寒痹益温小者益陽大者必去請道其方五法須別爲章也癉熱病也音丹　平按時癰靈樞甲乙作持癰有容大者有狹小者甲乙無容狹二字凡刺癰邪無迎隴隴大盛也癰之大盛將有膿不可迎而寫之也　平按無迎隴上甲乙有用鈹鍼三字易俗移性不得膿詭道更行去其鄉不安其處所乃散亡易其常行法度之俗移其先有寒温之性更量膿之所在上下正傍以得爲限故曰去其鄉不安於處一病乃散亡也　平按詭靈樞作脆甲乙作越行字靈樞甲乙不重處所處字袁刻脱注處一恐是一處傳寫之誤諸陰陽過癰所者取之其輸寫之諸陰陽之脉過癰所者可取癰之所由之輸寫之也　平按過甲乙作遇靈樞癰下無所字凡刺大邪曰以小洩奪有餘乃益虚慓其道鍼干其邪肌肉親大邪者實邪也行寫爲易故小洩之益虚取和也於鍼之道戰慓謹肅以鍼干邪使邪氣得去肌肉相附也親附也　平按大邪下甲乙有用鋒鍼三字靈樞慓其道作剽其通甲

乙慄作摽靈樞甲乙無干字袁刻干作于注同視之無有反其真視邪氣無有反其真氣乃止也　平按反其真甲乙作乃自真道四字刺諸陽分肉間刺大邪所在也凡刺小邪日以大補其不足乃無害小邪虛邪也行補爲難也故曰大補使其實也平按小邪下甲乙有用員鍼三字補下有益字視其所在迎之界遠近盡至不得外界畔際也視虛實畔界量真氣遠近須引至虛中令實不得外而不至也　平按注須下原不缺袁刻誤空四格侵而行之乃自費侵過也補須實知即止補過即損正氣費損也　平按費甲乙作貴注云一作費刺分肉之間也刺小邪所在也凡刺熱邪越而滄出遊不歸乃無病爲開道乎刺熱之道寫越走氣□覺滄然熱氣不歸病則愈也　平按熱邪下甲乙有用鑱鍼三字滄靈樞作蒼開道作開通注走氣袁刻缺走字覺上原缺一字謹擬作便辟門户使邪得出疾乃已辟開也　平按辟甲乙作闢凡刺寒邪日以温徐往疾去致其神門户已閉氣不分虛實得調真氣存刺寒之道日日使温徐往而入

得温氣已去疾而出鍼以致神氣爲意也　平按寒邪下甲乙有用豪鍼三字疾去靈樞作徐來黃帝曰官鍼奈何岐伯曰刺癰者用鈹鍼刺大者用鋒鍼刺小者用員利鍼刺熱者用鑱鍼刺寒者用豪鍼刺五邪者九鍼之中用此五鍼是所宜也　平按甲乙無此一段請言解論與天地相應四時相副人參天地故可爲解人法天地故可爲解人應天地之數故請言之下有漸洳上生葦蒲此所以知形氣之多少也洳汝據反漸洳潤溼之氣也見葦蒲之茂悴知漸洳之多少觀人形之强弱識血氣之盛衰陰陽者寒暑也熱則滋而在上根荄少汁人氣在外皮膚緩腠理開血氣洩汗大洩肉淖澤春夏陽而暑也草木陽氣滋其枝葉根莖少汁也荄莖也有本荄爲葉者非也人亦如之氣溢於外皮膚開湊大汗洩出血氣内竭　平按靈樞甲乙滋下有兩字荄甲乙作莖注云靈樞作荄寒則地凍水冰人氣在中皮膚緻腠理閉汗不出血

氣強肉堅濇秋冬陰而寒也陽氣下降寒氣在地地凍水冰人氣亦然暖氣入藏陰氣在於皮膚故腠理閉塞血□□□肉堅濇也　平按以下從殘篇中檢出補入當是之時善行水者不能往冰善穿地者不能鑿凍善用鍼者亦不能取四厥而脉淚結堅摶不往來者亦未可即柔水之性流故謂之往言水可往而冰不可流人之在冬□□冷脉□肉□故不行鍼也□之鑿者發寒之□□□而鍼傷肌破肉更增他病冋不衮歟四厥四支□冬也　平按穿地甲乙作窮地四厥作四逆而脉淚結蘽摳甲乙作血脉凝結甲乙未可作不可故行水者必待天溫冰釋凍解而水可行地可穿也人脉猶是也治厥者必先熨調和其經常與腋肘與腳項與脊以調之火氣通血脉乃行然後視其病脉淖澤者刺而平之若行水穿地者必待春夏也冬月用鍼者須薑椒桂酒之巾熨令經脉淖澤調適然後可行鍼凡兩掌兩腋兩肘兩腳膕膝項之與脊□之□□經脉所行要處□熨通脉道也　平按甲乙凍解上有窮地者必待五字而字下

蘭陵堂刊

無水可行三字穿作窮熨下有火以二字常靈樞甲乙作掌據本注亦宜作掌恐傳鈔之誤以調之甲乙作以調其氣火氣通靈樞作火氣已通甲乙作大道已通

堅緊者破而散之氣下乃止此所以解結者也病之堅緊因適破散□□□□因□□經　平按散之甲乙作決之

用鍼之類在於調氣氣之不調則病故療病者在於調氣也

氣積於胃以通營衛各行其道胃受水穀以生於氣故水穀之氣積於此也衛氣起胃之□□營氣起於胃之內口營行於脈中衛行脈外今用鍼調於胃氣通於營衛使各行其道也

宗氣留於海其下者注於氣街穀入於胃其氣清者上注於肺濁者下流於胃胃之氣上出於口以為噫氣肺之宗氣留積氣海乃胃間動氣也動氣下者注於氣街生肺脈者也　平按甲乙留於海作留積在海

其上者走於息道肺之清氣積於海者走於息道以為呼吸也　平按甲乙作上行者注於息道

故厥在於足宗氣不下脈中之血涘而止弗之火調弗能取之厥謂逆冷胃之動氣不循脈行下至於足故曰涘而止也冬日不用火調不可取也　平按涘而止靈樞甲乙作凝而留止甲乙弗能取之作鍼弗能取

用鍼者必先察其經絡之

實虛切如循之按而彈之視其變動者乃後取而下之用鍼之法必先察經絡虛實實則切循其脈虛則按其所鍼之處以手彈之視其變動然後取而下之也　平按切如循之靈樞甲乙作切而循之變動靈樞甲乙作應動取下靈樞有之字六經調者謂之不病雖病謂之自已也三陽三陰六經相得不可有病雖客邪為病必當自已也一經上實下虛而不通者此必有橫絡盛加於大經令之不通視而寫之此所謂解結者也一經十二經中隨是何經也大經隨身上下故為從也絡脈傍引故為橫也正經上實下虛者必是橫絡受邪盛加大經以為病者必視寫之故為解結也　平按甲乙寫之下有通而決之四字上寒下熱先刺其項太陽久留之已則熨項與肩胛令熱下合乃止所謂推而上之者也上寒腰以上寒下熱腰以下熱項太陽之太陽脈也久留鍼者推別熱而使之上也熱既聚於肩項須令和之故熨使下也推熱令上故曰推而上之也　平按已則熨靈樞作已刺則熨甲乙作已刺則火熨下合合字甲乙注云一本作冷上熱下寒視其虛脈而

陷下於經絡者取之氣下乃止此所謂引而下之者也腰以上熱腰以下冷視腰以下有虛脈陷於餘經及絡者久留鍼使氣下乃止故曰引而下之者也 平按陷下靈樞作陷之大熱徧身狂而妄見妄聞妄言視足陽明及大絡取之足陽明主氣其氣強盛狂妄見聞及妄言多因此脈故取陽明正經及絡以去之也 平按狂而妄見妄聞妄言甲乙作故狂言而妄見妄聞虛者補之血實者寫之因令偃卧居其頭前以兩手四指俠按頸動脈久持之卷而切推下至缺盆中復上如前熱去乃止所謂推而散之者也□足陽明上實下虛爲狂等病□補下虛經也上之血絡盛而實者可刺去血以寫之因令偃卧以手按人迎之脈□下至缺盆中復上來去使熱氣洩盡乃可休止故曰推而散之也有本爲腹上如前恐錯也 平按血實者靈樞作血而實者甲乙作血如實者因令偃卧靈樞作因其偃卧俠按頸動脈靈樞俠作挾甲乙作按其頸動脈復上靈樞甲乙作復止

黃帝曰有一脈生數十病者或痛或癰或寒熱或癢

痹或不仁變化無窮其故何也岐伯曰此皆邪氣之所生也上經十二經脈生病各異此言一脈生數十種病變化無窮者十二經生病非無有□至於變化亦不可窮故欲取者甚須審察不可輕然以定是非也　平按靈樞或寒熱作或寒或熱或癢痹作或痒或痹

黄帝内經太素卷第二十二　九鍼之二

黄陂陳孝敬校字

黃帝內經太素

甲子冬

蕭延平題

黃帝內經太素卷第二十三 九鍼之三

通直郎守太子文學臣楊上善奉　敕撰注

黄陂蕭延平北承甫校正

量繆刺

量氣刺

量順刺

疽癰逆順刺

量絡刺

雜刺

量繆刺 平按此篇自篇首至末見素問卷十八第六十三繆刺論篇又見甲乙經卷五第三

黃帝問岐伯曰余聞繆刺未得意也何謂繆刺岐伯曰夫邪之客於形也必先舍於皮毛留而不去入舍於孫脈留而不去入舍於絡脈留而不去入舍於經脈内連五藏散於腸胃陰陽更盛五藏乃傷此邪之從皮毛而入極於五藏之次也此陰陽二邪俱盛從於皮毛至於五藏故以五藏爲次也　平按甲乙無留而不去入舍於孫脈九字陰陽更盛素問甲乙作陰陽俱感如此則治其經焉今邪客於皮毛入舍於孫絡留而不去閉塞不通不得入於經流溢於大絡而生奇病焉平按素問新校正云全元起本云大絡十五絡也夫邪客大絡者左注右右注左上下與經相干布於四末其氣無常處不入於經輸命曰繆刺如此至經可療經之脈輸若邪客皮毛孫絡溢於大絡而

生奇病左右相注與經相干乃至於布四末其氣居無常處而不入經可以繆刺之　平按輸素問甲乙作俞命曰甲乙作名曰注生奇病生字袁刻作主

黃帝曰願聞繆刺以左取右以右取左爲之奈何其與巨刺何以别之此問繆刺巨刺之異　平按甲乙無願聞繆刺爲之奈何二句素問無爲之二字岐伯曰邪客於經也左盛則右病右盛則左病先言巨刺也邪氣中乎經也左箱邪氣有盛則刺右之盛經以刺左右大經故曰巨刺巨大也病亦有易移者左病未已而右脈先病如此者必巨刺之必中其中經非絡脈也左箱病已右箱次病名後病今左箱病之未已即右箱病起故曰先病名曰易移如此之類可巨刺之　平按病亦有易移者素問作亦有移易者注云甲乙作病易且移今本甲乙作亦有易且移者左病未已素問甲乙作左痛未已必中其中經素問甲乙作必中其經故絡病者其痛與經脈繆處故名曰繆刺矣痛病在於左右大絡異於經絡故名繆繆異也　平按甲乙注云巨刺者刺其經繆刺者刺其絡

黃帝曰願聞繆刺奈何取之如何以上請廣言繆刺也　平按注

以上恐係以下傳鈔之訛岐伯曰邪客於足少陰之絡令人卒心痛暴脹胸脇支滿足少陰直脈從腎上入肺中支者從肝出絡心注胸中故卒心痛也從腎而上故暴脹也注於胸中胸脇支滿也以足少陰大鍾之絡傍經而上故少陰脈行處絡為病也　平按甲乙支作反毋積者刺然骨之前出其血如食頃而已左取右右取左病新發者五日已聚陽病也積陰病也其所發之病未積之時刺然骨前出血也然骨在足内踝下大骨刺此大骨之前絡脈也　平按出其血素問甲乙無其字素問左取右上有不已二字五日上有取字病新發哀刻作新病發邪客於手少陽之絡令人喉痺舌卷口乾煩心臂内廉痛手不及頭刺小指次指爪甲上内去端如韭葉各一痏壯者立已老者有頃已左取右右取左此新病數日者也手少陽外關之絡從外關上繞臂内廉上注胸合心主之脈胸中之氣上薰故喉痺舌卷口乾煩心臂内廉痛手不上頭也老者氣血衰故有頃已也平按手少陽甲乙作手少陰注云一作陽煩心素問甲乙作心煩小指素問甲

〔乙作手中指素問王注云謂關衝穴少陽之井也新校正云關衝穴出手小指次指之端今言中指者誤也注外關袁刻誤作外開甲乙經外關手少陽絡在腕後二寸陷者中別走心者〕

邪客於足厥陰之絡令人卒疝暴痛刺足大指爪甲上與肉交者各一痏男子立已女子有頃乃已左取右右取左〔足厥陰亟溝之絡其別者循脛上鼻結於莖故病卒疝暴痛也疝痛者陰之病也女子陰氣不勝於陽故有頃已也　平按注亟溝查足厥陰無亟溝甲乙經云蠡溝足厥陰之絡在足內踝上五寸別走少陽亟溝恐係蠡溝傳鈔之訛又注循脛上鼻素問王注作循脛上睪鼻恐係睪字傳鈔之誤又注故病袁刻誤作故痛〕

邪客於足大陽之絡令人頭項痛肩痛刺足小指爪甲上與肉交者各一痏立已不已刺外踝下三痏左取右右取左〔足大陽支正之絡別者上走肘絡肩髃故頭項痛也足小指爪甲上與肉交處此絡所出處也外踝下亦此絡行處也　平按右取左下素問甲乙有如食頃已四字〕

邪客於手陽明之絡令人氣滿胸中喘息而支胠胸中熱刺手大指次

指爪甲上去端如韭葉各一痏左取右右取左如食頃已手陽明偏歷之絡其支者上臂垂肩髃上曲頰不言至於胸脇而言胸脇痛者手陽明之正膺乳別上入柱骨下走大腸屬於肺故胸滿喘息支脇胸熱也以此推之正別脉者皆爲絡　平按注柱骨甲乙作巨骨在肩端上行兩叉骨間陷者中手陽明蹻脉之會邪客於臂掌之間不可得屈刺其踝後先以指按之痛乃刺之以月死生爲痏數月生一日一痏二日二痏十六日十四痏腕前爲掌腕後爲臂手外踝後是手陽明脉所行之處有脉見者是手陽明絡臂掌不得屈者取此絡也　平按二日二痏下素問甲乙有十五日十五痏六字邪客於陽蹻令人目痛從內眥始刺外踝之下半寸所各二痏左刺右右刺左如行十里頃而已陽蹻從足上行至目內眥故目痛刺足外踝之下申脉所生絡也　平按注申脉當係申脉傳寫之訛素問王注謂申脉穴陽蹻之所生也甲乙經申脉陽蹻所生在足外踝下陷者中別本亦作申人有所墮墜惡血在內腹中滿脹不得前

後先飲利藥此上傷厥陰之脈下傷少陰之絡刺足内踝之下然骨之前血脈出血刺足跗上動脈不已刺三毛上各一痏見血立已左刺右右刺左人有墮傷惡血在腹中不得大小便者可飲破血之湯利而出之若不愈者可刺足内踝之下大骨之前足少陰之絡又取三毛厥陰之絡　平按惡血在内素問作惡血留内甲乙作惡血留於内血脈出血素問新校正疑血脈脈字是絡字之誤刺足跗上甲乙無足字左刺右右刺左甲乙刺作取

善悲善驚不樂刺如右方厥陰之脈入眼故傷厥陰虚而善悲及不樂也志主驚懼故傷少陰之脈令人驚喜俱用前方刺三處也　平按善悲善驚素問作善悲驚甲乙作善驚善悲

邪客於手陽明之絡令人耳聾時不聞刺手大指次指爪甲上去端如韭葉各一痏立聞不已刺中指爪甲上與肉交者立聞其不時聞者不可刺也手陽明偏歷之絡别者入耳會於宗脈故邪客令人耳聾也不時聞者病成不可療　平按時不聞素問甲乙聞下有音字刺中指爪甲

上素問王注疑是小指爪甲上新校正以王氏之説非是詳素問注中耳中生風者亦刺之如此數左刺右右刺左人覺耳中有風出者是邪客手陽明絡故用方同之　平按生風衰刻誤作出風左刺右右刺左甲乙刺作取痺往來行無常處者在分肉間痛而刺之以月死生爲數有痺往來手陽明絡分肉間爲痛痺也從月一日至十五日爲月生也從十六日至三十日爲月死也　平按痺上素問甲乙有凡字往來行甲乙作行往來用鍼者隨氣盛衰以爲痏數鍼過其月數則脱氣不及月數則氣不寫左刺右右刺左病已止不已復刺如法用鍼之數隨氣盛衰盛則益數衰則減數輒過其數必即脱氣不增其數邪氣不寫增減病仍不愈刺如前法也　平按月數素問甲乙作日數病已止不已甲乙作病如故三字月生一日一痏二日二痏十五日十五痏十六日十四痏月生氣血漸增故其痏從增至十五日也十六日後月減人氣漸衰故從十四痏減至月盡名曰月死也　平按素問二痏下有漸多之三字十四痏下有漸少之三字邪客於足陽明之絡令

人鼽衄下齒寒刺中指爪甲上與肉交者各一痏左刺右右刺左足陽明豐隆之絡別者上絡頭合諸經之氣下絡喉嗌故從鼽入於下齒所以邪客令人鼽衄下齒冷也手陽明經入下齒中足陽明經入上齒中不入下齒今言齒寒者足陽明絡入下齒也又尋絡之生病處不是大絡行處者乃是大絡支分小絡發病者也　平按素問絡作經下齒作上齒中指作中指次指王注謂中指當是大指傳寫之誤甲乙經注云素問注云刺大指次指新校正云按甲乙經云刺足中指爪甲上無次指二字蓋以大指次指為中指義與王注同平按繆刺乃刺絡所生病故上文經云絡病者其痛與經脈繆處故名曰繆刺王氏以足陽明之絡作經故下齒亦作上齒復以中指為大指次指之誤謂宜刺厲兌穴是直以絡病為經病矣不若楊注為允

邪客於足少陽之絡令人脇痛欬汗出刺足小指次指爪甲上與肉交者各一痏不得息立已汗出立止欬者溫衣飲食一日已左刺右右刺左病立已不已復刺之如法又足少陽光明之絡去足踝五寸別走厥陰下絡足跗不至於脇足少陽正別者入季脇之間循胸裏屬膽散之上肝貫心上挾咽故脇痛也貫心上肺故欬也貫心故汗出也與肉交處刺

絡邪客處不得息者亦肺病也肺以惡寒故刺出血已須温衣暖飲食也　平按脇痛下素問甲乙有不得息三字甲乙無次指二字

邪客於足少陰之絡令人咽痛不可內食無故善怒氣上走賁上刺足下中央之脈各三痏凡六刺立已左刺右右刺左

足少陰大鍾之絡別者傍經上走心包故咽痛不能內食也少經正經直者上貫肝膈絡既傍經而上故善怒氣走賁上也賁膈也足下中央有湧泉穴少陰脈也　平按素問咽作嗌賁素問王注謂氣奔新校正引難經謂胃爲賁門楊玄操云賁鬲也與此注同素問王注非是注足下袁刻誤作足上

邪客於足太陰之絡令人腰痛引少腹控䏚

足太陰公孫之絡別者入絡腸胃足太陰別上至髀合於陽明與別俱行上絡於咽貫舌中故舌中央脈者即足太陰別脈者也此絡既言至髀上行則貫腰入少腹過䏚所以腰痛引少腹控䏚者也　平按素問此節上有嗌中腫至左刺右右刺左二十九字本書在後邪客於手足少陰太陰之上王氏以爲錯簡而遷於此節之上

不可以仰息刺其腰尻之解兩胂之上以月死生爲痏數發鍼立已左刺右右刺左

尻解之兩胂上此絡之腰刺也胂以真反　平按仰息袁刻誤

作作息以月上素問甲乙有是腰俞三字新校正云全元起本舊無此三字

邪客於足太陽之絡令人拘攣背急引脇而痛內引心而痛足太陽飛陽之絡去踝七寸別走少陽不至腰膕足太陽正別入膕中其一道下尻五寸別入於肛屬於膀胱散之腎從膂當心入散直者從膂上於項復屬太陽故邪客拘攣背急引脇引心痛　平按内引心而痛素問無此五字新校正云全元起本及甲乙經均有此五字據此則本書與全本同刺之從項始數脊椎俠背疾按之應手而痛刺之傍三痏立已脊有二十一椎以兩手俠脊當椎按之痛處即是足太陽絡其輸兩傍各刺三痏也　平按應手而痛刺之素問而痛作如痛甲乙刺之作刺入

邪客於足少陽之絡令人留於樞中痛髀不舉刺樞中以豪鍼寒則久留鍼以月死生為痏數立已又足少陽光明之絡去踝五寸別走少陰不至樞中足少陽正別繞髀入毛際合厥陰別者入季肋間故髀樞中久痛及髀不舉也留停久也豪鍼如毫毛也如蟲蝱喙也靜以徐徃微養之久留以取痛痺也　平按不舉素問作不可舉甲乙作不得氣為痏數素問無痏字

治諸經刺之所過者不痛則繆刺之刺十

二經所過之處不痛者病在於絡故繆刺也　平按甲乙諸經上無治字不痛素問甲乙作不病

耳聾刺手陽明不已刺其通脈出耳前者巨刺手陽明並商陽等穴不已巨刺手太陽出走耳聽會之穴也　平按甲乙通脈作過脈

齒齲刺手陽明不已刺其脈入齒中者立已刺手陽明輸三間等穴不已刺手陽明兌端穴　平按刺手陽明下甲乙有立已二字素問齒中下無者字注兌端穴查甲乙經手陽明無兌端穴惟手三里穴在曲池下二寸按之肉起兌肉之端兌端恐即手三里穴

邪客於五藏之間其病也脈引而痛時來時止視其病脈繆刺之於手足爪甲上視其脈出其血間日一刺一刺不已五刺已五藏之脈引而有痛視其左右病脈所在可繆刺之手足爪甲上十二經脈井之絡脈故取之也亦是取經井以療絡病也　平按病脈脈字素問無

繆傳刺上齒足陽明絡左病右痛右病左痛可刺上齒足陽明絡　平按素問刺作引

齒脣寒痛視其手背脈血者去之足陽明中指爪甲上一痏手大指次指爪甲上

各一痏立已左取右右取左手陽明脉入下齒中還出俠口交人中足陽明脉入上齒中還出俠口環
脣下交承漿故取手陽明血絡以去齒脣痛也足中指爪甲上足陽明絡故亦取之手大指次指爪甲上亦是手陽明絡故亦取之皆視其病左右繆刺之
平按齒脣寒痛甲乙無痛字注云太素多一痛字足陽明上甲乙有刺字嗌中腫不能內唾時不能出
唾者繆刺然骨之前出血立已左刺右右刺左足少陰經出然
骨而上肺中循喉嚨俠舌本故嗌中腫刺然骨前絡脉也　平按素問此節在邪客於足太陰之絡之上唾者下無繆字甲乙左刺右右刺左刺作取邪
客於手足少陰太陰足陽明絡此五絡皆會於耳中
上絡左角手少陰足少陰手太陰足太陰足陽明此五絡脉手少陰通里入心中繫舌本孫絡至耳中足少陰經至舌本皮部絡入耳也
手太陰正别從喉嚨亦孫絡入耳中足太陰經連舌本下散舌下亦皮部絡入耳中足陽明經上耳前過客主人前亦皮部絡入耳中此之五絡入於耳中相
會通已上絡於左角左角陽也五絡俱竭令人身脉皆動而形無知也其
狀若尸厥此之五絡爲身綱紀故此脉絶諸脉亂動形不知人與尸厥死之相似非尸厥也　平按其狀若尸厥素問甲乙作其狀若尸

蘭陵堂刊

或曰尸厥刺足大指内側甲下去端如韭葉此刺足太陰隱白穴也平按甲下素問甲乙作爪甲上後刺足心刺足少陰湧泉穴也後刺足中指甲上各一痏刺足陽明厲兌穴也平按中指下素問甲乙有爪字後刺手大指之内去端如韭葉刺手太陰少商穴也平按之内素問作内側後刺少陰兌骨之端各一痏立已刺手少陰神門穴也此前五刺皆中其經穴以調絡病平按此節上素問有後刺手心主五字王注謂中衝穴新校正謂甲乙不刺手心主此五絡亦不及手心主王氏相隨注之非是不已以竹筒吹其兩耳鬄其左角之髮方寸燔治飲以美酒一杯不能飲者灌之立止鬄耻歷反除也耳中五絡會處也左角五絡絡處也平按甲乙耳下有中字鬄作剔素問竹筒作竹管方寸作方一寸凡刺之數必先視其經脈切而順之審其虛實而調之不調者經刺之不調者偏有虛實也偏有虛實者可從經穴調其氣也平按切而順之順素問作從甲乙作循有痛而經不病者繆刺之循經候之不見有病

仍有痛者此病有異處故左痛刺右等名曰繆刺因視皮部有血絡者盡取之此繆刺之數也繆刺之處皮部絡邪血皆刺去之名曰繆刺之法數法也　平按因甲乙作目素問因視下有其字甲乙同

量氣刺平按此篇自篇首至末見靈樞卷十第六十七行鍼篇自或神動而氣先鍼行至末又見甲乙經卷一第十六

黃帝問於岐伯曰余聞九鍼於夫子而行之百姓百姓之血氣各不同形或神動而氣先鍼行或氣與鍼相逢或鍼已出氣獨行或數刺乃知或發鍼而氣逆或數刺病益劇凡此六者各不同形願聞其方岐伯曰重陽之人其神易動其氣易往也夫爲鍼之法以調氣爲本故此六者問氣之行也　平按甲乙無黃帝問至各不同形二十八字病亦劇作病益甚重陽之人作重陽之盛人黃帝曰何謂重陽之人岐伯曰重陽之人熇熇蒿蒿言語善疾舉足善

高重陽之人謂陽有餘也熇相傳許嬌反熇熇蒿蒿言其人疏悦也　平按熇熇甲乙作嬌嬌蒿蒿靈樞作高高注悦袁刻作恍心肺之藏氣有餘陽氣滑盛而揚故神動而氣先行五藏陰陽者心肺為陽肝脾腎為陰故心肺有餘為重陽也重陽之人其神纔動其氣即行以陽氣多也故見持鍼欲刺神動其氣即行不待鍼入其人與之刺微為易也黃帝曰重陽之人而神不先行者何也自有重陽要待鍼入其氣方行故須問之　平按甲乙無此一節岐伯曰此人頗有陰者黃帝曰何以知其頗有陰也岐伯曰多陽者多喜多陰者多怒數怒者易解故曰頗有陰其陰陽之合難故其神不能先行也欲知重陽仍有陰者候之可知但人多陽者其心多喜多陰者多怒仍有數怒易解即是重陽有陰人也重陽有陰人其氣不得先鍼行　平按合上靈樞甲乙有離字黃帝曰其氣與鍼相逢奈何岐伯曰陰陽和調而血氣淖澤滑利鍼入而氣出疾而相逢也陰陽和平之人以其氣和故鍼入即氣應

相逢者也黄帝曰鍼以出而氣獨行者何氣使然岐伯曰其陰氣多而陽氣少陰氣沈而陽氣浮沈者藏故鍼以出氣乃隨其後故獨行也多陰少陽之人陰氣深而内藏故出鍼後氣獨行也　平按靈樞鍼以出作已出而陽氣浮沈者藏作陽氣浮者内藏甲乙同黄帝曰數刺乃知者何氣使然岐伯曰此人多陰而少陽其氣沈而氣注難故數刺乃知也知者病愈也其人陰多陽少其氣難宣故數刺方愈也　平按氣注難靈樞甲乙作氣往難據上文經云其氣易往恐係往字傳寫之誤黄帝曰鍼入而逆者何氣使然岐伯曰其氣逆與其數刺病益甚者非陰陽之氣浮沈之勢也此皆粗之所敗工之所失其形氣無過焉刺之令人氣逆又刺之病甚者皆是醫士不知氣之浮沈非是陰陽形氣之過也量順刺平按此篇自篇首至末見靈樞卷八第五十五逆順篇自刺法曰無刺熇熇之熱至不治已病見甲乙經卷五第一自伯高曰兵法

九

蘭陵堂刊

無迎逢逢之氣至與脈相逆者又見日本醫心方卷一

黃帝問伯高曰：余聞氣有逆順，脈有盛衰，刺有大約，可得聞乎？ 設此三問爲調氣之要也 伯高對曰：氣之逆順者，所以應天下陰陽四時五行也。 一知逆順謂知四時五行逆順之氣依而刺也 平按靈樞天下作天地 脈之盛衰者，所以候血氣之虛實有餘不足。 二知候脈謂候寸口人迎血氣虛實也 刺之大約者，必明知病之可刺，與其未可刺，與其已不可刺也。 三知刺法謂知此病可刺此未可刺此不可刺也約法也 黃帝曰：候之奈何？伯高曰：兵法無迎逢逢之氣， 逢蒲東反兵氣盛也 平按醫心方兵法下有曰字 無擊堂堂之陳。刺法曰：無刺熇熇之熱， 熇呼篤反熱熾盛也堂堂兵盛皃兵之氣色盛者未可卽擊待其衰然後擊之刺法亦爾邪氣盛者消息按摩折其大氣然後刺之故曰無刺熇熇熱也 無刺漉漉之汗， 漉漉者血氣洩甚大虛故不可刺之也無刺渾渾之脉渾渾濁亂也凡候脉濁亂者莫知所病故不可刺也無刺病與脉相逆者形病脉不病脉病形不病名曰相反逆反也黄帝曰候其可刺柰何伯高曰上工刺其未生者也内外二邪雖有未起病形刺之以爲上工也其次刺其未盛者也已成微病未爲盛者刺之以爲上工者也　平按未盛甲乙作未成其次刺其已衰者病雖已衰未即能愈刺之以爲中工者也下工刺其方襲也與其形之盛者也與其病之與脉相逆者也方正方襲重也正病重疊病形復盛病脉相反刺之以爲下工者也故曰方其盛也勿敢毀傷刺其已衰事必大昌言工有損益也故曰上工治不病不治已病此之謂也不病未病之病也已病已成病也　平按治不病靈樞甲乙作未病甲乙無此之謂也四字

疽癰逆順刺平按此篇自篇首至末見靈樞卷九第六十玉版篇自黄帝曰病生之時至末又見甲乙經卷十一第九

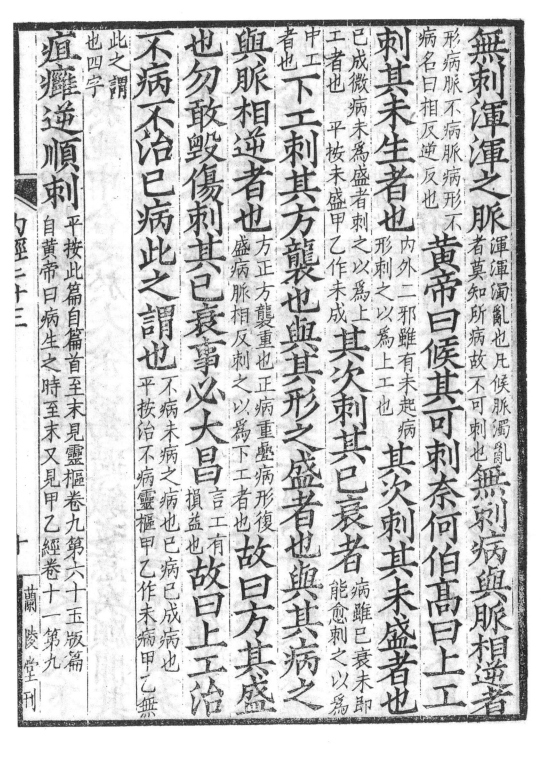

黃帝曰余以少鍼爲細物也夫子乃上合之於天下合之於地中合之於人余以爲過鍼之意矣願聞其說九鍼微細之道以合三才之大余恐太過也物道也　平按少鍼靈樞作小鍼乃下有言字岐伯曰何物大於鍼者乎夫大於鍼者唯五兵者焉五兵者死備也非生之備也且夫人者天地之鎮塞也其可不參乎夫治人者亦唯鍼焉夫鍼與五兵其孰小乎夫人之爲天地鎮塞貴莫大焉兵有五者一弓二殳三矛四戈五戟死之之具也九鍼雖小生人之器也聖人用之理於百姓孰爲小道故大之無外小之無内細入無間令人久壽者其唯九鍼乎　平按非生之備也靈樞作非生之具天地之鎮塞也靈樞無塞字注五兵周禮夏官司兵掌五兵鄭司農云五兵者戈殳戟酋矛夷矛又步卒之五兵無夷矛而有弓矢與此略異黃帝曰病生之時有喜怒不測飲食不節陰氣不足陽氣有餘營氣不行乃發爲疽癰癰生所由凡有四種測度

也喜怒無度爭氣聚生癰一也飲食不依節度縱情不擇寒溫爲癰二也藏陰氣虛府陽氣實陽氣實盛生癰三也邪客於血聚而不行生癰四也癰疽一也癰之久者敗骨名曰疽也　平按靈樞甲乙病生之時作生病之時陰陽氣不通兩熱相薄乃化爲膿鍼小能取之乎以下言生膿所由也邪客於皮膚之中寒溫二氣不和內外兩熱相擊腐肉故生於膿恐小鍼不能取之　平按不通上靈樞無氣字甲乙兩熱作而熱岐伯曰聖人不能使化者爲邪之不可留也故兩軍相當旗幟相望白刃陳於中野者此非一日之謀也能使其人令行禁止卒無白刃之難者非一日之務也須臾之方得也平按靈樞邪之作之邪須臾之方得也作須臾之得也自聖人不能使化者至須臾之方得也甲乙無此一段夫至使身被癰疽之病膿血之聚者不亦離道遠乎夫癰疽之生膿血之成也不從天下不從地出積微之所生也故聖人之治自於未

有形也愚者遭其已成也幟昌志反幡也聖人不能使身化爲病者以聖人理之未亂其邪不可留於身也故譬白及陳於中野謀之在乆士卒無難習之日遠癱疽不生調中多日故身遺癱疽之病去和性之道遠矣夫積石成山積水成川積罪成禍積氣成癱非從天下地出皆由不去脆微故得斯患也聖人不爾於國理之未亂於身約之於未病不同愚人渴而掘井鬬方鑄兵也　平按甲乙無不從天下不從地出八字積微作積聚故聖人之治自於未有形也靈樞作故聖人自治於未有形也甲乙作自治於未形注白及表刻反字作仮聖人不爾爾誤作亦鬬方鑄兵方作而黃帝曰其以有形不子遭膿以成不子見爲之奈何遭逢也子百姓帝以百姓如子者也言不逢者癱之有形百姓不能逢知也癱之有膿百姓亦不見爲之奈何也　平按其以有形不子遭膿以成不子見靈樞作其已形不予遭膿已成不予見甲乙作其已有形膿已成岐伯曰膿以成十死一生癱生於節背及腹内膿成不可療故十死一生　平按以靈樞甲乙作已故聖人不使以成而明爲良方故聖人明爲良方癱微之時療之弗使成也　平按不使以成靈樞作弗使已成著之竹帛使能者踵之傳之後世無有終時者爲其不遭子也著之竹帛爲於百姓不能逢知

癰疽者　平按踵之靈樞作踵而子作子自上文故聖人不使至遭子也甲乙無黃帝曰其以有膿血而後遭子可造以小鍼治乎癰之生於背及節與腹內已有膿血後百姓逢知小鍼可得療否也　平按其以有膿血靈樞以作已甲乙作已成二字而後遭子靈樞作而後遭乎甲乙無此四字可造靈樞作不導之三字甲乙無造字岐伯曰以小治小者其功小以大治大者多害故其以成膿者其唯砭石排鋒之所取也以小鍼療癰之小難差故曰其功小也以大鍼療膿成大傷以處多故得出膿害傷也是以膿成唯須砭錍也　平按以大治大多害甲乙作以大治大者其功大以小治大者多害大以成膿者靈樞甲乙作已成膿血者砭石靈樞甲乙作砭石錍靈樞甲乙作鈹注難差袁刻作難愈黃帝曰多害者其不可全乎多害者砭錍之傷即至死也岐伯曰其在逆順焉逆者多傷至死順者出膿得生也黃帝曰願聞逆順岐伯曰以為傷者白眼青黑眼小是一逆也內藥而歐是二逆也腹痛渴甚是三逆也肩項中不便是四逆

內經二十三

蘭陵堂刊

也音嘶色脱是五逆也除此者爲順矣先有五傷後行鈹者爲逆也先無五傷膿成行鈹爲順也嘶先妻反聲破也　平按白眼甲乙作白睛歐靈樞甲乙作嘔除此下有五字

量絡刺平按此篇自篇首至末見靈樞卷六第三十九血絡論篇又見甲乙經卷一第十四

黃帝曰願聞奇邪而不在經者岐伯曰血絡是也邪在血絡奇絡之中故曰奇邪也　平按經者下甲乙有何也二字黃帝曰刺血絡而仆者何也血出而射者何也血出黑而濁者何也血清半爲汁者何也發鍼而腫者何也血出多若少而面色蒼蒼然者何也發鍼面色不變而煩悶者何也多出血而不動搖者何也願聞其故刺絡有此八種之異請解所以也　平按靈樞血出黑作血少黑血清半爲汁者靈樞甲乙作血出清而半爲汁者血出多若少靈樞甲乙作若多若少煩悶靈樞作煩悗多出血甲乙作出血多岐伯曰脈氣盛而血虛

者刺之則脫氣脫氣則仆脈中氣多血少血持於氣刺之氣血俱出其血先虛而復脫氣氣血俱奪故仆也　平按盛靈樞甲乙作甚血氣俱盛而陰氣多者其血滑刺之則射之陽氣多者其血滑刺之血射此爲陰氣多者陰多爲𤸎故陰字錯也　平按射下靈樞甲乙無之字陽氣蓄積久留而不寫者其血黑以濁故不能射也熱氣久留癕蒸故血黑而濁　平按蓄積靈樞作畜積甲乙作積蓄新飲而液滲於絡而未合和血也故血出而汁別焉其不新飲者身中有水久則爲腫新水未變爲血所以別行舊水留而不寫以爲水腫　平按未合和血甲乙作未和合於血陰氣積於陽則其氣因於絡故刺之血未出而氣先行故腫陰氣久積陽絡之中刺之陰血𤸎而未行陽氣先行故腫陰陽之氣新相得而未和合因而寫則陰陽俱脫表裏相離故脫色面蒼蒼然得遇也陰陽成和則表裏相持未合刺之故俱脫離所以脫色面色青　平按寫下靈樞甲乙有之字甲乙寫作瀉蒼然

蘭陵堂刊

靈樞作著著然注成衮刻作咸亦通刺之血多色不變而煩悶者刺絡中虛經虛經之屬於陰者陰脫故煩悶刺絡血者邪盡血變血多其色不變其心悶者以其刺屬藏虛經陰氣有脫致使心悶也　平按血多靈樞作血出多甲乙無血多色三字中虛經靈樞甲乙作而虛經陰陽相得而合爲痺者此爲內溢於經外注於絡如是者陰陽俱有餘雖多出血弗能虛也陰陽相共受邪爲痺是爲陰陽俱盛故出血不虛也　平按外注於絡甲乙外上有而字黃帝曰相之奈何岐伯曰血脈盛者堅橫以赤上下無處小者如鍼大者如撍即而寫之萬全相候也陰陽俱盛其候如何陰陽內經盛溢必注於絡故候堅橫盛絡寫之萬全者也　平按靈樞甲乙無處作無常處如撍作如筋即而寫之甲乙作刺而寫之地無失數失數而反各如其度數理也若失理而反取者各如前之度　平按地靈樞甲乙作故反甲乙作返黃帝曰鍼入如肉著者何也岐伯曰熱氣因於鍼則鍼熱

熱則肉著鍼故堅焉膚肌氣熱故令鍼熱則肉著轉之爲難可動鍼久留熱去鍼寒自然相離也　平按鍼入如肉著著靈樞作鍼入而肉著者甲乙作鍼入肉著注肉著表刻誤作内著

雜刺平按此篇自篇首至人迎候陽見靈樞卷四第十九四時氣篇自刺家不診至末見素問卷十四第五十五長刺節論篇又自篇首至必深以留之見甲乙經卷五第一自風水膚脹至盡取之見甲乙經卷八第四自飧泄至熱行乃止見甲乙經卷十一第四自温瘧至五十九刺見甲乙經卷七第五自轉筋於陽至皆卒鍼見甲乙經卷十第四自徒水至百三十五日見甲乙經卷八第四自著皮至取其里骨見甲乙經卷十第一自爲䐜脹中至虛補之見甲乙經卷九第七自癘風者至無食他食見甲乙經卷十一第九自腹中常鳴至三里見甲乙經卷九第七自少腹控睪至以調之見甲乙經卷九第八自善歐至以去其邪見甲乙經卷九第五自飲食不下至則散而去之見甲乙經卷九第七自少腹病腫至取三里見甲乙經卷九第九自治癰腫者至爲故止見甲乙經卷十一第九自病在少腹至炅病已也亦見甲乙經卷九第九自病在筋至骨熱病已見甲乙經卷十第一自病在諸陽脈至病已止見甲乙經卷十一第二自病風至百日而已見甲乙經卷七第一中篇自病大風至末見甲乙經卷十第二

黃帝問於岐伯曰夫四時之氣各不同形百病之起

蘭陵堂刊

皆有所生灸刺之道何者可寶一則四時不同二則生病有異灸刺總而要之何者爲貴平按靈樞寶作定下同注云一本作寶岐伯對曰四時之氣各有所在灸刺之道得氣穴爲寶灸刺所貴以得於四時之氣也平按甲乙氣穴上無得字故春取經血脈分肉之間甚者深刺之間者淺取之春時人氣在脈謂在經絡之脈分肉之間故春取經血脈分肉之間也平按甲乙故春取經血脈分肉之間作故春刺絡脈諸滎大經分肉之間深刺作深取夏取盛經孫絡取分間絶皮膚夏時人氣經滿氣溢孫絡受血皮膚充實故夏取盛經孫絡又取分腠以絶皮膚也平按甲乙絡上無孫字夏作長夏分間亥刻作分肉秋取經輸邪氣在府取之合秋時天氣始收腠理閉塞皮膚引急故秋取藏相之輸以寫陰邪取府經之合以寫陽邪也平按輸靈樞作腧甲乙作俞靈樞無氣字冬取井滎必深以留之冬時蓋藏血氣在中内著骨髓通於五藏故取井已下陰氣逆取滎以實陽氣也平按甲乙冬取井滎作冬取井諸俞之分必深作欲深風水膚脹爲五十九痏腹皮之血者盡取之以下雜刺有此風水

刺一也風水及膚脹刺水穴爲五十九痏又盡刺夫腹皮絡血也　平按靈樞
風水上有温瘧汗不出爲五十九痏十字本書在後水作痳五十九痏作五十
七痏甲乙注云靈樞作五十七刺
腹皮靈樞甲乙作取皮膚三字

飧洩補三陰之上補陰之陵

泉皆久留之熱行乃止飧洩刺二也飧洩病虚冷皆補足三陰上取關元等下取陰陵泉也　平按甲乙三陰之作三陰交靈樞甲乙陵泉上無之字温瘧汗不出爲五十九刺此温瘧刺三也温瘧寒熱病也故刺熱輸五十九痏也

轉筋於陽理其陽卒鍼之轉筋於陰理其陰皆卒鍼轉筋刺四也六陽轉筋即以燔鍼刺其陽筋六陰轉筋還以燔鍼刺其陰筋也　平按兩理字靈樞作治靈樞甲乙陽下無卒鍼之三字皆卒鍼作皆卒刺之

徒水先取環谷下三寸以鈹鍼之已刺而鍼之筩而內之入而復之以盡其水必堅束之緩則煩悗束急則安靜閒日一刺之水盡乃止飲閉藥方刺之時徒飲之方飲無食方食無飲無食他食百三十五

日窻紆元反此水刺法五也環谷當是齊中也齊下三寸關元之穴也錍關元內筩引水水去人虛當堅束身令實復飲補藥飲之與食相去而進閒日刺之不可頓去水盡乃止禁如藥法一百三十五日乃得愈徒空也空飲無食也 平按以錍鍼之靈樞作以鈹鍼鍼之甲乙作錍鍼刺之已刺而鍼之筩而內之靈樞作已刺而筩之而內之甲乙作而藏之引而內之入而復之甲乙作入而復出水靈樞甲乙均作𤸇必堅束之靈樞無束之二字緩則煩窻靈樞緩上有來字窻作悗甲乙作悶束急靈樞作來急飲閉藥甲乙作飲則閉藥著痺不去久寒不已卒取其里骨此著皮刺六也卒鍼燔鍼準上經卒當為焠刺痺法也里骨謂與著痺同里之骨名曰里骨以其痺深故取此骨也 平按里骨靈樞作三里骨卒取其里骨甲乙作為肝痺三字注云一作骭痺為骭脹中不便取三里盛寫之虛補之骭脹刺七也骭腳脛也脛寒為脹取三里補寫為要也 平按為骭靈樞作為幹甲乙無此二字脹靈樞作腸甲乙作膓盛虛下甲乙均有則字癘風者索刺其腫上以刺以兌鍼兌其處按出其惡氣腫盡乃止常食方食無食他食此癘風刺入也索蘇作反散也刺癘風腫上也已復兌頭之鍼以兌其處去鍼以手按之出其惡氣食如禁法也 平按索靈樞作素以刺靈樞甲乙作已刺以兌鍼兌其處靈樞作以銳鍼鍼其處甲乙作以吮其處惡氣

甲乙作惡血腹中常鳴氣上衝胸喘不能久立邪在大腸刺肓之原巨虛上廉三里大腸氣上衝刺九也大腸手陽明脉絡肺下膈屬大腸故邪氣在大腸循手陽明脉上衝胸不能久立也肓膈也膈之原出鳩尾也巨虛上廉與大腸合以足陽明上連手陽明故取巨虛上廉並取三里也　平按常鳴甲乙作雷鳴上衝作常衝肓靈樞甲乙作肓少腹控睾引腰脊上衝心邪在小腸者連睾系屬於脊貫肝肺絡心系氣盛則厥逆上衝腸胃動肝散於肓結於齊故取之肓原以散之小腸上衝刺十也睾音高小腸傳脊左環葉積其注於廻腸者外傅於齊上小腸之脉絡心循咽下膈抵胃屬小腸故得連睾系屬於脊貫肝肺絡心系也是以邪氣客小腸氣盛則厥逆上衝腸胃動於肝氣散於肓結於齊也取肓原肓原脖胦也齊上一寸五分也　平按睾靈樞甲乙作睪甲乙小腸者上有小腸也三字動肝靈樞作燻肝甲乙作燻肝肺散於肓甲乙肓作胸齊靈樞甲乙均作臍刺太陰以予之小腸脉貫肺故取手太陰五輸療前病之穴取厥陰以下小腸脉貫肝故取肝脉足厥陰療前病五輸之穴也　平按靈樞甲乙作以下之取巨虛下廉以去之

蘭陵堂刊

巨虛下廉與小腸合故取之按其所過之經以調之調所過之經補寫之善歐歐有苦長太息心中濟濟恐人將捕之邪在膽逆在胃膽液洩則口苦胃氣逆則歐苦故曰歐膽著取三里以下胃氣逆刺少陽血絡以閉膽部調其虛實以去其邪口苦刺十一也長太息者太息長也膽熱之病恐懼故如人將捕之也邪在膽者熱邪在於膽中溢於苦汁胃氣因逆遂歐膽口苦名曰膽癉故取三里以下胃之逆氣取膽脈少陽調其虛實以去熱邪也　平按歐靈樞甲乙作嘔濟濟靈樞作憺憺甲乙作澹澹歐苦甲乙作嘔苦汁胃氣甲乙作胃逆以閉膽部靈樞作以閉膽逆卻調其虛實甲乙作以閉膽逆飲食不下鬲塞不通邪在胃管在上管則刺抑而下在下管則散而去之飲食不下刺十二也邪在胃管則令膈中氣塞不通飲食不下之候邪在上管刺胃之上口之穴抑而下之邪在下管刺胃之下口之穴散而去之也　平按鬲靈樞作膈管靈樞甲乙均作脘而下均作而下之少腹病腫不得小便邪在三焦約取之足太

陽大絡視其絡脉與厥陰小絡結而血者腫上及胃管取三里腹脹不通刺十三也邪在三焦約而不通故少腹腫不得大小便可刺足太陽大絡及足厥陰孫絡結聚之血可刺去之又刺腫上及取胃管並刺三里也　平按少腹病腫靈樞作小腹痛腫甲乙作少腹腫痛絡脉上甲乙有結字覩其色察其目知其散復者視其目色以知病之存亡取病存亡刺十四也散則病亡復則病存也　平按以而知病之存亡靈樞無而字恐衍壹其形聽其動靜者持氣口人迎專務不散則一其形也移神在脉則聽動靜也氣口則手太陰寸口脉人迎則足陽明人迎脉也　平按壹靈樞作一視其脉堅且盛且滑者病日進脉濡者病持下諸經實者病三日已氣口候陰人迎候陽氣口藏脉故候陰也人迎府脉故候陽也　平按靈樞視上有以字濡作軟持下作將下刺家不診聽病者言在頭疾頭痛爲藏鍼之刺至骨病已無傷骨肉及皮皮者道也陽刺入一傍四不診刺十五也所刺之家

病人自知病之所在不復須診更不爲診即爲鍼之故曰藏鍼藏鍼之法刺至骨部不得傷於骨肉皮部皮者乃是取其刺骨肉之道不得傷餘處也刺頭病者頭爲陽也甚寒入腦以爲頭疾痛病故陽刺之法正内一傍内四療氣博大者也本作陰刺者字誤耳　平按疾頭痛素問作頭疾痛爲藏鍼之素問新校正云全元起本無藏字素問病已下有上字陽刺作陰刺新校正云甲乙經陽刺者正内一傍内四陰刺者左右卒刺之此陰刺疑是陽刺與此正同四下素問有處字注更不爲診衣刻脱爲字

治寒熱深專者刺大藏迫藏刺背輸也寒熱刺十六也大藏肺藏也肺藏之形大如四藏故曰大藏刺肺寒熱之法近藏刺之刺於背輸迫近也　平按素問背下重一背字

刺之迫藏藏會腹中寒熱氣去而止與刺之腰發藏而洩出血刺背輸迫藏刺之使藏氣會通腹中寒熱氣盡乃止並刺腰中淺發其藏氣出其血也　平按素問熱下無氣字腰作要發藏而洩出血作發鍼而淺出血注藏氣會通衷刻脱氣字

治癰腫者刺癰上視癰小大深淺刺大者多血深之必端内藏爲故止癰腫刺十七也刺癰之法當癰上刺之大者深之小者淺之便端内藏以出血爲故藏賊郎反　平按癰腫癰上素問癰均作腐新校正云全元起本及甲乙經腐作癰素問深之上有小者二字必端内藏爲故止作必端内鍼爲故正新

校正云甲乙經云刺大者多而深之必端内鍼爲故正

病在小腸者有積刺腹齊以下至少腹而止刺俠脊兩傍四椎間刺兩髂髎季脇肋間道腸中熱下氣已

腸積刺十八也髂客罵反腰骨兩箱也小腸傅脊下連皐係外傅於齊故小腸有積刺於齊腹下至少腹並脊椎間及季肋間也　平按病在小腸者素問作病在少腹刺腹齊以下作刺皮髓以下髂髀作髂髎道腸中熱下氣已作導腹中氣熱下已新校正云皮髓應作皮骺骺骨端也謂齊下横骨之端全元起本作皮髓元起注齊傍埵起也亦未爲得

病在小腹痛不得大小便病名曰疝得之寒刺少腹兩股間刺腰髁骨間刺而多之盡炅病已也

髁口化反痛疝刺十九也得寒者得之於寒多刺此五處得熱便愈也炅音桂也　平按素問痛上重一腹字得之寒刺少腹兩股間甲乙作得寒則少腹脹兩股間冷髁作髁

病在筋攣諸節痛不可以行名曰筋痹刺筋上爲故刺分間不可中骨也病起筋炅病已止

筋痹刺二十也筋絡諸節故筋攣諸節皆痛不可中其骨部以病起筋所以筋熱已止也

蘭陵堂刊

平按攣諸節痛素問甲乙作筋攣節痛分間作分肉間㒵甲乙作熱病在肌膚盡痛痺傷於寒溼刺大分小分多發鍼而深之熱以爲故肌膚痺刺二十一也寒溼之氣客於肌中名曰肌痺可刺肉之大分小分之間也　平按肌膚下素問甲乙復有肌膚二字痛痺二字素問甲乙作名曰肌痺四字熱以作以熱無傷筋骨傷筋骨癰發若變諸分盡熱病已止刺肌肉分者不得傷骨筋之部傷骨筋之部發爲癰也刺肌痺者若得諸分肉間盡熱即病已也　平按癰發甲乙作寒發病在骨骨重不可舉骨髓痠痛寒氣至名曰骨骨痺深者刺無傷脈肉爲故至其大分小分骨熱病已骨痺刺二十二也邪客在骨骨重痠痛名曰骨痺刺之無傷脈肉之部至得刺其骨部大小分間也　平按痺上重骨字素問甲乙不重當條衍文至其大分小分素問作其道大分小分甲乙作其道大小分病已下素問甲乙有止字病在諸陽脈且寒且熱諸分且寒且熱名曰狂刺之虛脈視分分盡熱病已而止狂病刺二十三也陽并陽明太陽等故曰諸陽

脉身及四支諸分且有寒熱名之爲狂刺法補其虚陰令分分皆熱得平病也　平按分字素問甲乙不重病初發盛一發不治日一發不治四五發名曰癲病刺諸其分諸脉其尢寒者以鍼調之病已止癲病刺二十四也一發不療者謂得癲病一盛發已有經數時不發不療之者後更發時有一日一發不療之者後更發時一日之中四五度發之名曰癲病刺法待其發巳刺諸分諸脉以鍼補其寒者病已有本爲月一發也　平按素問甲乙盛作歲日一發作月一發四五發上有月字刺諸其分諸脉其尢寒者以鍼調之病已止素問作刺諸分諸脉其無寒者以鍼調之病已止甲乙作刺諸分其脉尢寒者以鍼補之病風且寒且炅汗出一日數過先刺諸分理絡脉汗出且寒且熱三日一刺百日而已寒熱刺二十五也風成爲寒熱一日數度寒熱並汗刺諸分腠絡脉復且寒且熱三日一刺分劑也　平按炅下袁刻脫汗出二字炅上素問甲乙有熱字病大風骨節重鬚眉墮落名曰大風刺肌肉爲故汗出百日刺骨髓汗出百日凡二百日鬚眉生而止大風刺二十六也刺肌肉之部及骨髓部

蘭陵堂刊

各經百日二百日已以鬚眉生爲限也　平按鬚眉隨落
素問作鬚眉隨甲乙作鬚眉墜止下素問甲乙有鍼字

黃帝內經太素卷第二十三　九鍼之三　黃陂蕭貞昌校字

黄帝内經太素卷第二十四補寫

通直郎守太子文學臣楊上善奉　敕撰注

黄陂蕭延平北承甫校正

天忌

本神論

真邪補寫

虛實補寫

虛實所生

天忌平按此篇自篇首至末見素問卷八第二十六八正神明論篇新校正云八正神明論又與太素知官能篇大意同文勢小異檢本書十九卷知官能篇與本篇天忌及下篇本神論文意多同亦可互證又自是故天寒無刺五句見甲乙經卷五第一

黃帝問於岐伯曰用鍼之服必有法則焉今何法何則岐伯曰法天則地合以天光服事也光謂三光黃帝曰願卒聞之岐伯曰凡刺之法必候日月星辰四時八正之氣氣定乃刺之定者候得天地正氣日定定乃刺之是故天溫日明則人血淖液而衛氣浮故血易寫氣易行天寒日陰則人血涘泣而衛氣沈也淖大卓反濡甚也謂血濡甚通液也衛氣行於脈外故隨寒溫而邪浮沈滑澀泣音澀　平按涘泣素問作凝泣氣易行袁刻誤作氣日行注脈外袁刻誤作脈中月始生則血氣始精衛氣始行血氣者經脈及絡中血氣者也衛氣者謂是脈外循經行氣也精者謂月初血氣隨月新生故曰精也但衛氣常行而言始行者亦隨月生稱曰始行也月郭滿則血氣盛肌肉堅脈中血氣及肉皆隨月堅盛也月郭空則肌肉減經絡虛衛氣去形獨居是故所以因天時而調血氣者

也經脉之内陰氣隨月皆虚經絡之外衛之陽氣亦隨月虚故稱爲去非無衛氣也形獨居者血氣與衛雖去形骸恒在故曰獨居故謂血氣在於時也是故天寒無刺天温無疑天温血氣淖澤故可刺之不須疑也　平按甲乙天寒作大寒天温作大温無疑作無凝月生無寫月滿無補月正血氣始精微弱刺之虚虚故不可寫月滿人氣皆盛刺之實實故不可補也月郭空無療是謂得時而調之無療者治之亂經故無療也是謂得時法也　平按無療素問甲乙均作無治因天之序盛虚之時移光定位正立而待之正立待之伺其氣也故曰月生而寫是謂藏虚月生藏之血氣精微故刺之重虚也　平按藏虚新校正云全元起本藏作減減當作緘月滿而補血氣揚溢經有留止命曰重實揚溢盛也月滿刺之經溢流血故曰重實也　平按經有留止素問作絡有留血月郭空而治是謂亂經陰陽相錯真邪不别沈以留止外虚内亂淫邪乃起月郭空者天光盡也肌肉並經絡及衛氣陰陽皆虚真邪氣交錯相似不能别無刺之則邪氣沈留絡脉外虚經脉内亂於是淫邪得起也　平按注無刺之

蘭陵堂刊

無字恐衍黄帝曰星辰八正何候岐伯曰星辰者所以制日月之行也日月之行度有以二十八宿爲制度也八正者所以候八風之虚邪以時至者四時者所以分春秋冬夏之氣所在以時調之也以八方正位候八種虚邪之風也四時者分陰陽之氣爲四時以調血氣也八正之虚邪而避之勿犯也以身之虚而逢天之虚兩虚相感其氣至骨入則傷五藏工候救之弗能傷也故曰天忌不可不知也形及血氣年加皆虚故曰身虚與虚邪相感爲病入深故至於骨傷五藏也法天候之以禁故曰天忌也　平按注身虚身虚與虚邪相感袁刻作身之虚虚與虚邪相感黄帝曰善

本神論平按此篇自篇首至末見素問卷八第二十六八正神明論篇與上篇相接自寫必用方以氣方盛至末又見甲乙經卷五第四

黄帝曰其法星辰者余以聞之願聞法往古者也帝問

師古攝生之道岐伯曰法往古者先知鍼經也往古伏羲氏始畫八卦造書契即可制鍼經攝生救病之道驗於來今者先知日之寒溫月之盛虛也以候氣之浮沈而調之於身觀其立有驗也制鍼經之旨獲驗於來今者由先知寒溫盛虛以候脈氣浮沈次用鍼調之以取其驗也觀於冥冥者言形氣營衛之不形於外形之肥瘦血氣盛衰營衛之行不見於外故曰冥冥也　平按營素問作榮而工獨知之以與日之寒溫月之盛虛四時氣之浮沈參伍相合而調之工常先見之然而不形於外故曰觀於冥冥焉以下解觀也工人以神得彼形氣營衛之妙不可知事參伍相合調之符合外不知故曰觀冥冥　平按以與日之寒溫素問無與字通於無窮者可以傳於後世無窮者謂血氣之妙也有通之者可傳於萬代不通之者以殺生人故不能傳之是故工之所以異也然不形見於外故俱不能見之良工觀於冥冥所知衆妙

俱不可知之　平按不形袁刻作形不視之無形嘗之無味故曰冥冥若神髣髴冥冥之道非直目之不可得見亦非舌所得之味若能以神髣髴是可得也此道猶是黄帝之玄珠罔象通之於髣髴虛邪者八正之虛邪氣也正邪者身形飢若用力汗出腠理開逢虛風其中入微故莫知其情莫見其形胃中無穀曰飢飢及汗出虛因腠理開虛風得入虛風入時難知故曰冥冥也　平按素問身形下無飢字其中入微作其中人也微上工救其萌牙必先知三部九候之氣盡調不敗救之萌牙未病之病病之微也先知三部九候調之即療其微故不敗也　平按必先知素問知作見不敗救之素問作不敗而救之故曰下工救其已成者言不知三部九候之氣以相失有因而疾敗之疾者言其速也　平按素問故曰下有上工二字下工下有救其已成救其已敗八字之氣以相失作之相失三字有因而疾敗之作因病而敗之也知其所在者知診三部九候之病脈處而治之故曰守

其門戶焉莫知其情而見其邪形也但察三部九候得其病脉見其邪形即便療之以守其門戶更不須問其情也黃帝問於岐伯曰：余聞補寫，未得其意。岐伯曰：寫必用方，方者以氣方盛也，以月方滿也，以日方溫也，以身方定也，以息方吸也，而內鍼，方正也氣正盛時月正滿時日正溫時身正安時息正吸時此之五正是內鍼時也乃復候其方吸而轉鍼之，此之一正是乃轉鍼時也乃復候其方呼也而徐引鍼，故曰寫必用方，其氣乃行焉。此之一正是出鍼時也寫用七法即邪氣行出也　平按其方呼也而徐引鍼袁刻呼誤作吸引誤作出補者必用其員，員者行也，行者移也，刺必中其營，復以吸也。員之與方行鍼齊實也行補之法刺中營氣留鍼補也因吸出鍼移氣使氣實也　平按補者必用其員者行也素問作補必用員員者行也甲乙作補者行也營素問甲乙作榮吸下均有排鍼二字故員與方也，排鍼也。員之與方行鍼之法皆推排鍼爲補寫之　平按排鍼素問作非鍼王注云所言方員者非謂鍼形正謂行移之義檢本書知官能篇經云寫必用員補必用方與此不同楊注云員謂之規法天而動寫氣者也方謂之矩法地而靜補氣者也寫必用方補必用員彼出素問此是九卷方員之法神明之中調氣變不同故爾據此則方員之義一言其法一言其用不必執也養神者必知形之肥瘦營衛血氣之盛衰血氣者人之神不可不謹養也養神之道一者須知形之肥瘦二者須知營衛二氣所行得失三者須知經絡血有盛衰知此三者調之神自養矣　平按營素問甲乙作榮黃帝曰妙哉論也妙者言得其神之精祕者也辭合人形於陰陽四時虛實之應冥冥之期其非夫子孰能通之言微妙之辭以人形合於陰陽一也合於四時二也合於虛實三也合於冥冥四也非夫子窮微極妙之通孰能為此論也　平按素問合上無辭字然夫子數言形與神何謂形何謂神願卒聞之知形為麤知神為細麤細莫辨故須問之岐伯曰請言形形乎形目冥冥形乎形者言唯知病之形與形不見其妙故曰冥冥也　平按冥冥甲乙作瞑瞑問其所痛索之於經惡然在前言粗無知問病

所以診索經脈何能知其病之在前　平按素問問其所痛作問其所病甲乙作捫其所痛惡然素問甲乙作慧然據本注何能知其病之在前應作惡平聲按之不得復不知其情故曰形按人迎寸口不知病情故但知形黃帝曰何謂神岐伯曰請言神神乎神不耳聞目明心開爲志先能知心神之妙故曰神乎神也神知則既非耳目所得唯是心眼開於志意之先耳　平按素問甲乙不耳聞作耳不聞爲志先作而志先慧然獨悟口弗能言神得內明言名之所不能及也　平按甲乙悟作覺俱見獨見衆庶俱見而工獨見　平按俱見素問甲乙作俱視適若昏昭然獨明若風吹雲故曰神適將若在昏中昭然獨明又解起惑除若風吹雲如斯得者因謂之神也　平按甲乙適作象三部九候爲之原九鍼之論不必存三部九候爲神得之原九鍼之論粗而易行故不必存

真邪補寫平按此篇自篇首至末見素問卷八第二十七離合真邪論篇又見甲乙經卷十第二上篇

黃帝問於岐伯曰余聞九鍼九篇夫子乃因而九之

九九八十一篇余盡以通其意矣八十一篇者此經之類所知之書篇數也經言氣之盛衰左右傾移以上調下以左調右有餘不足補寫於滎輸余皆以知之矣以前所知書中義也　平按素問無皆以二字此皆營衛之氣傾移虛實之所生也非邪氣之從外入於經也余願聞邪氣之在經也其病人何如取之奈何言前八十一篇所説之義與余請異者經所説唯道十二經脈營衛二氣自相傾移虛實所生不言外邪入經爲病故今請之　平按營衛之氣傾移素問作營衛之傾移甲乙無此一段邪氣之在經也甲乙無氣字岐伯對曰夫聖人之起度數也必應天地起於人身法度以應天地也　平按甲乙無此一段故天有宿度地有經水人有經脈天地和溫則經水安靜天寒地凍則經水凝泣天暑地熱則經水沸卒風暴起則經水波涌而隴起

言天地陰陽氣之度數也　平按素問甲乙涘泣作凝泣沸下有溢字波涌甲乙作波舉夫邪之入於脈也寒則血涘泣暑則氣血淖澤言人之身應寒暑度數　平按涘泣素問甲乙作凝泣氣血淖澤素問甲乙無血字虚邪因而入客也亦如經水之得風也因暑之時腠理開發邪得入也邪入脈變如風動水也經之動脈其至也亦時隴起十二經之動脈至於動處動也邪氣至時亦皆有波隴波隴者邪氣動正氣其行於脈中循循然輑牛忿反輑車前橫木循車行也邪循脈行曰輑有本作軺非也　平按甲乙無其行二字素問甲乙無輑字王注云循循一爲輴輴其至寸口也時大時小大則邪至小則平邪氣循營氣至於寸口故太陰脈大無邪則太陰脈平和故曰小也　平按寸口下素問甲乙有中手二字其行無常處在陰與陽不可爲度尺脈爲陰寸口爲陽今邪入變亂而難知故不可爲度也循而察之三部九候卒然逢之蚤遏其路吸則内鍼無令氣忤審察循三部九候於九候之中卒然逢之知病處所即於可刺之穴以指按之令得遏因病人吸氣内鍼無令邪氣能逆忤之也　平按

蘭陵堂刊

循素問作從靜以久留無令邪布吸則轉鍼以得氣爲故候呼引鍼呼盡乃去大氣皆出故命曰寫靜留鍼於穴中持之勿令邪氣散布餘處因病人吸氣轉鍼待邪氣至數皆盡已徐引出鍼邪之大氣皆盡因名爲寫也黃帝曰不足者補之奈何岐伯曰必先捫而循之先上下捫摸知病之所在一切而散之以指揣切令邪不聚二推而按之推而令動以手堅按三彈而怒之以指彈之使其瞋起四也搔而下之以手搔擘令其瞋氣得下一曰搖徒勞反彈已搖令下之五也平按素問甲乙搔作抓通而取之切按搔而氣得通已然後取之六也平按取甲乙作散外引其門以閉其神疾出鍼已引皮閉門使神氣不出神氣正氣七也鍼之先後有此七法呼盡內鍼一呼一內故曰呼盡內鍼至分寸處也靜以久留以氣至爲故如待所貴不知日莫伺氣如待情之所貴之者以得爲期平按莫素問甲乙作暮其氣以至適人自護其正氣已至適人自當愛護勿令洩也平按適人素問作適而甲乙作適以候吸引鍼氣不得出

各在其處推闔其門令神氣存故命曰補候病人吸氣疾引其鍼即不得使正氣洩令各在其所虛之處速閉其門因名曰補寫必吸入呼出欲爲其邪氣也補必呼入吸出欲閉其正氣不令出也　平按神氣甲乙作真氣注云素問作神氣故命上素問甲乙有大氣留止四字黃帝問於岐伯曰候氣奈何岐伯曰夫邪氣去絡入於經也合於血脈中其寒溫未和如涌波之起也時來時去故不常在故曰方其來也必按而止之止而取之無逢其衝而寫之外邪入身先至皮毛絡中留而不減出絡入經其入經也與經中血氣共合邪之寒溫未與正氣相得遂波涌而起去來不常居也故候逢之按使止而不動然後以鍼刺之不得刺其盛衝爲法比之不擊逢逢之陣　平按素問甲乙夫邪氣去絡無氣字合於血脈中作舍於血脈之中寒溫未和作寒溫未相得甲乙無逢其衝作無迎其衝真氣者經氣經氣大虛故曰其來不可逢此之謂也經氣者謂十二經脈正氣者也正氣大虛與邪俱至宜按取邪氣刺之不可逢而刺也　平按其來甲乙作其氣注云素問作其來故曰候邪不

審大氣已過寫之則真氣脫脫則不復邪氣復至而
病益蓄故曰其往不可追此之謂也侯邪大氣不審按之不著刺之則脫真氣邪氣
更至病亦蓄聚故曰邪氣往而不可追也　平按邪氣復至甲乙復作益不可挂以髮者待邪之至時
而發鍼寫矣若先若後者血氣已盡其病不下故曰
知其可取如發機不知其可取如扣錐故曰知機之
道不可挂以髮不知機者叩之不發此之謂也以毛髮挂機發
速而往言氣至智者發鍼亦爾不失時也　平按血氣已盡素問甲乙同新校正云全元起本作血氣已虛盡當作虛不下素問作不可下又素問甲乙不知其可取作不知其取注發鍼袁刻誤作髮鍼黃帝問曰補寫奈何岐伯曰此攻邪
也疾出以去盛血而復其真氣虛亦是邪故補亦稱攻也寫熱之法不可久留疾出其鍼去其
盛血復其真氣也　平按攻邪袁刻誤作政邪此邪新客未有定處推之則前引之

則止温血也刺出其血其痛立已黄帝曰善定處積爲疾也温熱也邪之新入未有定處有熱血刺去痛愈　平按素問新邪下有溶溶二字則止下有逆而刺之四字其痛作其病自上文黄帝問曰補寫奈何至黄帝曰善甲乙無此二段黄帝問於岐伯曰真邪以合波隴不起候之奈何前言真邪未合有波隴起未知真邪已起其氣何如也　平按注已起據經文已應作不岐伯曰審捫循三部九候之盛虚而調之察其左右上下相失及相減者審其病藏以期之察其左右謂察三部九候左右兩䏶頭及手足上下其脈有相失及相減以之審於五藏之病與之死生之期也　平按甲乙無察其左右至以期之十九字不知三部者陰陽不別天地不分不知天爲陽也地爲陰也人爲陰陽也故曰不別氣也不分者不分形也天以候天地以候地人以候人調之中府以定三部足厥陰天足少陰地足太陰人以候肝腎脾胃三種地也手太陰天手陽明地手少陰人以候肺胸心三種人也兩頟動脈之天兩頰動脈之地耳前動脈之人以候頭角口齒耳目三種天也中府五藏也欲調五藏之氣取定天地人三

部九候也故曰刺不知三部九候病脈之處雖有大過且至工不能得禁也誅罰無罪命曰大惑病脈之處即是九候經絡邪之居脈以不知病脈則雖有死過之粗至工之醫永不能禁也誅罰生人不知無過稱曰大惑不知三部九候大惑罪有六種也　平按不能得禁素問無得字甲乙無能字無罪素問甲乙作無過反亂大經真不可復亂經損真罪之一也用實爲虛以邪爲真妄解虛實罪之二也　平按甲乙真作正注云素問作真用鍼無義反爲氣賊奪人正氣義理也用鍼不知正理反爲氣賊傷人正氣罪之三也以順爲逆營衛散亂鍼道爲順錯行爲逆妄刺營衛故令其亂罪之四也　平按素問順作從真氣已失邪獨内著亡正得邪罪之五也絶人長命予人夭殃故不知三部九候不能長久鍼殺生人罪之六絶人長命又有三不知三部九候所以絶人長命一也因不知合之四時五行不知以身命合四時五行絶人長命二也　平按甲乙因作固注云素問作因因加相勝釋邪攻正故絶人長命矣愚醫

不知年加之禁反妄攻正氣故絕人長命三也長命者盡壽也邪新客來也未有定處推之則前引之則止逢而寫之其病立已言知三部九候取之必效平按素問甲乙邪下有之字

虛實補寫平按此篇自篇首至末見素問卷十七第六十二調經論篇又見甲乙經卷六第三

黃帝問於岐伯曰余聞刺法言有餘寫之不足補之何謂有餘何謂不足為刺之道唯有補法余已略聞然未悉之故曰何謂也岐伯對曰有餘有五不足又有五帝欲何問乎舉五數也黃帝曰願盡聞之聞五數也岐伯對曰神有餘有不足氣有餘有不足血有餘有不足形有餘有不足志有餘有不足列五數也凡此十者其氣不等也神氣血形志各有補寫故有十數名曰不等又此十種補寫極理以論隨氣漫衍變化無窮故曰不等平按甲乙神有餘作神有有餘下氣血形志同黃帝問曰人有精氣津液四支九竅五

藏十六部三百六十五節乃生百病百病之生皆有虛實今夫子乃言有餘有五不足亦有五何以生之乎九竅五藏以爲十四四支合手足故有十六部如此人身之數皆有虛實有餘不足者是亦衆多未知生病其數何如也　平按百病之生袁刻脫百字岐伯對曰皆生於五藏五藏爲身之內主用攝身病無理不盡故曰皆生五藏者也　平按自上節人有精氣自皆生於五藏甲乙無夫心藏神心藏神者心藏於脈以舍神今藏神者言所舍也肺藏氣肺藏氣者肺藏於氣氣以舍魄今藏氣者言其舍也肝藏血血藏於肝以舍魂今藏血者亦言其舍　平按魂下袁刻多魄字脾藏肉脾藏肉者脾主於肉故曰藏肉非正藏肉脾於營以爲正也脾藏營營以舍意及智二神以脾營血穀氣最大故二神舍也　平按注智袁刻作志腎藏志而此成形腎藏志者腎藏於精精以舍志今藏志者言所舍也腎有二枚在左爲腎在右爲命門腎以藏志命門藏精故曰腎藏精者也八十一難精亦名神故有七神又此五藏心藏脈者脈通經絡血氣者也脾藏營者通營之血氣者也肝藏血者言其血有發眼之明也五神藏於五藏而共成身形也　平按甲乙無而此成形四字志意通內連骨髓而成身形五藏意是脾神

通於營氣志是腎神通於三焦原氣别使皆以內連骨髓成身形及五藏故意志者所以御精神收魂魄者也　平按甲乙通下有達字而成身形五藏作而成形三字五藏之道皆出於經隧以行血氣五藏之道皆出於十二經絡之隧以行營衛血氣也　平按隧甲乙作渠下同血氣不和百病乃變化而生於血氣故守經隧焉營衛不和百病還生血氣之中故守經隧以調血氣者也　平按素問甲乙化變作變化而生下無於血氣三字　黃帝曰神有餘不足何如岐伯對曰神有餘則笑不休神不足則憂神有餘不足憂笑者神病候也　平按憂素問作悲王注云一爲憂誤也甲乙注云素問作悲王冰曰作憂者誤新校正云按甲乙及太素并全元起注本并作憂皇甫士安云心虛則悲悲則憂楊上善云脾之憂在心變動也肺之憂在肺之志是則肺主秋憂爲正也心主於憂變而生憂也血氣未并五藏安定神不定則邪客於形洫泝起於豪毛未入於經絡也故命曰神之微以下言神病微也夫神者身之主也故神順理而動則其神必安神安則百體和適和則腠理周密周密則風寒暑溼無如之何故終天年而無不道者也若忘神任情則哀樂妄作作則喜

怒動形動則腠理開發腠理開則邪氣競入競入爲災遂成百病夭喪天年也既不能善攝而病生者可除於晚微故邪之初客外則始在皮毛未入經絡内則血氣未得相并五藏安定洫泝之於豪毛名曰神之微病也洫謂毛孔也水逆流曰泝謂邪氣也邪氣入於腠理時如水逆流於洫也 平按素問甲乙無神不定則四字洫泝素問作洒淅甲乙作悽厥詳見素問新校正又注百體袁刻脱百字下競入競字亦脱曰泝曰字誤作四

黃帝問曰補寫奈何岐伯對曰神有餘則寫其小絡之血出血勿之深斥毋中其大經神氣乃平 斥齒亦反推也勿深推也神之有餘氣淺故刺小絡出血也斥者深則觸其大經者也

神不足視其虛絡切而致之刺而利之毋出其血毋洩其氣以通其經神氣乃平 神之不足則虛故刺而不洩也 平按素問切作按甲乙利作和

黃帝問曰刺微奈何岐伯對曰按摩勿釋著鍼勿斥 微即未病之病也夫和氣之要莫先按摩之以手按摩之邪氣得洩神氣得通微邪得洩何得須以鍼斥之

移氣足神氣乃得復 黃帝曰善 按摩使神氣至踵則邪氣復遁去之也 平按移氣足素問作移氣於不足甲

乙作移氣於足新校正云甲乙太素作移氣於足無不字楊注云按摩使氣至於踵據此則本書移氣下脫一於字想係傳寫脫偏黃帝曰氣有餘不足奈何岐伯對曰氣有餘則喘咳上氣不足則息利少氣息利少氣以肺氣不足則出入易故呼吸氣少而利也血氣未并五藏安定以下言其氣微也皮膚微病命曰白氣微泄肺藏外主皮膚內主於氣今外言其皮膚病其內言於氣之微病五色氣中肺爲白氣泄者肺氣泄也黃帝曰補寫奈何岐伯對曰氣有餘則寫其經隧經隧者手太陰之別從手太陰走手陽明乃是手太陰向手陽明之道故曰經隧隧道也欲通藏府陰陽故補寫之皆取其正經別走之絡也　平按經隧甲乙作經渠素問新校正引此處楊注無故曰經隧隧道也七字欲通作欲道故補寫之皆取其正經作故補寫皆從正經毋傷其經寫其陰經別走之絡不得傷正經也　平按新校正引此注絡作路毋出其血毋泄其氣寫太陰別走經隧者不得出血出氣也所謂寫陰實者也不足者則補其經隧毋出其氣刺太陰經之別走之絡以補太陰不令氣泄於外所謂補陰虛也補寫陽經亦如陰經法也黃帝曰刺

蘭陵堂刊

微奈何岐伯對曰按摩勿釋出鍼視之曰我將深之適人必革精自伏釋停發也革攺也夫人聞樂至身心欣悅聞痛及體情必攺異欣悅則百體俱縱攺革精志必拒拒則邪精消伏也　平按我將甲乙作故將適人作適入精下素問甲乙有氣字注異字原缺袁刻作人恐誤新校正引此注作異據此補入又注邪精消伏新校正引作邪氣消伏邪氣散亂毋所伏息邪氣伏巳邪精散於腠理無由更聚也　平按散亂甲乙作亂散伏息素問甲乙作休息氣洩腠理真氣乃相得黃帝曰善邪氣散洩故真氣無亂所以相得也

黃帝曰血有餘不足奈何岐伯對曰血有餘則怒不足則悲肝血有餘於肝所以瞋怒肝血不足於目所以多悲也　平按悲素問作恐新校正云全元起本恐作悲甲乙及太素并同血氣未并五藏安定孫絡外溢則經有留血言血微邪也　平按素問外溢作水溢甲乙經經有作絡有黃帝曰補寫奈何岐伯對曰血有餘則寫其盛經出其血不足則補其虛經寫其盛經出血所以不怒正補其虛令不洩血所以

不悲有本視其虛經也　平按補其虛經素問作視其虛經甲乙作視其虛內鍼其脉中久留血至脉大疾出其鍼毋令血泄內鍼足厥陰脉中血至鍼下聚而脉大疾出其鍼無令血泄所以稱疾也　平按久留血至素問作久留而視新校正云甲乙經云久留之血至太素同本書及今本甲乙無之字黃帝曰刺留血奈何岐伯對曰視其血絡刺出其血無令惡血得入於經以成其病黃帝曰善刺去血脉遂無令惡血入經中故無血邪微病也　平按甲乙刺留下無血字其病素問作其疾黃帝曰形有餘不足奈何岐伯對曰形有餘則腹脹溲不利不足則四支不用形者非唯身之外狀名形舉體皆名溲四支不隨也有本經溲者經即婦人月經也　平按溲上素問甲乙有經字新校正云楊注經作經婦人月經也又按本注四支不隨上恐有脫誤因原鈔如此故仍之血氣未并五藏安定肌肉濡動命曰微風濡動者以體虛受風腠理內動命曰微風也　平按濡動素問甲乙作蠕動甲乙注云一作溢新校正云全元起本及甲乙蠕作溢太素作濡黃帝曰補寫奈何岐伯

對曰形有餘則寫其陽經不足則補其陽絡陽經絡足陽明經及絡也或爲陽營非也黄帝曰刺微柰何岐伯對曰取分肉間無中經毋傷其絡可中分肉之間衛氣不可傷足陽明經絡之脈也　平按經上素問甲乙有其字衛氣得復邪氣乃索黄帝曰善分肉之間衛氣行處邪氣已散衛氣復得也索散也黄帝曰志有餘不足柰何岐伯對曰志有餘則腹脹飧泄志腎神氣也有餘即少腹脹滿飲食不消爲飧泄也　平按飧素問甲乙作飱注飧袁刻誤作食不足則厥足逆冷也血氣未并五藏安定骨節有動骨節動者腎志病微也　平按甲乙動作傷黄帝曰補寫柰何岐伯對曰志有餘則寫然筋血者出其血不足則補其復留然筋足少陰營在足內踝之下名曰然谷足少陰經無然然筋當是然谷下筋也復留足少陰經在足內踝上三寸此二皆是志之脈穴故寫然筋之血補復留之氣　平按素問無出其血三字新校正云按甲乙經及太素云寫然筋血者出其血楊注云然筋當是然谷下筋再詳諸處引然谷者多云

然骨之前血者疑少骨之二字前字誤作筋字復留素問甲乙作復留

黃帝曰：刺未并奈何？岐伯對曰：即取之，毋中其經，以邪乃能立虛。黃帝曰：善。未并者志微病以病是微未中於經但刺經氣所發之穴邪氣立虛者也　平按以邪素問作邪所甲乙作以去其邪

虛實所生平按此篇自篇首至末見素問卷十七第六十三調經論篇與上篇相接又見甲乙經卷六第三亦接上篇

黃帝曰：余以聞虛實之形，不知其何以生？形狀也虛實之狀已聞於上虛實所生猶未知之故復請也　平按素問以聞作已聞甲乙無余以聞三字

岐伯對曰：氣血以并，陰陽相傾，氣亂於衛，血留於經，十二經氣亂衛氣也十二經血留於營經也或曰血流也　平按素問甲乙血留作溢逆血氣離居，一實一虛。血氣相并離於本居處故各有虛實也夫血氣者異名同類相得成和今既相并一實一虛虛實所生是所由者也血并於陰，血并足太陰脉及足少陰脉也氣并於陽，乃為驚狂；氣并足陽明脉及足太陽脉也血氣皆盛故發驚狂也血并於陽，氣并於陰，乃為炅中；血并

足陽明氣并足太陰爲熱中病也炅熱也血并於上氣并於下心煩悗喜怒血盛上衝心故心煩悶而喜怒悗則悶同也　平按悗素問作悗甲乙作悶喜素問甲乙作善血并於下氣并於上氣亂心善忘氣盛亂心故善忘也　平按氣亂心善忘甲乙作亂而喜忘注云素問作善忘今本素問仍作亂而喜忘黄帝曰血并於陰氣并於陽於是血氣離居何者爲實何者爲虚血氣離居相并未知二經虚實何定也　平按於是素問甲乙作如是岐伯對曰血氣者喜溫而惡寒寒則泣不能流溫則消而去之是故氣之所并爲血虚血之所并爲氣虚也血之與氣皆惡於寒故脉有寒則泣而不流者溫則消釋而去是以氣寒則血來并之以爲血虚則氣爲實也若血寒則氣來并之以爲氣虚則血爲實也　平按是故故字袁刻作知黄帝曰人之所有者血與氣耳今夫子乃言血并爲虚氣并爲虚是毋實乎人之所生唯血與氣今夫子但言血氣有虚不言其實是爲人之血氣不足請申其意也岐伯對曰有

者爲實毋者爲虛故氣并則毋血血并則毋氣今血與氣相失故爲虛焉血并則血有氣毋氣并則氣有血毋是以言虛不無其實論實不廢其虛故在身未曾無血氣也所言虛者血氣相并相失爲虛相得爲實耳絡之與孫脈俱輸於經大絡孫絡俱輸血氣入於大經則大經血氣俱實者也　平按輸甲乙作注注云一作輸血與氣并則爲實焉血與氣并走於上則爲大厥厥則暴死復反則生不反則死大經血氣皆實走腨以上以下無氣故手足逆冷卒暴死也手足還暖復生不還則死也　平按復反上素問甲乙皆有氣字黃帝曰實者何道從來虛者何道從去虛實之要願聞其故血氣何道來入此經爲實何道而去此經爲虛也岐伯對曰夫陰與陽皆有輸會陽注於陰陰滿之外藏府陰陽之脈皆有別走輸會相通如足陽明從豐隆之穴別走足太陰太陰從公孫之穴別走足陽明故曰外也陰陽旬平以充其形甲子一日一迎爲旬旬迎也陰陽之脈五十迎無多少者名曰旬平旬平和氣以充其身形也　平按旬

內經二十四　　　七

蘭陵堂刊

平素問作勻平甲乙作紃平九候如一命曰平人九候之動不先後又不相反故曰若一和氣若一故人得和平平按注九候表刻作九脈夫邪之至生也平按素問無至字甲乙作所或生於陰或生於陽其生於陽者得之風雨寒暑其生於陰者得之飲食起居陰陽喜怒陰五藏也陽六府也風雨寒暑外邪從外先至六府故曰生於陽也飲食起居男女喜怒內邪生於五藏故曰生於陰也黃帝曰風雨寒暑之傷人奈何平按素問甲乙無寒暑二字岐伯對曰風雨之傷人也先客於皮膚傳入於孫脈孫脈滿則傳入於絡脈絡脈滿乃輸於大經脈血氣與邪并客於分腠之間其脈堅大故曰實此先言風雨二邪也人因飢虛汗出腠理開發風雨之氣因客腠理次入孫絡次入大絡次入大經客腠理時所客之脈堅而且大故得稱實也　平按乃輸素問作則輸甲乙作乃注實者外堅充滿不可按按之則痛所客之處外堅按之則痛以其氣實故也　平按不可按素問作不可按

之黄帝曰寒溼之氣傷人奈何平按素問甲乙無氣字岐伯對曰寒溼之中人也皮膚收肌肉堅營血泣衛氣去故曰虛也次論寒溼之氣也而氣上侵溼氣下入有斯異也略不言暑耳寒溼中人致虛有四皮膚收者言皮膚急而聚也肌肉堅者肌肉堅而不迎也營血泣者邪氣至於脈中故營血泣也衛氣去者邪氣至於脈外衛氣不行故曰去也衛去之處即爲虛也　平按皮膚收素問作皮膚不收新校正云全元起云不收不仁也甲乙及太素作皮膚收無不字堅下素問甲乙有緊字注故曰去也袁刻去誤作怨虛者懾辟氣不足血泣懾紙輒反分肉間無衛氣謂氣不足也　平素懾素問作聶新校正云甲乙作攝太素作懾素問無血泣二字甲乙作血濇按之則氣足以溫之故快然而不痛黄帝曰善分肉之間既無衛氣故寒按之盖損所以氣足又溫故快然也黄帝曰陰之生實奈何岐伯對曰喜怒不節則陰氣上逆上逆則下虛下虛則陽氣走之故曰實人有喜怒不能自節故怒則陰氣上陰氣上則上逆或歐血或不能食陰氣既上則是下虛下虛則陽氣乘之故名爲陰實也　平按素問新校正

云經文喜怒不節則陰氣上逆疑剩喜字玩下文喜則氣下自知黃帝曰陰之生虛奈何岐伯對曰喜則氣下天寒則氣聚溫則氣散怒則氣上喜則氣下此物理之常也喜則氣和志達營衛之行通利故緩而下也悲則氣消消則脈虛因寒飲食寒氣熏藏則血泣氣去故曰虛夫人悲者則心系急肺布葉舉兩焦不通營衛不行熱氣在中故正氣消散經絡空虛也又因寒飲寒食寒氣熏藏藏之血泣其氣移去故為虛也　平按脈虛素問甲乙作脈空虛熏藏素問作熏滿甲乙作動藏注兩焦兩字袁刻誤作雨黃帝曰經言陽虛則外寒陰虛則內熱經言八十一篇經也府脈虛者陰氣乘之故外寒也藏脈虛陽氣乘之故內熱也陽盛則外熱陰盛則內寒余以聞之矣不知其所由然六府主外為陽故陽盛外熱也五藏主內為陰故陰盛為寒余已前聞然未知所由然也岐伯對曰陽受氣於上焦以溫皮膚分肉之間今寒氣在外則上焦不通不通則寒獨留於外故寒慄陽衛氣也衛出上焦盡行陽二十五周以溫皮膚分肉之間今陽虛陰乘留於

外故外寒也　平按注盡行二十五周考前經衛五十周云衛氣之行一日一夜五十周於身晝日行於陽二十五周據此則盡字疑是晝字傳寫之誤黃帝曰陰虛生內熱奈何岐伯對曰有所勞倦形氣衰少穀氣不盛上焦不行下脘不通胃熱熏中故內熱內熱之病所由有五一則有所勞倦致虛二則形體及氣不足三則胃中無食四則上焦衛氣不行五則腸胃不得相通脘古緩反胃府也下脘胃下口也由此五種衛熱熏中故內熱也　平按下脘甲乙作下焦胃熱熏中素問作胃氣熱熱氣熏胸中甲乙作胃氣熱熏胸中注由此衰刻作有此黃帝曰陽盛而外熱奈何岐伯對曰上焦不通利皮膚緻密腠理閉塞不通衛氣不得洩越故外熱外熱之所由有三上焦出氣之處不通利一也皮膚緻而腠閉二也衛氣不得洩於腠理三也有此所由故外熱也　平按閉塞下素問有玄府二字新校正云甲乙太素無玄府二字黃帝曰陰盛而生內寒奈何岐伯對曰厥氣上逆寒氣積留於胸中而不寫不寫則溫氣去寒獨留則血凝泣

蘭陵堂刊

血涘泣則脈不通其脈盛大以濇故中寒寒中有四一則寒厥積胸二則温去寒留三則血凝脈壅四則脈大汗蹓有此所由故寒中也　平按積下素問甲乙無留字涘泣素問甲乙作凝泣脈不通甲乙作腠理不通黃帝曰陰之與陽血氣以并病形以成刺之奈何問療已成之病　平按陰之與陽素問作陰與陽并岐伯對曰刺此者取之經隧取血於營取氣於衛用形哉因四時多少高下刺已成病法有三別一則刺於大經別走之道隧道也別走之道通陰陽道也二則刺於脈中營血三則刺於脈外衛氣用鍼之狀須因四時之氣覩病輕重發鍼多少又須量病高下所在取之令中不同刺徵之易也　平按經隧甲乙作經渠黃帝曰血氣以并病形以成陰陽相傾補寫奈何岐伯對曰寫實者氣盛乃內鍼夫寫者以其邪氣實盛故須寫也仍以搯之令下然後刺之不盛何寫故譬無擊逢逢之陳者也　平按以并以成甲乙以作巳鍼與氣俱內以開其門如利其戶鍼與氣俱出精氣不傷邪氣乃下外門

不閉以出其病搖大其道如利其路是謂大寫必切而出大氣乃屈人之吸氣身上有孔閉處皆入聚於腎肝呼氣之時有孔開處氣皆從心肺而出比囊之呼吸也鍼開孔時病人吸氣故鍼與氣俱入內也鍼得入已搖大其穴因呼出鍼故鍼與邪氣俱出勿傷正氣也　平按以出其病素問甲乙病作疾黃帝曰補虛奈何岐伯對曰持鍼勿置以定其意持鍼勿置於肉中先須安神定意然後下鍼若醫者志意散亂鍼下氣之虛實有無皆不得知故須定意也　平按注安神定意袁刻意作志候呼內鍼人之呼氣身上有孔其氣皆出故所鍼孔氣出之時內鍼欲令有氣從鍼而入不使氣洩所以候呼內鍼者也氣出鍼入鍼空四塞精無從去呼氣出時鍼入穴者欲使鍼空四塞不洩正氣也　平按注入穴袁刻穴作空方實而疾出鍼氣入鍼出方正也候氣正實疾出鍼熱不得環夫虛者多寒得熱爲補環轉也疾出鍼使鍼下熱氣不得轉也　平按素問甲乙環作還閉塞其門邪氣布散精氣乃得存動無後時出鍼已去縱邪不出盡自然布散消亡精氣獨在無病動於後時也　平按動無後時素問作動氣候時近氣不入遠氣乃

來是謂追之行補之時非其補處近氣不失遠氣亦來至此集也已虛之氣引令實故曰追也黃帝曰夫子言虛實有十生於五藏五藏五脉耳夫十二經脉皆生百病今夫子獨言五藏夫十二經脉者皆絡三百六十五節節有病必被經脉經脉之病皆有虛實何以合之節即氣穴也但十二經脉被三百六十五穴則三百六十五穴所生之病甚多非唯五藏五脉獨生十種虛實者　平按皆生百病素問作皆生其病新校正云甲乙云皆生百病太素同岐伯對曰五藏者故得六府與爲表裏經絡支節各生虛實內有五藏外有六府府藏經絡表裏諸支節是生虛實其亦甚多不相違也視其病所居隨而調之病在血調之脉病在氣調之衛病在肉調之分肉病在筋調之筋燔鍼刼刺其下及與急者視三百六十五節所生病處量其虛實隨而調之調者調於五藏所主脉衛分肉筋骨也　平按素問其病上無視字病在血

調之脈作病在脈調之血新校正云全元起及甲乙作病在血調之脈撿今本甲乙仍作病在脈調之血又素問甲乙病在氣上有病在血調之絡六字調之筋下有病在骨調之骨六字

病在骨卒鍼藥熨卒窮也痛痺在骨窮鍼深之至骨出鍼以藥熨之以骨病痛深故也熨法上經已說也　平按卒素問甲乙作焠

病不知其所痛兩蹻爲上諸骨病不定知於病之所在者可取足少陰兩陰蹻兩陰蹻是足少陰別足少陰脈主骨者也上者勝也　平按素問甲乙無其字注諸骨諸字表刻作痛

身形有痛者九候莫病則繆刺之審三部九候竟無病狀然身形有痛者此絡左右有病可繆刺也　平按素問甲乙無者字

病在於左而右脈病者則巨刺之病在左經是右經病也故刺右經爲巨刺也　平按病在於左素問作痛在於左

必謹察其九候鍼道備矣爲刺之道以察九候爲先者鍼道畢矣

黄帝内經太素卷第二十四 補寫

黄陂蕭貞昌校字

黄帝内經太素卷第二十五傷寒

通直郎守太子文學臣楊上善奉　敕撰注

黄陂蕭延平北承甫校正

熱病决

熱病説

五藏熱病

五藏瘧

瘧解

三瘧

十二瘧

內經二十五　一

蘭陵堂刊

熱病決 平按此篇自篇首至末見素問卷九第三十一熱論篇又見甲乙經卷七第一

黃帝問於岐伯曰今夫熱病者皆傷寒之類也 夫傷寒、者人於冬時溫室溫衣熱飲熱食腠理開發快意受寒、腠理因閉寒居其□□寒極爲熱三陰三陽之脉五藏六府受熱爲病名曰熱病斯之熱病本因受寒傷多亦爲寒氣所傷得此熱病以本爲名故稱此熱病傷寒類也故曰冬傷於寒春爲溫病也其病夏至前發者名爲病溫夏至後發者名爲病暑也 平按注腠理開發袁刻脱開字 或愈或死皆以病六七日間 陰陽二經同感三日而遍藏府營衛不通復得三日故極後三日所以六七日間死也 平按素問皆以上有其死二字下無病字 其愈皆以十日以上何也 不知其解願聞其故 其不至藏府兩感於寒者至第七日即太陽病衰至九日三陽病衰至十日太陰病衰至十二日三陰三陽等病皆衰故曰其愈皆十日以上其理未通故請聞之也 岐伯曰巨陽者諸陽之屬也 巨大也一陽爲紀少陽也二陽爲衛陽明也三陽爲父太陽也故足太陽者三陽屬之故曰諸陽之屬也 平按甲乙巨作太下同 其脉連於風府故爲諸陽主氣人之傷於寒也則爲病熱熱雖甚不死其兩感於寒而病者必不免於死足太陽脈直者從顛入絡腦還出別下項其風府在項入髮際一寸則太陽之氣連風府也諸陽者督脈陽維脈也督脈陽脈之海陽維維諸陽脈總會風府屬於太陽故足太陽脈爲諸陽主氣所以人之此脈傷於寒者極爲熱病者也先發於陽後發於陰雖熱甚不死陰陽兩氣時感者不免死也黄帝曰願聞其狀岐伯曰傷寒一日巨陽受之故頭項腰脊皆痛寒之傷多極爲熱者初病發日必是太陽受熱之爲病故曰一日太陽受之所以一日陽明少陽不受熱者以其太陽主熱又傷寒熱加故太陽先病也頭項腰脊並是足太陽脈所行之處故皆痛也　平按素問作頭項痛腰脊强新校正云甲乙及太素作頭項腰脊皆痛今本甲乙作頭項腰脊背强注云素問無背字注腰脊袁刻脱脊字二日陽明受之陽明主肉其脈俠鼻絡於目故身熱而鼻乾不得臥陽明二陽故次受病脾之太陰主肌胃之陽明主肉其脈從鼻絡目内背下行入腹至足手陽明下屬大腸上俠鼻孔故病身熱鼻乾不得臥也　平按素問甲乙身熱下有目疼二字注至足足字或疑衍袁刻脱按胃爲足陽明從頭至腹走足此足字當屬上句與至字連讀恐非衍文三日少陽受之少陽主骨其脈

循脇絡於耳故胸脇痛耳聾肝足厥陰主筋三焦手少陽與膀胱合膀胱腎府表裏皆主骨足少陽起目兑皆入絡耳中下循胸脇下至於足手少陽偏屬三焦從耳後入耳中故病耳聾胸脇痛也　平按主骨素問作主膽新校正云全元起本膽作骨元起注云少陽者肝之表肝候筋筋會於骨是少陽之氣所榮故言骨甲乙及太素并作骨三經皆受病而未入通於府也故可汗而已三經三陽經也熱在三陽經中未滿三日未至於府當以鍼藥發汗而已三經之病三日外至府可以湯藥洩而去　平按素問三陽下有經絡二字而未入通於府作而未入於藏新校正云全元起本藏作府元起注云傷寒之病始入於皮膚之腠理漸勝於諸陽而未入府故須汗發其寒熱而散之太素亦作府甲乙亦作府注云素問作藏四日太陰受之太陰脈布胃中絡於嗌故腹滿而嗌乾一陰爲獨決厥陰也二陰爲雌少陰也三陰爲母太陰也太陰爲大故先受熱太陰脈從足入腹屬脾絡胃鬲俠咽連舌本手太陰起於中焦下絡大腸故腹滿嗌乾也五日少陰受之少陰脈貫腎絡肺繫舌本故口熱舌乾而渴足少陰直者從腎上貫肝膈入肺中循喉嚨俠舌本故口熱舌乾而渴也　平按素問甲乙口熱作口燥六日厥陰受病厥陰脈循

陰器而絡於肝故煩滿而囊縮足厥陰脉環陰器抵於少腹俠胃屬肝絡膽故煩滿囊縮也平按受病素問甲乙作受之三陰三陽五藏六府皆病營衛不行府藏不通則死矣平按素問甲乙皆病作皆受病府藏作五藏其不兩感於寒者七日巨陽病衰頭痛少愈八日陽明病衰身熱少愈九日少陽病衰耳聾微聞如此兩感三陰三陽藏府皆病營衛閉塞故至後三日則死不兩病者至第七日太陽病衰至第九日少陽病衰也十日太陰病衰腹如故則思食飲欲食太陰脾主穀氣故病愈腹減思飲食也　平按素問甲乙腹下有減字食飲作飲食無欲食二字十一日少陰病衰渴止不滿舌乾已而欬足少陰脉入肺俠舌本故病愈渴止舌乾已也欬者肺氣通也　平按甲乙無不滿二字已而欬作乃已二字素問欬作嚔十二日厥陰病愈囊從少腹微下厥陰之脉病愈大氣已去故囊漸下也平按素問甲乙愈作衰從作縱大氣皆去病日已矣至十二日大熱之氣皆去故所苦日瘳矣黃帝曰

治之奈何岐伯曰治之各通其藏脈病日衰已量其熱病在何藏之脈知其所在即於脈以行補寫之法病衰矣其未滿三日者可汗而已其滿三日者可寫而已未滿三日熱在三陽之脈皮肉之間故可汗而已也三日以外熱入藏府之中可服湯藥洩而去也黃帝曰熱病已愈時有所遺者何也岐伯曰諸遺者熱甚而强食之故有所遺若此者皆病已衰而熱有所藏因其穀氣相薄而熱相合故有所遺强多也遺餘也大氣雖去猶有殘熱在藏府之內外因多食以穀氣熱與故熱相薄重發熱病名曰餘熱病也　平按素問甲乙而熱相合而作兩黃帝曰善治遺奈何岐伯曰視其虛實調其逆順可使必已逆者難已順者易已陰虛補之陽實寫之必使其愈以爲工也　平按順素問作從黃帝曰病熱當何禁岐伯曰病熱少愈食肉則復多食則遺此其禁也肉熱過穀故少食則復穀熱少肉故多食爲遺也黃帝曰其

兩感於寒者其脈應與其病形如何足太陽足少陰表裏共傷於寒故曰兩感冬日兩感於寒以爲病者脈之應手及病成形其事何如也　平按兩感上素問有病字岐伯曰兩傷於寒者病一日則巨陽與少陰俱病則頭痛口乾煩滿冬感寒時陰陽共感至其發時還同時發也故至春發一日則太陽少陰俱病也足太陽上頭故頭痛也手少陰上俠咽足少陰俠舌本手太陽絡心循咽故令口乾手少陰起於心中足少陰絡心手太陽絡心故令煩滿　平按新校正云傷寒論作煩滿而渴四字病二日則陽明與太陰俱病則腸滿身熱不食譫言譫諸閻反多言也手陽明屬大腸足陽明屬胃足太陰屬脾絡胃手太陰絡大腸循胃故令腸滿身熱不食多言也　平按素問甲乙作不欲食譫言素問王注謂妄謬而不次新校正云楊上善云多言也與此正合病三日則少陽與厥陰俱病則耳聾囊縮厥水漿不入則不知人手足少陽皆入耳中故令耳聾足厥陰環陰器足少陽繞毛際手少陽歷三焦故令囊縮厥也手少陽布膻中足少陽下胸中足厥陰循喉嚨後手厥陰起胸中屬心包故令漿水不下不知人也　平按素問甲乙厥上有而字六日而死三陰三陽俱病氣分更經三日皆極故六日死也黃帝

蘭陵堂刊

曰五藏已傷六府不通營衛不行如是之後三日乃死何也氣分極者藏傷府塞營衛停壅後三日死其故何也岐伯曰陽明者十二經之長也其氣血盛故不知人三日其氣乃盡故死胃脈足陽明主穀血氣强盛十二經脈之主餘經雖極此氣未窮雖不知人其氣未盡故更得三日方死也　平按甲乙素問經下有脈字

熱病說平按此篇自篇首至傷肺則死見素問卷九第三十三評熱病論篇自篇首至飲之湯見甲乙卷七第一中篇唯編次前後小異自黄帝問曰勞風爲病至傷肺則死見甲乙卷十一第七自偏枯身偏不用至末見靈樞卷五第二十三熱病篇自偏枯身偏不用至浮而取之見甲乙卷十第二下篇自熱病三日而氣口靜至末見甲乙卷七第一中篇

黄帝問於岐伯曰有病溫者汗出輙復熱而脈躁疾不爲汗衰狂言不能食病名爲何岐伯曰病名陰陽交交者死汗者陰液也熱者陽盛氣也陽盛則無汗汗出則熱衰今出而熱不衰者是陽邪盛而復陰起兩者相交故名陰陽交也

黃帝曰願聞其說請說陰陽交爭死之所由岐伯曰人所以汗出者皆生於穀穀生於精今邪氣交爭於骨肉而得汗者是邪卻而精勝也精勝則當食而不復熱熱者邪氣也汗者精氣也今汗出而輙復熱者是邪勝也精者穀之精液謂之汗也傷寒邪氣謂之熱也今邪氣與精氣交爭於骨肉之間精勝則邪卻邪勝則精消今雖汗出而復熱者是邪戰勝精故致死也　平按熱者邪氣也素問甲乙作復熱者邪氣也不能食者精毋精毋癉也而留者其盡可立而傷也熱邪既勝則精液無精液無者雖有熱也癉熱也其熱留而不去者五藏六府盡可傷之能食也　平按精毋精毋癉也素問甲乙作精無禪也而留者素問作病而留者甲乙作熱而留者新校正云甲乙作而熱留者其盡可立而傷素問甲乙作其壽可立而傾注盡可傷之能食也句費解疑能食也上脫故不二字是夫熱論曰汗出而脈尚躁盛者死今脈不與汗相應此不勝其病也其死明矣夫汗出則可脈靜今汗出脈猶

蘭陵堂刊

躁盛是爲邪勝明矣知定死也　平按是夫素問作且夫甲乙無熱論曰三字脉下無尚字注知定死也袁刻脱此四字狂言者是失志失志者死志者記也腎之神也腎間動氣人之生命動氣衰矣則神志去之故死也今見三死不見一生雖愈必死汗出而熱不衰死有三候一不能食二猶脉躁三者失志汗出而熱有此三死之候未見一生之狀雖差必死又有三分之死未見一分之生也　平按甲乙作此有三死

黃帝問於岐伯曰有病身熱汗出煩滿煩滿不爲汗解此爲何病身熱煩滿當爲汗解今不解故問　平按甲乙作病身熱汗出而煩滿不解者何也岐伯曰汗出而身熱者風也汗出而煩滿不解者厥也病名曰風厥風熱開於腠理爲汗非精氣爲汗故身熱不解名爲風也煩心滿悶不解名厥病也有風有厥名曰風厥也問曰願聞之荅曰巨陽主氣故先受邪少陰與其爲表裏也得熱則上從之從之則厥腎間動氣足太陽所主足太陽與足少陰表裏故太陽先受邪氣循脉而上於頭得熱則足太陽上者從之受熱即爲上熱下寒以爲厥逆汗出不解煩滿之病也問曰治

之奈何答曰表裏刺之飲之湯可刺陰陽表裏之脉以攻其外飲之湯液以療其内此爲療風厥之法也　平按素問甲乙湯上有服字黄帝曰勞風爲病何如岐伯曰勞風法在肺下其爲病也使人強上冥視晚唾出若涕惡風即振寒此爲勞中之病也勞中得風爲病名曰勞中亦曰勞風肺下病居處也強上好仰也冥視晚晚遲也謂合眼遲視不見也唾若涕者唾如膿也不用見風見風即便振寒此爲勞中之病狀也　平按素問甲乙視下無晚字即振寒作而振寒勞中作勞風新校正云楊上善云冥視謂合眼視不明也與此小異千金冥視作目眩問曰治之奈何答曰以救俛仰此病多爲俛仰故救之巨陽引精者三日中者五日不精者七日微出青黄涕其狀如稠膿大如彈丸從口中若鼻孔中出不出則傷肺傷肺則死以針引巨陽精者三日俛仰即愈引陽明精者五日少陽不精引之七日方有青黄濁涕從口鼻中出其病得愈若不出者上傷於肺不免死也　平按素問甲乙中者作中年者新校正云甲乙作中若五日今本甲乙仍

作中年者五日千金作候之三日及五日中不精明者是其症也與此不同又微出素問甲乙作欬出如下無稠字素問鼻下無孔字甲乙孔作空

偏枯身偏不用而痛言不變知不亂病在分腠之間巨鍼取之益其不足損其有餘乃可復也偏枯病有五别有偏一箱不收一也有偏不痛此不用並痛二也其言不異於常三也神智不亂四也病在分肉間五也具此五者名曰偏枯病也　平按靈樞知不亂作志不亂甲乙作智不亂

痱爲病也身無痛者四支不收知亂不甚其言微知可治甚則不能言不可治也痱扶非反風病也痱風之狀凡有四别身無痛處一也四支不收二也神智錯亂三也不能言四也具此四者病甚不可療也身雖無痛四支不收然神不亂又少能言此可療也俗稱此病種種名字皆是近代醫人相承立名非古典也　平按注此病袁刻病誤作痛

病先起於陽後入於陰者先取其陽後取其陰浮而取之療法先取其本後取其標不可深取也　平按病下袁刻脫先字浮而取之甲乙作必審其氣之浮沉而取之

熱病三日而氣口静人迎躁者取之諸陽五十九刺

以爲其熱而出其汗實其陰以補其不足者三陽受病未入於陰至三日也未入於陰故氣口靜也三陽已病故人迎躁也人迎謂是足陽明脉結喉左右人迎脉者也以諸陽受病故取諸陽五十九刺爲其熱氣以陽并陰虚故補陰也　平按實其陰實字原鈔缺下半袁刻作爲恐誤靈樞甲乙作實本注云故補陰也亦宜作實身熱甚陰陽皆靜者勿刺也其可刺者急取之不汗則洩所謂勿刺者有死徵也陰陽之脉皆靜謂爲陰陽交爭是其死徵故不可刺也非陰陽爭宜急取之若不洩汗即洩利也　平按汗下靈樞有出字熱病七八日脉口動喘而眩者急刺之汗且自出淺刺手指間七日太陽病衰八日陽明病衰二陽病衰氣口之脉則可漸和而脉喘動頭眩者熱猶未去汗若出急刺手小指外側前谷之穴淺而取之汗不出可深刺之　平按靈樞甲乙作手大指間與楊注異熱病七八日脉微小病者洩血口中乾一日半而死熱病至七八日二陽病衰其脉則可漸和而微小者即熱甚所以洩血口乾一日半死脉小者内熱消癉之候也　平按注而微小者袁刻而作脉脉代者一日死熱病七八日脉代者内氣絶候故一日死熱

蘭陵堂刊

病已得汗而脈尚躁喘且復熱勿庸刺喘甚者死熱病已得汗其脈當調猶尚躁喘且復身熱此陰陽交不可刺也刺之者危喘甚熱盛者死不須刺也　平按靈樞汗下有出字勿庸刺作勿刺膚熱病七八日脈不躁躁不數數後三日中有汗三日不汗四日死未曾刺者勿庸刺之熱病七八日二陽病衰故脈不躁雖躁不數者至後三日合十二日三陰三陽熱衰故汗出愈也若從九日至十二日汗不出者十三日死計後三日者三日後也又曰十二日厥陰衰日即便汗出如其不出至十三日爲後三日從九日後以爲四日也雖未刺之不須刺也庸有本爲膚　平按甲乙躁字不重靈樞甲乙上數字作散未曾刺者靈樞刺作汗甲乙作未汗二字庸靈樞作腠熱病先身澀倚煩悗乾脣嗌取之以第一鍼五十九刺膚脹口乾寒汗身熱甚皮膚麤澀也傾倚不安煩悶脣咽乾內熱肺熱病狀也第一鑱鑱鍼也應肺鍼頭大末兌令無得深入以寫陽氣故用之五十九刺以寫諸陽之氣及皮膚脹口乾令汗出也　平按倚煩悗乾脣嗌靈樞作欹而熱煩悗乾脣口嗌甲乙作煩而熱煩悶脣嗌乾靈樞甲乙取之下有皮字九下無刺字膚脹上甲乙有熱病二字汗下靈樞甲乙有出索脈於心不得索之水水者腎也十四字注兌字袁刻作細

熱病嗌乾多飲善驚臥不能定取之膚肉以第六鍼五十九索肉於脾不得索之木木肝也熱病嗌乾多飲喜驚臥不得安肉病者可以第六員利鍼員利鍼應脾故用取之膚肉五十有九於脾輸穴以求其肉不得求於肝輸穴也以肝爲木剋土故名也　平按靈樞作臥不能起甲乙作臥不能安九下靈樞有目眥青三字甲乙有刺目眥赤四字熱病而胸脇痛手足躁取之筋間以第四鍼於四逆筋辟目浸索筋於肝不得索之金金肺也熱病胸脇痛手足動筋之病可以第四鍼應肝故於筋間鍼於四逆筋辟目浸求肝輸穴不得於肺輸穴以求筋也以其肺金剋木肝也索求也辟筋攣也目浸目眥淚出也　平按而胸脇痛靈樞作面青胸痛四鍼下甲乙重鍼字筋辟作筋躄熱病先膚痛窒鼻充面取之皮以第一鍼五十九窒鼻鼻塞也充面面皮起也膚痛鼻塞面皮起皆是肺合皮毛熱病者也第一鑱鍼大有頭兑其末令無得深入但去皮中之病故五十九取之皮也　平按先膚痛先字袁刻誤作充苛軫鼻索皮於肺不得索之火火者心也苛賀多反鼻病有本作苛熱病殃苛軫在於鼻鼻主

於肺故此皮毛病求於肺輸不得求之心輸以其心火剋肺金也　平按軫鼻甲乙作鼻乾自上文熱病先膚痛至此段心也靈樞甲乙在熱病先身澀之上

熱病數驚瘛瘲而狂取之脉以第四鍼急寫有餘者癲疾毛髮去驚瘛瘲狂此爲血病故取之脉第四鍼者鋒鍼也及參隅應心可以爲熱出血痼癲疾及毛髮落皆得愈也　平按瘛甲乙作瘈髦靈樞甲乙作髮索血於心不得索之水水腎也血脉索於心輸不得索之腎輸者水剋火也

熱病身重骨痛耳聾而好瞑取之骨以第四鍼五十九骨病食齧齒耳青索骨於腎不得索之土土脾也一云脊强身重骨痛耳聾好瞑皆腎之合骨熱病故取骨第四鍼鋒鍼也長一寸六分鋒其末主寫熱出血故用五十九刺並療食齧齒耳青等骨痛求之腎輸穴不得求脾之輸穴以土剋水也　平按靈樞甲乙九下有刺字食上有不字青下甲乙有赤字一云脊强四字靈樞甲乙無

熱病不知所痛不能自收口乾陽熱甚陰頗有寒者熱在髓死不治陽熱病者其陽脉熱甚陰脉頗寒也此人熱在髓中必死不療　平按所痛甲乙作所病下有

耳聾二字靈樞同熱病頭痛顳顬目瘈脈善衄厥熱也取以第三鍼視有餘不足寒熱痔熱病頭痛顳顬及目邊脈瘈善衄此爲厥熱者也第三鍼鍉鍼也狀如黍粟之兌長二寸半主按脈取氣令邪氣獨出故並用療厥熱寒熱痔病　平按目瘈脈靈樞作目瘳脈痛甲乙作目脈緊厥熱下靈樞甲乙有病字熱病體重腸中熱取之以第四鍼於其輸及下諸指間索氣於胃絡得氣體重腸中熱胃熱病也第四鍼鋒鍼也此胃熱病以鋒鍼取胃輸及手足指間入處胃絡以得氣爲限也　平按輸靈樞作腧甲乙作俞熱病俠齊痛急脇胸滿取之湧泉與陰陵泉以第四鍼鍼嗌俠齊痛脾經熱病也胸脇滿腎經熱病也可以鋒鍼取此二穴也　平按靈樞甲乙痛急脇胸滿作急痛胸脇滿嗌下有裏字熱病汗且出及脈順可汗者取之魚際太泉大都大白寫之則熱去補之則汗出汗出太甚取踝上橫脈以止之熱病汗出及脈順不逆可令汗者取魚際在手大指本節後內側太泉在掌後陷者中大都在足大指本

節後陷中大白在足内側覈骨下陷中此之四穴並是手足太陰療熱之穴故皆爲去其熱還於此穴補取其汗出太甚取踝上横脉量是足太陰於踝上見者可取之以止其汗也　平按靈樞甲乙太泉作太淵本書係避唐諱作泉踝上作内踝上注及脉順及字袠刻誤作反熱病已得汗而脉常躁盛此陰脉之極也死其得汗而脉静者生熱病得汗熱去即須脉静而躁盛者是陰極無陰故死得汗脉静者熱去故脉静而生也　平按靈樞甲乙常躁盛作尚躁盛熱病者脉常盛躁而不得汗者此陽脉之極也死脉盛躁得汗静者生熱病不得汗脉常盛躁者是陽極盛脉故死得汗脉静者生也　平按靈樞常作尚熱病不可刺者有九一曰汗不出大顴發赤噦者死顴鼻左右高處也　平按甲乙不可刺者有九作死候有九赤下無噦字注云太素云汗不出大顴發赤者必不反而死與本書稍異二曰洩而腹滿甚者死三曰目不明熱不已者死目是五藏之精五藏之氣和則目精必明也四曰老人嬰兒熱而腹滿者死五曰汗不出歐下血者死平按歐下血甲

乙作嘔血六曰舌本爛熱不已者死七曰欬而衄汗不出出不至足者死平按汗不出甲乙作汗出八曰髓熱者死九曰熱而痓者死熱而痓者腰折瘛瘲齒噤齘也折腰强反折也齘故介反閉口難齒相切也 平按靈樞痓作痙甲乙腰下有反字瘛作瘈齘作斷外臺祕要亦作齘凡此九者不可刺也此九死徵故不可刺也

所謂五十九刺者兩手外內側各三凡十二痏五指間各一凡八痏足亦如是頭入髮一寸傍三分各三凡六痏更入髮三寸邊五凡十痏耳前後口下者各一項中一凡六痏顛上一痏于軌反傷也素問熱輸五十九穴其經皆指稱其穴此九卷五十九刺但言手足內外之側及手足十指之閒入頭髮際一寸左右合有十六處更入三寸左右合有十處耳前後口下項中有一顛上有一合有七處更不細指處所量謂刺之以去其熱不定皆依穴也又數刺處乃有六十三處五十九者以舉大數爲言耳 平按顛上一下靈樞有顖會一髮際一廉泉一風池二天柱二十

內經二十五　十

蘭陵堂刊

五字甲乙同注云甲乙經原缺此穴今按靈樞經文補之據此則甲乙原文與本書正同

五藏熱病平按此篇自篇首至末見素問卷九第三十二刺熱篇又見甲乙經卷七第一

肝熱病者小便先黃腹痛多臥身熱熱爭則狂言及驚脇痛手足躁不安臥肝脈足厥陰環陰器故熱小便黃也上行俠胃故身熱多臥臥不安也肝動語言也故熱爭狂言及驚也其脈屬肝絡膽故脇痛也肝脈出足上連手厥陰今熱故手足躁也　平按脇痛素問作脇滿痛甲乙作胸中脇滿痛安上均有得字庚辛甚甲乙大汗氣逆則庚辛死金以剋木故庚辛甚也甲乙木王故大汗也餘四倣此加氣逆者則庚辛死也　平按注王袤刻作旺加作如刺足厥陰少陽其頭痛員員脈引衝頭足厥陰足少陽表裏行藏府之氣故刺之也厥陰上額與督脈會於顛故頭痛員員脈引衝頭員都耕反頭切痛也　平按素問甲乙頭上有逆則二字

心熱病者先不樂數日乃熱熱爭則卒心痛煩悗喜歐頭痛面赤無汗心主喜樂熱病將發故不樂數日乃熱手少陰脈起心中俠咽係目系手太陽至目內外眥故

熱甚心痛煩悗喜歐頭痛面赤無汗也　平按甲乙無卒痛二字悗喜素問甲乙作悶善注內外背表刻脫外字按手太陽脈支者上頰至目兊眥別者抵鼻至目內眥故云內外眥也至壬癸甚丙丁大汗氣逆則壬癸死刺手少陰太陽手少陰太陽此心藏府表裏脈也脾熱病者先頭重顏痛心煩欲歐身熱熱爭則腰痛不用腹滿洩兩頷痛脾府之陽明脈循髮際至額顱故頭重顏痛一曰頰足陽明亦循頰也及兩頷痛足太陰脈注心中故心煩也足陽明下循喉嚨下膈屬胃絡脾主肌故欲歐身熱腹滿洩也足陽明之正入腹裏屬胃故腰痛不用也　平按顏痛心煩素問作煩痛煩心顏青新校正云甲乙太素云脾熱病者先頭重顏痛無顏青二字與此同不用素問甲乙作不可用悗仰五字甲乙甚戊己大汗氣逆則甲乙死刺足太陰陽明平按太陰表刻誤作太陽肺熱病者先淅然起毛惡風舌上黃身熱熱爭則喘欬痺走胷膺背不得太息頭痛不甚汗出而寒肺主毛腠內熱淅然起毛惡風也肺熱上薰故舌上黃也肺主行氣於身故身熱也肺以主欬在於胸中故熱爭喘欬痺走胸膺此

爲熱痺痛行胸中不得太息也肺熱衝頭以肺脈不至故頭痛不甚也有本爲堪言氣衝甚故頭痛甚也冷汗雖出無發熱也　平按淅然起毛素問作淅然厥起毫毛甲乙作悽悽然厥起皮毛惡風素問甲乙作惡風寒痺均作痛不甚素問作不堪丙丁甚庚辛大汗氣逆則丙丁死刺手太陰陽明其血如大豆立已肺熱之病取肺大腸表裏輸穴出血如豆言其少也恐淺氣虛故不多也腎熱病者先腰痛胻痠苦渴數飲食身熱熱爭則項痛而強胻寒且痠足下熱不欲言其項痛員員澹澹腎足少陰脈上腨內出膕內廉貫脊屬腎絡膀胱上貫肝膈入肺中循喉嚨俠舌本故熱病先腰痛胻痠苦渴數飲也足太陽脈別項本支行背合有四道以下合膕貫腨至足小指外側故身熱項強痛而足胻寒且痠也足少陰起於足心故足下熱也從肺出絡心故熱不欲言也澹徙濫反動也謂不安動也　平按其項痛素問甲乙作其逆則項痛素問澹下有然字甲乙無澹澹二字戊己甚壬癸大汗氣逆則戊己死刺足少陰太陽平按素問太陽下有諸汗者至其所勝日汗出也十一字與下重複新校正云宜刪去肝熱病者左頰先赤心熱病者顏

先赤平按甲乙顴下有頷字脾熱病者鼻先赤肺熱病者右頰先赤腎熱病者頤先赤病雖未發見其赤色者刺之名曰治未病次言熱病色候也五藏部中赤色見者即五藏熱病之徵熱病已有未成未發斯乃名爲未病之病宜急取之　平按注熱病之徵袁刻徵作微熱病從部所起者至其期而已部所者色部所也假令赤色從肝部起刺之順者相傳還至肝部本位病已也　平按素問甲乙期上無其字袁刻部下有中字注從肝部起脫部字其刺之反者三周而已重逆則死刺之不順其氣傳之三周而已若刺之更反死矣諸當汗出者至其病所勝日汗大出病之勝者第七日是病所勝也又如肝病至甲乙日是病之勝日也　平按病素問作其諸治熱病已飲之寒水乃刺之必寒衣之居寒多身寒而止諸病熱病以寒療之凡有四別一飲寒水使其內寒二刺於穴令其脈寒三以寒衣使其外寒四以寒居令其體寒以四寒之令身內外皆寒故熱病止也平按已素問作以甲乙作先居寒多素問甲乙作居止寒處熱病先胸脇痛手足躁刺足少

陽手太陰病甚爲五十九刺足少陽脉下頸合缺盆下胸中貫膈絡肝屬膽循脇裏過季脇下外輔骨之前下抵絶骨循足跗下至指間手太陰上屬肺從肺出腋下故胸脇痛手足躁刺此二脉也　平按痛下甲乙有滿字手太陰素問甲乙作補足太陰王注云補足太陰之脉當於井滎取之新校正云足太陰全元起本及太素作手太陰楊上善云手太陰上屬肺從肺出腋下故胸脇痛又引靈樞熱病之文以爲此决知作手太陰者爲是熱病先手臂痛刺手陽明太陰而汗出手陽明行於手表太陰行在手裏故手臂痛刺此陰陽表裏二脉取汗也　平按先素問甲乙作始素問汗出下有止字熱病始於頭首者刺項太陽而汗出項太陽者足太陽從顛入腦還出俠項以下俠脊故熱病始頭首刺此太陽輸穴出汗也　平按刺甲乙作先取二字汗出下素問有止字詳自上節熱病先手臂痛至本節而汗出甲乙編次在後此節下素問有熱病始於足脛者刺足陽明而汗出止十五字新校正云此條素問本無太素亦無今按甲乙添入與本書合熱病者先身重骨痛耳聾好瞑刺足少陽病甚爲五十九刺足少陽脉起目兑眥絡身骨節入耳中故熱病先身重耳聾好瞑所以取此脉之輸穴者也有本爲足少陰也　平按素問甲乙足少陽作足少陰熱病先眩冒熱胸脇

滿刺足少陰少陽太陽之脈足太陽起目内眥上額交顛入腦足少陽起目兊眥下胸循脇裏足少陰從腎上貫肝膈入肺中故眩胃熱胸脇滿刺此三脈者也　平按胃熱胃素問甲乙作冒色榮顴骨熱病也赤色榮顴此之三脈皆生於骨故此三脈爲病有赤色榮顴者骨熱病也　平按素問王注謂太陽合火故見色赤新校正云楊上善云赤色榮顴者骨熱病也與王注不同榮未夭日令且得汗待時自已赤色未夭之日且得汗者至勝時病自得已也　平按夭素問作交日作曰王注云曰者引古經法之端由也令素問甲乙作今新校正云甲乙太素作榮未夭下同與厥陰脈爭見者死期不過三日其熱病氣内連腎足太陽水也足厥陰木也水以生木木盛水衰故太陽水色見時有木爭見者水死以其熱病内連於腎腎爲熱傷其數至三日故死也　平按素問甲乙病下無氣字腎下有少陽之脈色也六字素問王注云病或爲氣恐字誤也若赤色氣内連鼻兩傍者是少陽之脈色非厥陰色何者腎部近於鼻也新校正云詳或者欲改腎作鼻按甲乙太素并作腎楊上善云太陽水也厥陰木也水以生木木盛水衰故太陽水色見時有木爭見者水死以其熱病内連於腎腎爲熱傷故死本舊無少陽之脈色也六字乃王氏所添王注非當從上善之義據此則本書足證素問王注之失少陽之脈色榮頰筋熱病

三

也榮未夭日令且得汗待時自已與少陰脈爭見者死足少陽膽脈也足少陽部在頰赤色榮之即知筋熱病也當榮時且得汗者至其木時病自已也少陽爲木少陰爲水少陽脈見之時少陰爭見者是毋勝子故肝木死也　平按筋素問作前王注云頰前即顴骨下近鼻兩傍也新校正云太素甲乙前字作筋楊上善云足少陽部在頰赤色榮之即知筋熱病也死字下素問有期不過三日五字王注云少陰脈來見亦土敗而木賊之新校正云詳或者欲改少陰作厥陰按甲乙太素作少陰楊上善云少陽爲木少陰爲水少陽色見之時少陰爭見者是毋勝子故木死王作此注亦非舊本甲乙太素并無期不過三日五字此是王氏成足此文據此則本書之存足糾正素問王注不少也三椎下間主胸中熱明堂及九卷背五藏輸並以第三椎爲肺輸第五椎爲心輸第七椎爲膈輸第九椎爲肝輸第十一椎爲脾輸第十四椎爲腎輸皆兩箱取之當中第三椎以上無療藏熱故五藏輸及候五藏熱並第三椎以下數之第三椎以上與頰車相當候色第三椎下間肺輸中間可以寫熱也　平按素問甲乙三椎上有熱病氣穴四字四椎下間主鬲熱五椎下間主肝熱六椎下間主脾熱七椎下間主腎熱四椎下間計次當心心不受邪故乘言膈也次第椎之下間各主一藏之熱不同明堂通取五藏之輸者也　平按鬲素問作鬲中甲乙作胃中腎

熱下素問甲乙并有榮在骶也四字榮在項上三椎陷者中頰下逆椎爲大瘦從肺輸以上三椎在項故曰項上三椎即大椎上陷者中也當頰下迎椎故曰逆椎逆迎也是爲頰下當椎前有色見者腹有大瘦病者也　平按素問甲乙無榮在二字甲乙陷上有骨字素問甲乙逆椎作逆顴大瘦作大瘕下牙車爲腹滿下牙車色見者腹滿病也椎後爲脇痛大椎左右猶爲椎後有色見者脇痛也　平按椎後素問甲乙作顴後頰上者鬲上者也頰以上無椎可准故頰以上有色者主鬲上也

五藏痿平按此篇自篇首至末見素問卷十二第四十四痿論篇又見甲乙經卷十第四又自陽明者五藏六府之海至足痿不用見本書卷十第二帶脈篇

問曰五藏使人痿何也痿者屈弱也以五藏熱遂使皮膚脈筋肉骨緩痿屈弱不用故名爲痿然五藏之熱使人有痿何如也曰肺主身之皮毛心主身之血脈肝主身之筋膜脾主身之肌肉腎主身之骨髓欲明五藏之痿先言五藏所主也膜者人之皮

內經二十五

蘭陵堂刊

下肉上膜肉之筋也　平按素問甲乙脂肉作肌肉注欲明袁刻作欲知故肺氣熱葉焦則皮毛膚弱急薄著則生痿辟肺熱即令肺葉焦乾外令皮毛及膚弱急相著生於手足痿辟不用也　平按素問肺下無氣字膚素問甲乙作虛甲乙焦下復有焦字著下復有著字辟作躄下同心氣熱則下脈厥而上上則下脈虛虛則生脈痿樞折挈脛瘲而不任地心主血脈心藏氣熱令下血脈厥逆而上下脈血氣上行則下脈虛故生脈痿樞折腳脛瘲緩不能履地　平按素問瘲作縱甲乙挈作瘈瘲作腫肝氣熱則膽泄口苦筋膜乾膜乾則急而攣發為筋痿攣者筋寒急有熱膜筋乾為攣如筋得火卷縮為攣伸為瘲故為筋痿也　平按甲乙膽下有熱字素問甲乙筋膜乾三字重急上有筋字脾氣熱則胃乾而渴肌肉不仁發為肉痿脾胃相依故脾熱則胃乾燥故肉不仁發為肉痿也腎氣熱則腰脊不舉骨枯而髓減發為骨痿腎在腰中所以腰氣熱腰脊不舉骨乾熱煎髓減故發為骨痿也問曰何以得之曰肺者藏之長也為

心之蓋有所失亡所求不得發則肺喝喝則肺熱葉焦故五藏因肺熱葉焦發爲痿躄此之謂也肺在五藏之上是心之蓋主氣故爲藏之長也是以心有亡失求之不得即傷於肺肺傷則出氣有聲動肺葉焦五藏因肺葉焦熱遂發爲痿躄也　平按甲乙失亡作亡失袁刻亡誤作已喝素問甲乙作鳴故下素問有曰字甲乙無故五藏因肺熱葉焦此之謂也十二字又注肺在袁刻誤作肺上悲哀太甚胞絡絕絕則陽氣內動發則心下崩數溲血故本病曰大經空虛發爲脈痹傳爲脈痿胞絡者心上胞絡之脈心悲哀太甚則令心上胞絡脈絕手少陽氣內動有傷心下崩損血循手少陽脈下尿血致令脈虛爲脈痹傳爲脈痿　平按素問甲乙胞絡絕三字重脈痹均作肌痹新校正云楊上善云胞絡者心上胞絡之脈詳經注中胞字俱當作包全本胞在肌思想無窮所願不得者意淫於外入房太甚宗筋施縱發爲筋痿及爲白淫故下經曰筋痿者生於使內思想所愛之色不知窮已無涯之心不遂所願淫外心深入房太甚遂令陰器施縱也陰爲諸

筋之宗故宗筋傷則爲筋痿婦人發爲白淫經曰者已説之經引之爲證也使内者亦入房　平按素問甲乙施作弛生於使内作生於肝使内也有漸於溼以水爲事若有所留居處相溼肌肉濡漬痺而不仁發爲肉痿故下經曰肉痿者得之溼地漸漬也溼處停居相漬致肌肉痺而不仁遂使肉皆痿痱也名曰肉痿也　平按甲乙相溼作傷溼有所遠行勞倦而逢大熱而渴渴則陽明氣内代則熱合於腎腎者水藏也今水者不勝火則骨枯而髓虚故足不任身發爲骨痿故下經曰骨痿生於大熱也勞倦逢於大熱渴則陽明内代者陽明主穀其氣熱盛復有外熱來加陽明之脈内即代絶内外熱盛下合水腎水不勝火故骨枯髓竭骨枯髓竭故足不任身發爲骨痿　平按素問甲乙内代作内伐素問合於腎作舍於腎甲乙髓虚作髓空發爲骨痿作熱發爲骨痿問曰何以别之五藏痿有外内何候知其别異也曰肺熱者色白而毛敗白是肺色毛肺之所主也心熱者色赤而絡脈溢赤是心色絡脈

心之所主也絡脈脹見爲溢也　平按甲乙赤作青肝熱者色蒼而爪枯蒼青也青爲肝色爪肝所主也脾熱色黃而肉濡動黃爲脾色肉脾所主也　平按素問甲乙濡作蠕腎熱者色黑而齒熇熇當爲槁色黑齒枯槁也黑爲腎色齒腎所主也故毛敗脈溢爪枯肉濡動齒槁者即知五藏熱痿也　平按熇素問甲乙作槁問曰如夫子言可矣論言治痿者獨取陽明何也曰陽明者五藏六府之海也主潤宗筋宗筋者束骨肉而利機關衝脈者經之海也主滲灌谿谷與陽明合於筋陰總宗筋之會會於氣街而陽明爲之長皆屬於帶脈而絡於督脈故陽明虛則宗筋縱帶脈不引故足痿不用陽明胃脈胃主水穀流出血氣以資五藏六府如海之資故陽明稱爲衝脈以陽明水穀之氣與帶脈督脈相會潤於宗筋所以宗筋能管束肉骨而利機關宗筋者足太陰少陰厥陰三陰筋及足陽明筋皆聚陰器故曰宗筋

蘭陵堂刊

故陽明爲長若陽明水穀氣虛者則帶脈不能控引於足故足痿不用也　平按素問甲乙束骨肉無肉字經之海作經脈之海本書帶脈篇同筋陰作宗筋陰陽四字氣街甲乙作氣衝

黄帝曰治之奈何荅曰各補其榮而通其輸調其虛實和其逆順則宗筋脈骨肉各以其時受日則病已矣黄帝曰善五藏熱痿皆是陰虛故補五藏陰經之榮陰榮水也陰輸是木少陽也故熱痿通其輸也各以其時者各以其時受病之日調之皆愈也　平按輸素問甲乙作俞筋脈上無則宗二字受日作受月王氷注云時受月謂受氣時月如肝王甲乙心王丙丁之類皆王氣法不若此注之明顯

瘧解平按此篇自篇首至末見素問卷十第三十五瘧論篇又見甲乙經卷七第五又見靈樞卷十二第七十九歲露論又見巢氏病源卷十一瘧病諸候惟編次稍異

黄帝問於岐伯曰夫痎瘧者皆生於風其蓄作有時何也痎者有云二日一發名痎瘧此經但夏傷於暑至秋爲病或云痎瘧或但云瘧不必日發間日以定痎也俱應四時其形有異以爲痎耳因腠

理開發風入不沒藏蓄舍於四時而發日之長又異其故何也　平按瘖素問巢氏作痎新校正云按甲乙經云夫瘧疾皆生於風其以日作以時發何也與此文異太素同今文并自瘖者有云至以為瘖耳全引楊注惟注中俱應四時作但應四時又注瘖者下袁刻脫有云二字巢氏作痎瘧者夏傷於暑也其病秋則寒甚冬則寒輕春則惡風夏則多汗者然其蓄作有時　岐伯曰瘧之始發先起於豪毛伸欠乃作寒慄寒慄鼓頷腰脊痛寒去則外內皆熱頭如破渴欲飲寒瘧發狀凡有七別一起豪毛謂毛立二為伸欠三為寒慄四腰脊痛五內外熱六頭痛甚七渴飲水寒瘧之狀有斯七別也　平按豪毛素問甲乙作毫毛巢氏作毫末寒慄二字俱不重素問甲乙脊下有俱字渴欲飲素問作偈欲冷飲甲乙作渴欲飲水巢氏作頭痛而渴欲飲　黄帝曰何氣使然願聞其道請問寒瘧發之所以也　岐伯曰陰陽上下交爭虛實更作陰陽相移也陽并於陰則陰實而陽明虛陽明虛則寒慄鼓頷巨陽虛則腰脊頭項痛三陽俱虛陰氣勝陰氣勝則骨寒而痛寒生

蘭陵堂刊

於內故中外皆寒寒氣藏於腸胃之外皮膚之內舍於營氣至於春時陰陽交爭更勝更衰故虛實相移也三陽俱并於陰則三陽皆虛虛為陰乘故外寒陰氣強盛故內寒內外俱寒陽火不能溫也　平按腰脊素問巢氏作腰背陽盛則外熱陰虛則內熱外內皆熱則喘而渴欲飲陰極則陽盛陽盛則外熱陰極則陰虛陰虛則陽乘故內熱外內俱熱甚於栗炭水水不能涼故喘而欲飲也　平按欲飲素問甲乙作故欲冷飲此得之夏傷於暑熱氣盛藏於皮膚之內腸胃之外此營氣之所舍也此言其日作所由也皮膚之內腸胃之外脈中營氣是邪之舍也　平按此得之素問甲乙作此皆得之此令人汗出空疏平按汗出空疏素問無出字新校正云全元起本作汗出空疏甲乙太素并同腠理開因得秋氣汗出遇風乃得之以浴平按乃得之以浴素問乃作及甲乙作得浴二字水氣舍於皮膚之內與衛氣并居衛氣者晝日行陽此氣得陽而出得陰而內薄是以日作邪舍營氣之中令人汗出開其腠理因得秋氣復藏皮膚之內與衛氣居衛晝

行於陽夜行於陰邪氣與衛俱行以日日而作也　平按晝日行陽素問作晝日行於陽夜行於陰甲乙同惟晝下無日字而出素問甲乙作而外出是以上素問甲乙有內外相薄四字黃帝曰其間日而作何也岐伯曰其氣之舍爲內薄於陰陽氣獨發陰邪內著陰與陽爭不得出是以間日而作其邪氣因衛入內內薄於陰共陽交爭不得日日與衛外出之陽故間日而作也　平按爲素問甲乙作深注入內下原重內字表刻脫交爭下表刻有不得出三字黃帝曰善其作日晏與其日蚤何氣使然岐伯曰邪氣客於風府循膂而下衛氣一日一夜大會於風府其明日日下一節故其作也晏此先客於脊背也每至於風府則腠理開開則邪入邪入則病作此以日作稍益晏者也其出於風府日下一推二十一日下至骶骨因衛氣從風府日下故作也晏晚也骶丁禮反尾窮骨也　平按素

問甲乙胎作膂一椎均作一節二十一日素問作二十五日二十二日入於脊內注胎之脈其氣上行九日出於缺盆之中其氣日高故日益早邪與衛氣下二十一椎日日作晚至二十二日邪與衛氣注於督脈上行氣上高行故其作也早　平按二十二日素問作二十六日注胎之脈作注於伏膂之脈甲乙巢氏伏膂作伏衝新校正云全元起本二十五日作二十一日二十六日作二十二日甲乙太素並同其內薄於五藏橫連膜原也其道遠其氣深其行遲不能與衛氣俱行偕出故間日乃作偕俱也膜原五藏皆有膜原其邪氣內著五藏之中橫連五藏膜原之輸不能與衛氣日夜俱行陰陽隔日一至故間日作也　平按膜原素問甲乙作募原新校正云全元起本募作膜太素巢元方并同舉痛篇亦作膜原又甲乙衛氣作營氣素問偕出作皆出黃帝曰夫子言衛氣每至於風府腠理乃發發則邪入邪入則病作今衛氣日下一節其氣之發也不當風府其日作奈何項髮際上風府之空衛氣之行日日而至若下二十一節覆上方會風府日作則不

相當通之奈何也　平按注若下二十一節袁刻作若其下一節岐伯曰風無常府衛氣之所發也必開其腠理氣之所舍即其府高已黃帝曰善哉無常府者言衛氣發於腠理邪氣舍之即高同風府不必常以項髮際上以為府也故衛氣發腠理邪舍之處其病日作也　平按素問岐伯曰下有此邪氣客於頭項循膂而下者也故虛實不同邪中異所則不得當其風府也故邪中於頭項者氣至頭項而病中於背者氣至背而病中於腰脊者氣至腰脊而病中於手足者氣至手足而病衛氣之所在與邪氣相合則病作故入十八字新校正云全元起本及甲乙太素自此邪客於頭項至下則病作故入十八字並無氣之所舍即其府高已素問作邪氣之所合則其府也新校正云甲乙巢元方則其府也作其病作黃帝曰夫風之與瘧也相似同類而風獨常在而瘧得有休者何也因腠理開風入藏內至時而發名之為瘧然則風之與瘧異名同類其瘧日有休時風府常在未愈其意何也　平按有休者素問甲乙作有時而休者岐伯曰經留其處衛氣相順經絡沈以內薄故衛留乃作經絡停留之處衛氣過之經脈與衛氣相順故經脈內薄停處衛氣亦留衛氣與風留處發動為瘧所以其風常在瘧有休作也

蘭陵堂刊

平按經留其處素問作風氣留其處甲乙作風氣常留其處衛氣相順素問甲乙作故常在瘧氣隨六字汎以内薄甲乙作次而内傳故衛留乃作素問甲乙作故衛氣應乃作袁刻留作氣

三瘧平按此篇自篇首至末見素問卷十第三十五瘧論篇與上篇相接又見甲乙經卷七第五又見巢氏病源卷十一瘧病諸候惟編次先後略異

黃帝曰瘧先寒後熱何也岐伯曰夏傷於大暑汗大出腠理開發因遇夏氣淒滄之小寒寒迫之平按小寒寒迫之素問作水寒二字新校正云甲乙太素水寒作小寒迫之據此則本書下寒字疑衍藏於腠理皮膚之中秋傷於風病盛矣夫寒者陰氣也風者陽氣也先傷於寒而後傷於風故先寒而後熱夏遇小寒藏於腠理皮膚之中至秋復傷於風先遇於寒故先寒也後傷於風故後熱此爲寒瘧也　平按病盛矣素問甲乙作則病成矣後熱下素問甲乙有病以時作名曰寒瘧八字

黃帝曰先熱

而後寒何也岐伯曰此先傷於風而後傷於寒故先熱而後寒亦以時作名曰温瘧其但熱而不寒陰氣絶陽氣獨發則少氣煩悗手足熱而欲歐名曰癉瘧此二種瘧略示所由廣解在下　平按素問甲乙絶上有先字歐作嘔素問煩悗作煩冤黄帝曰夫經言有餘者爲之不足者補之今熱爲有餘寒爲不足夫瘧之寒也湯火不能温也及其熱也氷水不能寒也此皆有餘不足之類也當是時良工不能止也必須其時自衰平按素問作必須其自衰甲乙作必待其自衰乃刺之其故何也願聞其說岐伯曰經言無刺熇熇之氣無刺渾渾之脉無刺漉漉之汗故其爲病逆不可治此言病發盛時不可取也　平按熇熇之氣氣字素問甲乙作熱新校正云全

元起本及太素熱作氣　夫瘧之始發也陽氣并於陰當是之時陽虛而陰盛外無氣故先寒慄陰氣逆極則復出之陽陽與陰復并於外則陰虛而陽實故熱而渴夫瘧氣者并於陽而陽勝并於陰則陰勝陰勝則寒陽勝則熱瘧風寒氣也不常病極則復至平按瘧風寒氣也不常病極則復至素問作瘧者風寒之氣不常也病極則復王注云復謂復舊也言其氣發至極還復如舊至字連下文病之發也作句新校正云甲乙作瘧者寒風之暴氣不常病極則復至全元起本及太素作瘧風寒氣也不常病極則復至至字連上句與王氏之意異　病之發也如火熱風雨不可當也故經言曰方其盛時勿敢必毀因其衰也事必大昌此之謂也此言取其衰時有益者也　平按素問甲乙熱字上有之字下有如字盛時下無勿敢二字新校正云太素作勿敢必毀與此同　夫瘧之未發也陰未并陽陽未并陰因

而調之真氣得安邪氣乃已故工不能治其已發爲其氣逆也此言取其未病之病未盛之時也　平按素問甲乙邪氣乃已作邪氣乃亡别本亦作亡黄帝曰善工之奈何早晏何如晏晚也瘧瘧之要取之早晚何如也　平按素問工作攻岐伯曰瘧之且發陰陽之且移也必從四末始陽以傷陰從之故先其時堅束其處令邪氣不得入陰氣不得出後見之在孫絡盛堅而血者皆取之此直徃而取未得并者也此言瘧之在早不在於晚也夫瘧之作也必内陰外陽相入相并相移乃作四支爲陽藏府爲陰瘧之將作陽從四支而入陰從藏府而出二氣交争陰勝爲寒陽勝爲熱瘧之二氣未并之前以繩堅束四支病所來處使二氣不得相通必邪見孫絡皆刺去血此爲要道也陽以傷者陽虚也陰從之者陰并也　平按素問甲乙陽以傷以作已後見之作審候見之直徃素問作真徃新校正云真徃甲乙作其徃太素作直徃黄帝曰病不發其應何如瘧病有休有作其應何氣也　平按素問甲乙病作瘧岐伯曰瘧氣者必

更盛更虛隨氣所在病在陽則熱脈躁在陰則寒脈靜極則陰陽俱衰衛氣相離則病得休衛氣集則復病瘧氣不與衛氣聚故得休止若瘧氣居衛與衛氣聚者則其病復作故病不發者不與陰陽相并故也　平按隨氣所在素問作當氣之所在也黃帝曰時有閒二日或至數日發或渴或不渴其故何也夫瘧之作遲數不同或不間日謂一日一發也或有間日隔日而發也或間二日三日一發也或至數日一發四日以去有一發也諸間二日以去温瘧人多不識不以爲瘧宜審察之以行補寫也岐伯曰其間日者邪氣與衛氣客於六府而時相失不能相得故休數日乃作瘧氣衛氣俱行行至六府穀氣有時盛衰致令二氣相失數日乃得一集集時即發故至數日乃作也　平按而時相失素問作而有時相失甲乙作而相失瘧者陰陽更勝或甚或不甚或渴或不渴陰勝寒甚不渴陽勝熱甚故渴也　平按或渴上素問甲乙有故字黃帝曰論言夏傷於暑秋必病瘧今瘧不必

應何也夏傷於暑秋必痎瘧今瘧之發不必要在秋時四時皆發其故何也　平按甲乙無論言二字痎瘧素問作病瘧新校正云按生氣通天論并陰陽應象大論俱作痎瘧往不必要在秋時要字袁刻作應亦通岐伯曰此應四時者也其病異形者反四時者也或夏傷於暑或冬傷於寒以為瘧者至其發時皆應四時但病形異也其俱以秋病者寒甚以冬病者寒不甚以春病者誣風以夏病者多汗誣於路反畏誣也言同傷寒暑俱以四時為瘧也秋三月時陰氣得勝故熱少寒甚也冬三月時陽生陰衰故熱多寒少也春三月時風甚故誣風也夏三月時溫熱甚故多汗也　平按素問甲乙無俱字誣均作惡黃帝曰夫溫瘧與寒瘧各安舍舍何藏問寒溫二瘧所居之藏也　平按素問夫下有病字各安舍舍何藏作而皆安舍舍於何藏甲乙作其在何藏岐伯曰溫瘧者得之冬中風寒氣藏於骨髓之中平按寒下甲乙巢氏重寒字至春則陽氣大發邪氣不得出因遇大暑腦髓鑠脈肉銷澤平按邪氣不得出甲乙作不能出素問作不能自出脈肉銷澤素問甲乙作肌肉消巢氏作脈

蘭陵堂刊

肉俏釋腠理發洩因有所用力邪氣與汗偕出平按因素問甲乙作或偕作皆此病藏於腎其氣先從內出之於外如是則陰虛而陽盛則病矣衰則氣復反入入則陽虛陽虛則寒矣故先熱而後寒名曰温瘧此言温瘧所舍之藏謂冬三月時因腠理開得大寒氣深入涅於骨髓藏於腎中至春陽氣雖發亦不能出在內銷於腦髓銷鑠脈肉發洩腠理有因用力汗出其寒氣從內與汗俱出是則陰虛陰虛陽乘內盛爲熱故先熱也熱極復衰反入於內外陽復虛陽虛陰乘爲寒所以後寒故曰温瘧也　平按則病矣素問作陽盛則熱矣甲乙作陽盛則熱衰矣又注陽虛陰乘別本無陽虛二字

黃帝曰：癉瘧者何如？岐伯曰：癉瘧者，肺之素有熱氣盛於身，厥逆上中，氣實而不外洩，因有所用力，腠理開，風寒舍於皮膚之內、分肉之間而發，發則陽氣盛，氣盛而不衰則病矣。癉熱也素先也人之肺中先有熱氣發於內熱內熱盛而不衰以成癉瘧之病也平按肺之素有熱素問甲乙無之字巢氏素作系厥逆上素問作厥逆上衝巢氏作上下其氣不反之陰故但熱不寒寒氣內藏於心而外舍分肉之間令人銷鑠脫肉故命曰癉瘧黃帝曰善哉爲寒氣所發熱氣不反之陰故但熱不寒神引寒氣藏心而舍分肉之間故能銷鑠脫肉令人瘦脊然則無寒獨熱故曰癉瘧也　平按不反之陰素問作不及於陰新校正云全元起本及太素作不反之陰巢元方作不及之陰寒氣寒字素問甲乙不重銷鑠素問作消爍甲乙作消鑠巢氏同

十二瘧平按此篇自足太陽瘧至末見素問卷十第三十六刺瘧篇篇首瘧而不渴至爲五十九刺素問刺瘧篇編次在後又自篇首至末見甲乙經卷七第五又見巢氏病源卷十一瘧病諸候惟編次小異

黃帝曰瘧而不渴閒日而作奈何岐伯曰瘧而不渴閒日而作刺足太陽渴而閒日作刺足少陽溫瘧者汗不出爲五十九刺足太陽在陰主水故不渴閒日發也足少陽在陽故渴而閒日作也此二皆寒瘧也溫瘧傷寒

蘭陵堂刊

所爲故汗不出以五十九刺也　平按自黃帝曰瘧而不渴至岐伯曰素問甲乙無此十六字刺足太陽甲乙經云九卷曰取足陽明素問刺太陰今本素問作刺足太陽新校正云九卷云刺足陽明太素同刺足少陽甲乙經云九卷曰取手少陽素問刺足少陽今本素問作刺足少陽新校正云九卷云刺手少陽太素同據新校正所引則太素與九卷同與素問異今本書云刺足太陽刺足少陽與九卷異與素問同又檢今本靈樞雜病篇云瘧不渴閒日而作取足陽明渴而日作取手陽明再檢本書卷三十刺瘧節度篇與靈樞同與甲乙素問新校正所引亦不盡同與本篇所云刺太陽刺足少陽亦異細玩楊注本篇云此二皆寒瘧刺瘧節度篇云取所主輸故不盡同也

足太陽瘧令人腰痛頭重寒從背起先寒後熱渴渴止汗出難已日刺郄中出血足太陽脈從頭下背下腰邪客之故寒從背起明堂足太陽合委中療經瘧狀與此同也　平按渴渴止汗出素問作熇熇暍暍然熱止汗出新校正云全元起本甲乙經太素巢元方并作先寒後熱渴渴止汗出與本書合日刺郄中素問巢氏無日字甲乙作閒日作刺膕中

足少陽瘧令人身體解㑊寒不甚熱不甚惡見人見人心惕惕然熱多汗汗出甚刺足少陽足少陽脈羈絡身之支節故此脈病身體解㑊足少陽與厥陰合故寒熱俱不甚惡

見人也若熱多即汗出甚也可取足少陽風池丘虛等穴也　平按解㑊巢氏作解倦甲乙無熱不甚三字汗字素問甲乙巢氏均不重疑衍

足陽明瘧令人先寒洒淅洒淅寒甚久乃熱熱去汗出喜見日月光火氣乃快然刺陽明跗上足陽明兩陽合明故汗出喜見日月光明見之快心也足跗上足陽明脈行也　平按洒巢氏作灑日下無月字素問刺下有足字甲乙跗上下有及調衝陽四字巢氏作刺足陽明腳趺上

足太陰瘧令人不樂好太息不嗜食多寒熱汗出病至則喜嘔嘔已乃衰即取之足太陰脈從胃別上膈注心中故瘧令人不樂好太息也脾胃主食故脾脈病不嗜食其脈入腹屬脾絡胃上膈俠咽故病將極喜嘔嘔已乃衰時即宜取之也　平按甲乙多寒熱作多寒少熱嘔素問甲乙巢氏并作嘔取之下甲乙有足太陰三字

足少陰瘧令人吐嘔甚多寒熱熱多寒少欲閉戶而處其病難已足少陰脈貫肝膈入肺中從肺出絡心注胸中故足少陰瘧令人吐嘔甚則寒熱俱多於餘經瘧其足少陰爲陽乘之故熱多寒少以其腎陰脈傷故欲閉戶而處病難已也　平按甲乙作嘔吐甚多寒少熱巢氏作久寒熱難已下甲乙有取太谿三字

足厥陰

瘧令人腰痛少腹滿小便不利如癃狀非癃巳數小便意恐懼氣不足腸中邑邑刺足厥陰足厥陰脈環陰器抵少腹故腰痛少腹滿小便不利如癃癃淋也小便不利如淋也其脈屬肝絡膽膽爲足厥陰府故膽傷恐懼氣不足腸中邑邑也可刺足厥陰五輸中封等穴也　平按非癃巳素問甲乙作非癃也巢氏作非癃狀也數小便意素問作數便意新校正云甲乙數便意三字作數噫二字邑邑素問甲乙巢氏并作悒悒肺瘧者令人心寒寒甚熱閒喜驚如有見者刺手太陰陽明以上言經病爲瘧以下言藏病瘧肺以逼心故肺病心寒喜驚妄有所見宜取肺之藏府表裏之脈也　平按喜驚如有見者素問甲乙作善驚如有所見者巢氏作如是有見者心瘧者令人煩心甚欲得清水及寒多寒不甚熱甚刺手少陰心中煩熱故欲得冷水及欲得寒以其是陽得寒發熱故使得寒多也其寒不甚其熱甚也心經手少陰受病遂令心煩非心受病人心有神不可多受邪氣非脈不受邪也故令煩心療在手少陰少海之穴也　平按及寒多寒不甚熱甚素問作反寒多不甚熱六字新校正云太素云欲得清水及寒多寒不甚熱巢氏作乃寒多寒不甚熱熱甚與此同甲乙作寒多不甚熱肝瘧令人色

蒼蒼然太息其狀若死者刺足厥陰見血肝瘧病甚則正色見故蒼蒼然也蒼青也病甚氣奔故太息出之可取肝之經絡見血得愈也平按蒼蒼素問甲乙巢氏均作蒼蒼著甲乙無太息二字脾瘧令人疾寒腹中痛熱則腸中鳴已汗出刺足太陰脾脈足太陰脈屬脾絡胃連腸以穀氣盛故寒疾腹痛腸鳴可取脾之經脈大都公孫商邱等穴也平按素問無疾字甲乙作病字腎瘧令人洒洒腰脊痛宛轉大便難目詢詢然手足寒刺足太陽少陰詢請也謂有詢請舉目求之詢詢舉目視專也洒音洗謂惡寒也腎脈貫脊屬腎絡膀胱故腰脊痛宛轉大便難也其脈從腎上貫肝膈肝脈入目故詢詢然又或為眩腎府膀胱足太陽脈起目內眥故令目眩也足少陰大陽上連手之少陰太陽故手足寒也取此腎之藏府二脈也平按洒洒下素問有然字甲乙作悽悽然目詢詢然素問甲乙作目眴眴然巢氏作目眩眴眴然胃瘧令人疸病也喜飢而不能食食而支滿腹大刺足陽明太陰橫脈出血疸音旦內熱病也胃受飲食飲食非理致有寒熱故胃有癉也胃脈足陽明屬胃絡脾故胃中熱喜飢不能食腹搘滿也足陽明大絡即大橫脈也平按疸病素問甲乙巢

蘭陵堂刊

氏均作旦病新校正云太素且病作疸病素問喜作善甲乙作寒善瘧以發身方熱刺跗上動脈開其空立寒以前諸瘧中温瘧將欲熱時可刺足跗上動脈動脈即衝脈爲五藏六府之海故刺之以療十二瘧也開空者揺大其穴熱去立寒也或寒衰方熱也　平按空下素問有出其血三字甲乙有出血二字瘧方欲寒刺手陽明太陰足陽明太陰以前諸瘧之中寒瘧可刺手足陽明太陰手陽明脈商陽三間合谷陽谿偏歷温溜五里等足陽明神庭開明天樞解谿衝陽陷谷厲兌等手太陰列缺太泉少商足太陰大都公孫商丘等穴或熱衰方寒也　平按諸瘧上素問有瘧脈滿大至則失時也八十九字本書在第三十卷刺瘧節度篇新校正云詳自瘧脈滿大至則失時也全元起本在第四卷中王氏移續於此本書無此八十九字則素問爲王氏所移益信諸瘧而脈不見者刺十指間見血血去必已先視身之熱赤如小豆者盡取之十二種瘧各有絡脈見者依刺去之若絡不見足陰陽脈刺足十指間手陰陽脈不見刺手十指間皆出血必已又諸瘧將衰身上有如赤小豆結起者皆刺去之也　平按甲乙而脈不見而作如赤上素問甲乙無熱字十二瘧者其發各不同時察其病形以知其何脈之病也

先其病發時如食頃而刺之 此言通療十二種瘧並於瘧未發先一食之頃刺之必已 一刺則衰二刺則知三刺則已 一刺病衰病人未覺有愈二刺知愈其病未盡三刺病氣都盡也 不已刺舌下兩脉出血不已刺郄中盛經出血有刺項以下俠脊者必已舌下兩脉者廉泉也 如前刺之不已可變法刺凡有三刺一刺舌下足少陰脉任脉廉泉之穴二刺膕內委中檢無郄中或可刺於膕內郄穴委中之中足太陽盛經出血三刺項下俠脊足太陽大杼譩譆等穴 平按素問甲乙有刺項以下作又刺項已下注膕內郄穴內字裹刻作中 刺瘧者必先問其病之所先發者先刺之 先問者問其瘧發之先欲療其始問而知之也 平按必先問先字裹刻脫 頭先痛及重先刺頭上 先取督脉神庭上星顖會百會等穴 及兩頷兩眉間出血 兩頷眉間取絡出血 平按兩頷素問甲乙均作兩額 先項背痛者先刺之 先起項及背者先刺項及背療瘧之處也 先腰脊痛者刺郄中出血 刺委中之郄也 先手臂痛者先刺陰陽

十指間手表裏陰陽之脈十指之間也　平按素問甲乙陰陽十指間作手少陰陽明十指間新校正云别本作手陰陽全本亦作手陰陽先足胻痠痛者先刺足陽明十指間出血足陽明為三陽之長故刺足十指間出血皆稱足陽明也　平按素問甲乙胻作脛風瘧之發則汗出惡風刺三陽經背輸之血此風瘧狀也風瘧候手足三陽經之背輸有瘧於穴處取之　平按之發素問作瘧發甲乙三陽上有足字胻痠痛甚按之不可名曰胕髓以鑱鑱絕骨出其血立已身體小痛刺之諸陰之井毋出血間日一刺人足胻痠痛按之不可名曰胕髓之病可以鑱鑱出血也五藏諸陰之井起於木宜取勿出血也有本髓為體　平按胕髓下素問有病字甲乙作胕髓病以鑱鑱絕骨素問甲乙作以鑱鍼鍼絕骨素問刺之之字作至陰二字

黃帝內經太素卷第二十五傷寒

黃陂蕭貞昌校字

黃帝內經太素

甲子冬 蕭延平題

黄帝内經太素卷第二十六 寒熱

通直郎守太子文學臣楊上善奉　敕撰注
黄陂蕭延平北承甫校正

蟲癰

寒熱瘰癧

灸寒熱法

寒熱厥 平按此篇自篇首至末見素問卷十二第四十五厥論篇又見甲乙經卷七第三又見巢氏病源卷十二冷熱病諸候寒熱厥候篇惟編次前後畧異

黄帝問於岐伯曰厥之寒熱者何也 夫厥者氣動逆也氣之失逆有寒有熱故曰厥寒熱也九月反逆氣注氣之失逆表刻之作動 平按 岐伯曰陽氣衰於下則爲寒厥陰氣衰於下則爲熱厥 下謂足也足之陽氣虛也陰氣乘之足冷名曰寒厥足之陰氣虛也陽氣乘之足熱名曰熱厥也 黄帝曰熱厥之爲熱也必起足下何也 寒熱逆之氣生於足下令足下熱不生足上何也 岐伯曰陽起於五指之表集於足下而熱於足

心故陽勝則足下熱五指表者陽也足心者陰也陽生於表以温足下今足下陰虛陽勝故足下熱名曰熱厥也　平按陽起於五指之表素問作陽氣起於足五指之表新校正云甲乙陽氣起於足作走於足起當作走今本甲乙仍作起按足之三陽從頭走足自以走字爲允又素問甲乙表下有陰脈者三字而熱熱字作聚巢氏亦作聚注表者者字表刻脱今足下今字表刻作令黄帝曰寒厥之爲寒也必從五指始上於膝下何也岐伯曰陰氣起於五指之裏集於膝下而聚於膝上故陰氣勝則從五指至膝上寒其寒也不從外皆從内寒黄帝曰善五指裏陰也膝下至於膝上陽也今陽虛陰勝之故膝上下冷也膝上下冷不從外來皆從五指之裏寒氣上乘冷也　平按必從必字表刻脱始上於膝下素問甲乙作而上於膝者又素問皆從内寒寒作也甲乙無寒字巢氏作皆從内寒與本書同黄帝曰寒厥何失而然厥失此寒失之氣何所失逆致令手足冷也岐伯曰前陰者宗筋之所聚也太陰陽明之所合也春夏則陽氣多而陰氣衰秋冬

內經二十六　十

蘭陵堂刊

則陰氣盛而陽氣衰大便處爲後陰陰器爲前陰也宗總也人身大筋總聚以爲前陰也手太陰脉絡大腸循胃口足太陰脉絡胃手陽明脉屬大腸足陽明脉屬胃手足陰陽之脉皆主水穀共以水穀之氣資於諸筋故令足太陰足少陰足厥陰足陽明等諸脉聚於陰器以爲宗筋故宗筋太陰陽明之所合也春夏爲陽故人足陽明春夏氣盛秋冬爲陰故人足太陰秋冬氣盛也　平按前陰者宗筋之所聚甲乙作厥陰者衆筋之所聚素問新校正云甲乙作厥陰者衆筋之所聚全元起云前陰者厥陰也與王注異亦自一説巢氏陰上無前字陽氣多多字原鈔不全素問甲乙巢氏均作多袁刻作盛陰氣衰衰字素問甲乙均作少此人者質壯以秋冬奪於所用下氣上爭未能復精氣溢下邪氣且從之而上氣居於中陽氣衰不能滲營其經絡故陽氣日損陰氣獨在故手足爲之寒此人謂是寒厥手足冷人也其人形體壯盛從其所欲於秋冬陽氣衰時入房太甚有傷故曰奪於所用因奪所用則陽氣上虛陰氣上爭未能和復精氣溢泄益虛寒邪之氣因虛上乘以居其中以寒居中陽氣衰虛夫陽氣者衛氣也衛氣行於脉外滲灌經絡以營於身以寒邪居上衛氣日損陰氣獨用故手足冷名曰寒厥也　平按未能復素問作不能復且從之而上素問巢氏且作因甲乙作從而上之氣居於中甲

乙作所中二字黃帝曰熱厥何如岐伯曰酒入於胃則絡脈滿而經脈虛脾主爲胃行其津液者也陰氣虛則陽氣入陽氣入則胃不和胃不和則精氣竭精氣竭則不營其四支酒爲熱液故人之醉酒先入并絡脈之中故經脈虛也脾本爲胃行於津液以灌四藏今酒及食先滿絡中則脾藏陰虛脾藏陰虛則脾經虛脾經既虛則陽氣乘之陽氣聚脾中則穀精氣竭穀精氣竭則不營四支陽邪獨用故手足熱也此人必數醉若飽已入房氣聚於脾中未得散酒氣與穀氣相摶熱於中故熱遍於身故內熱溺赤夫酒氣盛而慓悍腎氣有衰陽氣獨勝故手足爲之熱此具言得病所由此人謂手足熱厥之人數經醉酒及飽食酒穀未消入房氣聚於脾藏二氣相摶內熱於中外遍於身內外皆熱腎陰內衰陽氣外勝手足皆熱名曰熱厥也　平按此人必數醉袁刻脱必字素問甲乙飽已作飽以未得散作不得散相摶作相薄巢氏作相并熱於中素問作熱盛於中甲乙無此三字巢氏作熱起於內故內熱溺赤素問甲乙

作內熱而溺赤巢氏溺作尿有衰甲乙作日衰素問巢氏并作有衰表刻作日黃帝問曰：厥或令人腹滿，或令人暴不知人，或至半日遠至一日乃知人者，何也？令人腹滿及不知人，以為失逆，稱為厥者，請聞所以。岐伯曰：陰氣盛於上則下虛，下虛則腹脹滿，上謂心腹也，下謂足下也。上陽非無有陰，下陰非無有陽，氣之常也。今陰氣并盛於上，下虛，故腹滿也。平按：甲乙無脹字。巢氏陰氣上有此由二字，無則下虛至下節陽氣盛於上十四字。陽氣盛於上則下氣重上，而邪氣逆，逆則陽氣亂，亂則不知人。黃帝曰：善。心腹為陽，下之陽氣重上心腹，是為邪氣逆亂，故不知人也。平按：陽氣盛於上，甲乙作腹滿二字，注云：素問作陽氣盛於上。新校正云：當從甲乙之說。何以言之？別按甲乙云：陽脈下墜，陰脈上爭，發尸厥。焉有陰氣盛於上而又言陽氣盛於上？又按張仲景云：少陰脈不至，腎氣微少，精血奔，氣促迫，上入胸膈，宗氣反聚，血結心下，陽氣退下，熱歸陰股，與陰相動，令身不仁，此為尸厥。仲景言陽氣退下，則是陽氣不得盛於上，故知當從甲乙也。本書與素問同，與甲乙、巢氏異，姑存以俟考。

經脈厥平按：此篇自篇首至嗌腫痓治主病者，見素問卷十二第四十五厥論篇；自巨陽之厥至以經取之，又見甲乙經卷七第三；自足太陰脈厥逆至嗌腫痓治主病者又見甲乙經卷四第一中篇自瞖肝并沈至末見素問卷十三第四十八大奇論篇又見甲乙經卷四第一下篇又見本書卷十五五藏脈診篇又自巨陽之厥至腫脛内熱見巢氏病源卷十二冷熱病諸候寒熱厥候篇

黄帝曰願聞六經脈之使厥狀病能請聞手足三陰三陽氣動失逆爲厥之狀能者厥能爲病　平按素問厥上無使字注之狀之字袁刻作人岐伯曰巨陽之厥踵首頭重足不能行發爲眴仆巨陽太陽也踵足也首頭也足太陽脈從頭至足故太陽氣之失逆頭足皆重以其重故不能行也手足太陽皆入於目故目爲眴仆眴胡遍反目揺也　平按巢氏巨作太素問甲乙踵作腫甲乙眴作眩陽明之厥則癲疾欲走呼腹滿不能臥面赤而熱妄見妄言足陽明脈從面下入腹至足故陽明氣之失逆癲疾走呼腹滿不得臥面赤而熱妄見妄言皆是陽明穀氣盛熱邪氣所乘故也　平按不能臥素問甲乙作不得臥巢氏作不臥面赤上有臥則二字少陽之厥則暴聾頰腫而熱脇痛骭不可以運手足少陽之脈皆入耳中足少陽脈循頰下脇循骭至足故暴聾頰腫脇痛腳骭不可運動也　平按骭素問甲乙巢氏均作䯒太陰

之厥腹滿䐜脹後不利不欲食食則歐不得臥足太陰脾脈主於腹之腸胃故太陰脈氣失逆腹滿不利不食歐不得臥　平按注腸胃袠刻作腹胃少陰之厥則舌乾溺赤腹滿心痛手少陰脈絡小腸足少陰脈從足上陰股內廉貫脊屬腎絡膀胱絡心上俠舌本少陰氣逆舌乾溺赤腹滿心痛也　平按素問舌作口巢氏溺作尿厥陰之厥則少腹腫痛䐜溲不利好臥屈膝陰縮腫脛內熱足厥陰脈從足上踝八寸趣出太陰後上循股陰入毛環陰器抵少腹俠胃故少陰脈氣失逆少腹痛䐜溲不利好臥屈膝陰縮腫胻內熱有本脛外熱足厥陰脈不行脈外外爲誤耳　平按䐜溲不利素問作腹脹涇溲不利甲乙作䐜脹涇溲不利巢氏作涇溲不利脛素問甲乙作胻巢氏內熱作外熱注故少陰脈氣失逆少陰據經文宜作厥陰恐原鈔傳寫之誤盛則寫之虛則補之不盛不虛則以經取之凡六經厥皆量盛虛以行補寫也足太陰脈厥逆胻急攣心痛引腹治主病者足太陰脈從足上行循胻後屬脾絡胃注心中故足太陰氣動失逆胻急攣心痛引腹也有胻急攣等病者可療足太陰脈所發之穴主療此病者也餘倣此問曰前章已言六經之厥今復言之有何別異

也答曰二章説之先後經脈厥而主病左右不同故也　平按素問甲乙太陰上無足字下無脈字

足少陰脈厥逆虛滿歐變下洩青治主病者足少陰脈貫脊屬腎絡膀胱貫肝入肺注胸中故足少陰脈氣失逆心腹虛滿歐吐下利出青色者少腹閒冷也　平按素問甲乙歐作嘔青作倩

足厥陰脈厥逆攣腰虛滿前閉譫言治主病者足厥陰環陰器抵少腹循喉嚨入頏顙故足厥陰脈失逆腰攣而虛滿小便閉譫諸闔反多言也相傳乃衜反獨語也　平按素問甲乙腰下有痛字譫言甲乙作譫語新校正云全元起云譫言者氣虛獨言也

三陰俱逆不得前後使人手足寒三日死逆即氣之失逆名曰厥逆足三陰之脈同時失逆必大小便不通手足　期至三日死也　平按注必大小便必字表刻脱

足太陽脈厥逆僵仆歐血善衄治主病者足太陽脈起於鼻旁目内眥俠脊抵腰中絡腎屬膀胱故足太陽脈氣之失逆僵仆歐血善衄後倒曰僵前倒曰仆僵仆有傷故歐血也太陽厥逆連鼻故善衄也　平按素問甲乙太陽上無足字下無脈字歐作嘔

足少陽脈厥逆機關不利者腰不可以行項不可以顧發腸癰不可治驚者死足少

陽脈循頸下腋循胸過季脇合髀厭中下膝外廉下外輔骨之前抵絶骨上外踝之前上跗入小指次指間支者貫爪甲遍絡身之骨節機關故少陽氣之失逆機關不利腰是機關故不可行也少陽循頸故項不可顧也脈行脇裏出於氣街發腸癰病猶可療之腸癰氣逆傷膽死也　平按素問甲乙少陽上無足字下無脈字機關不利四字重腹癰腹字均作腸據本注亦宜作腸當是傳鈔之誤不可治不字素問甲乙同據本注應作猶

足陽明脈厥逆喘欬身熱善驚衄歐血不可治驚者死足陽明逆氣乘肺故喘欬也足陽明主身熱逆氣逆身喜驚足陽明起鼻下行屬胃氣逆衄血歐血而不療加有驚者神亂故死也　平按素問甲乙陽明上無足字下無脈字歐作嘔素問無不可治驚者死六字

手太陰脈厥逆虚滿而欬善歐唾沫治主病者手太陰脈下絡大腸還循胃口上膈屬肺故氣逆而成病　平按善歐唾沫素問作善嘔沫甲乙作善嘔吐沫

手心主少陰脈厥逆心痛引喉身熱死不熱可治手心主手厥陰心包絡脈起於胸中出屬心包下膈歴絡三焦手少陰脈起心中俠咽上行故二脈失逆心痛引喉也心包之脈歴絡三焦故心受邪而痛遍行三焦致令身熱名真心痛死不可療若身不熱是則逆氣不周三焦故可療之也　平按不熱可治素問作不可治甲乙作不熱者可治

手太陽脈厥逆聾

泣出項不可以顧腰不可以俛仰治主病者手太陽脈起於小指之端上行至肩上入缺盆循頸至目兊眥卻入耳中故手太陽氣逆耳聾耳目泣出項不可顧不得俛仰也　平按素問甲乙聾上有耳字

手陽明少陽脈厥逆發喉痹嗌腫痓治主病者手陽明脈上肩出髃前廉上出柱骨之會上下入缺盆支者從缺盆上貫頰手少陽支者從膻中出缺盆上項係耳後故二脈氣逆喉嚨痹咽嗌腫頸項痓痓身項强直也　平按素問新校正云全元起本痓作痙

腎肝并沈爲石水腎肝雖爲下部腎脈沈肝脈浮而强今肝脈與腎脈并沈是陰氣盛腎以主水故爲石水石水謂盛冬凝水堅鞕如石名曰石水言此水病之甚也鞕五猛反强也　平按注堅鞕堅字袁刻誤作腎又按素問新校正云詳腎肝并沈至下并小弦欲驚全元起本在厥論中王氏移於大奇論據此則本書與全本相同王氏之移經益信

并浮爲風水浮爲陽也風爲陽也肝脈浮弦今腎脈與肝脈并浮然腎肝俱陰居於下部故爲風水也

并虛爲死腎肝並虛是爲陰陽俱虛爲水必死

并小弦亦驚脈小者血氣少也腎肝二脈血氣俱少仍絃者是爲腎肝皆虛又爲脾氣來乘故有驚恐也　平按亦驚素問作欲驚甲乙作欲爲驚

寒熱相移　平按此篇自篇首至故得之厥氣見素問卷十第三十七氣厥論篇又見甲乙經卷六第十自三陽急爲瘕至末見素問卷十

三第四十八大奇論篇又見甲乙經卷四第一下篇

腎移寒於脾癰腫少氣五藏病傳凡有五邪謂虚實賊微正等邪從後來名虚邪從前來名實邪從所不勝來名微邪從勝處來名賊邪邪從自起名曰正邪腎移寒於脾此從不勝來也謂腎藏得寒傳與脾藏致令脾氣不行於身故發爲癰腫寒傷穀故爲少氣也　平按脾素問作肝新校正云按全元起本作腎移寒於脾元起注云腎傷於寒而傳於脾脾主肉寒生於肉則結爲堅堅化爲膿故爲癰也血傷少氣故曰少氣甲乙經亦作移寒於脾王因誤本遂解爲肝亦智者之一失也癰素問甲乙作壅下同注病傳表刻作内傳從勝處來表刻作從所勝來

脾移寒於肝癰腫筋攣脾得寒氣傳與肝藏名曰微邪以脾將寒氣與肝肝氣壅遏不通故爲癰腫肝以主筋故肝病筋攣者

肝移寒於心狂鬲中肝得寒氣傳於心藏名曰虚邪肝將寒氣與心心得寒氣熱盛神亂故狂鬲也心氣不通也　平按素問鬲作隔

心寒移於肺肺消者飲一溲二死不治心得寒氣傳與肺者名曰賊邪心將寒氣與肺肺得寒發熱肺焦爲渴名曰肺消飲一升溲一升可療飲一升溲二升肺已傷甚故死也　平按素問肺消二字重甲乙作爲肺消肺消者

肺移寒於腎爲涌水涌水者按腹下堅水氣

客大腸疾行則鳴濯濯如裹壺治主肺者肺得寒氣傳與腎藏名曰虛邪肺將寒氣與腎腎得涌水大腸盛水裹如腹中如帛囊漿壺以肺寒飲為病故瘵於肺也　平按腹下堅素問下作不甲乙作按其腹不堅則鳴作腸鳴如裹壺甲乙作如囊裹漿素問作如囊裹漿水之病也無治主肺者四字脾移熱於肝則為驚衄脾受熱氣傳之與肝名曰微邪脾將熱氣與肝肝血怒盛傷為驚怖衄血也肝移熱於心則死肝受熱氣傳之與心名曰虛邪肝將熱氣與心心中有神不受外邪故令受邪即死也心移熱於肺傳為鬲消心受熱氣傳之與肺名曰賊邪心將熱氣與肺肺得熱氣膈熱消飲多渴故曰膈消也　平按鬲甲乙作膈胞移熱於膀胱則癃溺血女胞子胞也女子胞中有熱傳與膀胱尿胞尿脬得熱故為淋病尿血也膀胱移熱於小腸隔腸不便上為口靡隔塞也膀胱水也小腸火也是賊邪來乘故小腸中塞不得大便熱上衝口中爛名曰口靡靡爛也止之反　平按素問隔作鬲靡作糜甲乙亦作糜肺移熱於腎傳為素痓肺受熱氣傳之與腎名曰虛邪肺將熱氣與腎腎得熱氣名曰素痓之病素痓強直不能迴轉　平按素痓素問甲乙作柔痓腎移熱於脾傳為虛腸辟死

蘭陵堂刊

不可治腎受熱氣傳之與脾名曰微邪腎將熱氣與脾脾主水穀故脾得熱氣令腸中水穀消竭所以腸虛辟疊不通而死　平按辟素問甲乙作澼又肺移熱於腎兩節素問甲乙在胞移熱於膀胱上小腸移熱於大腸為密疝為沈小腸得熱傳與大腸名曰賊邪小腸將熱氣與大腸為病名曰密疝大腸得熱密澀沈而不通故得密沈之名也　平按密疝素問甲乙作虙瘕王注謂虙與伏同血澀不利則月事沈滯而不行故云為虙瘕為沈也與楊注異大腸移熱於胃善食而瘦入胃之食亦大腸得熱傳與胃者名曰虛邪大腸將熱與胃胃得熱氣實盛消食故喜飢多食以其熱盛食入於胃不作肌肉故瘦亦義當易也言胃中熱故入胃之食變易消無不為肌肉故瘦　平按而瘦入胃之食亦素問胃作謂甲乙作而溲名曰食㑊胃移熱於膽名曰食亦胃得熱氣傳之與膽從不勝來名曰微邪胃將熱氣與膽膽得於胃穀之熱氣令膽氣消易仍名食易　平按名曰素問作亦曰甲乙作亦名膽移熱於腦則辛煩鼻淟鼻淟者濁涕下不止傳為衄䁾瞑目故得之厥氣淟他典切垢濁也䁾巳結反目眵也腦髓屬腎膽得熱氣傳之與腦從前而來名曰實邪膽將熱氣與腦腦得膽之熱氣鼻煩辛酸流於濁涕久下不止傳為鼽衄眵瞑也瞑開目難也此膽傳之病並因逆熱氣之所致也　平按素

問甲乙煩作頽洪作淵厥氣素問作氣厥甲乙無氣字注煩袁刻作頻並因袁刻誤作並目 三陽急爲瘕 瘕謂女子宮中病男子亦有瘕而爲病凡脈急者多寒三陽謂太陽候得太陽脈急爲是陰勝多寒男子爲瘕女子爲石瘕之病 平按素問爲瘕下有三陰急爲疝五字注瘕謂謂字袁刻脫 二陰急爲癇厥 二陰少陰也候得少陰脈急是爲陽與陰爭陽勝發爲小兒癇病手足逆冷也 二陽急爲驚 二陽陽明也陽與陰爭少陰勝發大小人驚也 平按素問新校正云三陽急爲瘕至二陽急爲驚全元起本在厥論王氏移在大奇論據此則全本與本書合

厥頭痛 平按此篇自篇首至後取足少陽陽明見靈樞卷五第二十四厥病篇又見甲乙經卷九第一自厥俠脊而痛至末見靈樞卷五第二十六雜病篇又自厥俠脊而痛至膕中血絡見甲乙經卷七第一中篇又自厥胸滿面腫至末見甲乙經卷七第三

厥頭痛面若腫起而煩心取足陽明太陽 應有問答傳之日久脫畧故也 手足陽明及手足太陽皆在頭在面手太陽絡心屬小腸此等四脈失逆頭痛面胕起蓄腫及心煩故各取此四脈輸穴療主病者 平按靈樞太陽作太陰又按足陽明太陽據本注應作手足陽明太陽 厥頭痛頭脈痛心悲善泣視頭動脈

反盛者刺盡去血後調足厥陰足厥陰脈屬肝絡膽上連目系上出額與督脈會於顛故氣失逆頭痛頭脈痛心悲善泣視頭動厥陰主悲泣視頭動者視之時頭戰動也脈反盛者絡脈盛可先刺去取血後取厥陰輸穴療主病者也　平按甲乙頭脈痛無頭字善泣作喜泣注賢脈恐係督脈之誤

厥頭痛貞貞頭重而痛寫頭上五行行五先取手少陰後取足少陰貞竹耕反貞貞頭痛甚皃手少陰心脈起心中從心係目系足少陰腎脈貫脊屬腎上貫肝入肺從肺出絡心故心氣失逆上衝於頭痛貞貞頭是心神所居故先取心脈輸穴後取腎脈輸穴療主病者　平按貞貞甲乙作員員下無頭重二字注靈樞作貞貞又注貫肝入肺袁刻肺誤作脈

厥頭痛意善忘按之不得取頭面左右動脈後取足太陰足太陰脈與足陽明合也足陽明循頭面左右動在客主人及太迎皆脾氣所至脾神是意其脈足太陰所以太陰氣之失逆意多善忘所痛在神按之難得可取頭面左右足陽明動脈後取足太陰輸穴療主病者　平按甲乙此段在厥頭痛貞貞之上太陰作太陽注云亦作陰

厥頭痛頭痛甚耳前後脈涌有熱寫出其血後取足少陽足少陽膽脈起目兌皆上抵角下耳後其支從耳後入耳中出走耳前故足少陽氣之失

逆頭痛甚耳前後脈涌動者有熱也可刺去熱血後取足少陽療主病者　平按甲乙頭痛甚作痛甚脈涌有熱作脈骨熱寫出作先寫足少陽作足太陽少陰

厥頭痛項腰脊爲應取天柱後取足太陽

足太陽脈起目内眥上額交顛入絡腦還出下項俠脊抵腰中入循膂絡腎屬膀胱故足太陽氣之失逆頭痛項先痛腰脊相應先取足太陽上天柱之穴後取足太陽下輸穴療主病者　平按靈樞甲乙此段在厥頭痛頭痛甚之上項作先項痛三字應下有先字

真頭痛頭痛甚腦盡痛手足寒至節死不治

頭痛腦痛既甚氣逆故手足冷至節極則死也

頭痛不可取於輸者有所擊墮血在於内若内傷痛未已可即刺不可遠取也

取輸難愈故曰不可又有擊墮留血可以近療可即刺之不可取其遠輸者也　平按輸靈樞作腧甲乙作俞血上靈樞甲乙有惡字内傷靈樞作肉傷可即刺靈樞即作則甲乙刺下有之字

頭痛不可刺者大痺爲惡日作者可令少愈不可除也

頭痛有不可刺者此爲大痺在頭惡其日作作發也刺之可令少愈不可除也謂寒溼之氣入腦以爲大痺故也　平按甲乙惡下有風字除靈樞甲乙作已

頭半寒痛先取手少陽陽

明後取足少陽陽明手足少陽陽明在頭面左右箱故手脉行近頭足脉行遠頭所以頭之左箱半痛者可刺左箱手之少陽陽明然後刺右箱足之少陽陽明右亦如之也　平按甲乙無半字厥俠脊而痛至項頭沈沈然目𥆧𥆧然腰脊強取足太陽膕中血絡頭目項及腰脊膕足太陽脉所行故生病膕中也　平按靈樞項作頂𥆧𥆧作䀮䀮甲乙至項頭作主頭項沈沈作几几𥆧𥆧作䀮䀮厥胸滿面腫脣思思然暴言難甚則不能言取足陽明此皆足陽明脉所行故取足陽明輸療主病者　平按脣思思然靈樞作脣漯漯甲乙作肩中熱厥氣走喉而不能言手足清大便不利取足少陰手足清者手少陰與足少陰通故手足冷取足少陰輸療主病者也　平按甲乙不能言作不言清上有微字清據注訓冷應作清爲允本書下篇作清厥而腹嚮嚮然多寒氣腹中榮榮便溲難取足太陰腹脹多寒便溲不利皆是足太陰脉所爲故取之也　平按嚮嚮然甲乙作膨膨二字榮榮靈樞作穀穀甲乙作嬰嬰注云音最九墟作縈縈榮注太陰脉脉字袁刻脫

厥心痛 平按此篇自篇首至形中上者見靈樞卷五第二十四厥病篇自心痛引腰脊至得之立已見靈樞卷五第二十六雜病篇自心痛暴痛至末見靈樞卷五第二十三熱病篇又自篇首至末見甲乙經卷九第二

厥心痛與背相控如從後觸其心傴僂者腎心痛也先取京骨崑崙發鍼不已取然谷 腎脈足少陰貫脊屬腎絡心故腎氣失逆令心痛控背腎在於後故腎病痛心如物從後觸心而痛脊背傴僂也京骨在足外側大骨下赤白肉際腎府足太陽脈所過崑崙在足外踝跟骨上足太陽脈所行然骨在足內踝前起大骨下足少陰脈所流故腎心痛皆取之也 平按控下靈樞甲乙有善瘛二字傴上甲乙有身字發鍼下有立已二字注腎在於後衣刻腎作背

厥心痛腹脹胸滿心尤痛甚胃心痛也取之大都大白 胃脈足陽明屬胃絡脾脾脈足太陰流於大都在足大指本節後陷中注於大白在足內側覈骨下陷中支者別胃上膈注心中脾胃主水穀水穀有餘則腹脹胸滿尤大也此府病取於藏輸也 平按甲乙腹脹胸滿作暴泄腹脹滿

厥心痛痛如錐鍼刺其心心痛甚者脾心痛也取之然谷大谿 然谷足少陰脈所流在足內踝

內經二十六

蘭陵堂刊

前起大骨下陷中大谿足少陰脈所注在足外踝骨上動脈陷中並是足少陰流注脾氣乘心心痛可療脾之輸穴今療腎足少陰流注之穴者以脾是土腎爲水土當剋水水反乘脾脾乃與心爲病故遠療病輸也　平按靈樞錐上有以字甲乙錐下無鍼字注足外踝骨上撿甲乙經太谿在足内踝後跟骨上動脈陷中且陰脈行内外踝應是内踝之誤踝下脱後跟一字

厥心痛色倉倉如死狀終日不得太息肝心痛也取之行間大衝倉倉青色也肝病也不得太息肝主吸氣今吸氣巳痛不得出氣太息也大衝右足大指本節後二寸陷者足厥陰脈所注　平按靈樞甲乙倉倉作蒼蒼注右足右字當係在字傳鈔之訛撿甲乙經太衝穴在足大指本節後二寸或曰一寸五分陷者中素問刺腰痛論注云在足大指本節後内間二寸陷者中弃無左右足之分故知右爲在之誤也

厥心痛臥若徙居心痛間動作痛益甚色不變肺心痛也取之魚際大泉肺主於氣氣以流動流動之氣乘心故心痛臥若移居至於他處也以氣流動故心痛間也動作益氣所病故益甚也肺氣是心微邪不能令色變魚際在大指本節後内側散脈中手太陰脈之所留大泉在手掌後陷者中手太陰脈之所注也　平按徙居靈樞作徙居大泉作太淵說見前

真心痛手足清至節心痛甚旦發夕死夕發

旦死心不受邪受邪甚者痛聚於心氣亦聚心故手足冷所以死速也　平按清今本靈樞作清道藏本靈樞作清甲乙作青心痛不可刺者中有盛聚不可取於輸腸中有蟲瘕及蛟蛕皆不可取以小鍼心痛甚取輸無益者乃是腸中有蟲瘕蛟蛕腸中長蟲也音交可以手按用大鍼刺之不可用小鍼　平按輸靈樞作腧甲乙作俞蛟靈樞甲乙作蛟心腹痛憹作痛腫聚往來上下行痛有休止腹熱善渴涎出者是蛟蛕也以手聚按而堅持之姑令得移以大鍼刺之久持之蟲不動及出鍼也恙腹憹痛形中上者憹聚結也奴通反謂心腹之內蟲聚而痛憹懊憹然也蟲食而聚猶若腫聚也食已而散故休止也又聚擾於胃故熱渴涎出也若蛟相交所以蛕稱蛟也恙亦恲普耕反滿也謂蟲聚心腹滿如腫聚高起故曰形中上者也　平按靈樞心腹作心腸腹熱善渴涎出者靈樞善作喜甲乙作腹中熱渴渼者註渼音涎姑令靈樞甲乙作無令及出鍼及靈樞甲乙作乃甲乙無恙腹憹痛形中上者八字恙靈樞音烹注猶若腫聚腫袁刻作種心痛引腰脊欲歐取足少陰足少陰脈行腰脊上至心故心痛引腰脊

欲歐取少陰脈輸穴也心痛腹脹嗇嗇然大便不利取足太陰足太陰脈主腹故取足太陰輸穴嗇嗇惡寒之皃也　平按嗇嗇甲乙作濇濇心痛引背不得息刺足少陰不已取手少陽足少陰脈貫脊絡心手少陽脈主三焦氣故心痛引背不得息取此二經輸穴療主病者也　平按手少陽甲乙作手少陰心痛少腹滿上下無常處便溲難刺足厥陰足厥陰脈環陰器抵少腹故少腹滿便溲難取此脈輸穴所主病者　平按靈樞甲乙少腹上有引字心痛但短氣不足以息刺手太陰手太陰主於氣息故氣短息不足取此脈療主輸穴心痛當九節刺之不已刺按之立已不已上下求之得之立已明堂第九節下兩傍是肝輸中央是筋縮皆不言療心痛此經言療取之刺此節不已於上下背輸尋之有療心痛取之　平按刺之不已靈樞作刺之按已心疝暴痛取足太陰厥陰盡刺去其血絡足太陰注心中足厥陰從肝注肺故心暴疝取此二脈去其血絡也　平按甲乙作盡刺之血絡

寒熱雜說

平按此篇自篇首至末見靈樞卷五第二十一寒熱病篇又自篇首至骨厥亦然見甲乙經卷八第一上篇又自骨痺至補之見甲乙經卷十第一下篇又自身有所傷至關元也見甲乙經卷十第二下篇又自厥痺者至陰經見甲乙經卷十第一下篇又暴瘖一節見甲乙經卷十二第二暴聾一節見甲乙經卷七第一中篇暴痺一節見甲乙經卷十二第七又自臂陽明至盛寫虛補見甲乙經卷十二第六又自足陽明有俠鼻至則瞋目見甲乙經卷十二第四又自寒厥至足太陰少陽見甲乙經卷七第三又舌縱一節見甲乙經卷十二第六又振寒洒洒一節見甲乙經卷七第一中篇又自春取絡脈至治骨髓五藏見甲乙經卷五第一上篇又自身有五部至有癰疽者死見甲乙經卷十一第九下篇又自熱病始手臂者至止之於陰見甲乙經卷七第一中篇又自病始手臂者至項太陽而汗出見素問刺熱篇亦見本書五藏熱病篇又自凡刺之害至末見甲乙經卷五第四

皮寒熱皮不可附席毛髮焦鼻槁腊不得汗取三陽之絡補手太陰肺主皮毛風盛為寒熱寒熱之氣在皮毛故皮毛熱不可近席以熱甚故皮毛焦鼻是肺官氣連於鼻故槁腊不得汗也腊肉乾也三陽絡在手上大支脈三陽有餘可寫之太陰氣之不足補之也　平按皮不可附席皮字靈樞作者甲乙太陰作太陽恐誤注寒熱之

氣寒字袁刻脱肺官官字原不全因下注唇口爲脾官當是官字袁刻作官肌寒熱肌痛毛髮焦而脣槁腊不得汗取三陽於下以去其血者補太陰以出其汗寒熱之氣在於肌中故肌痛毛髮焦也脣口爲脾官氣連肌肉故肌肉熱脣口槁腊不得汗也是爲足三陽盛故去其血也足太陰虚故補之出汗　平按寒熱下靈樞有者字甲乙有病字太陰上靈樞有足字以出其汗甲乙出作去骨寒熱病無所安汗注不休齒未槁取其少陰於陰股之絡齒已槁死不治骨厥亦然寒熱之氣在骨骨熱故無所安汗注不休也齒槁骨死之候齒不槁者可取足少陰陰股閒絡以足少陰内主於骨故也　平按甲乙寒下有骨字病作痛未槁作本槁痛已槁作色槁注内主於骨袁刻主誤作寒骨痺舉節不用而痛汗注煩心取三陰之經補之寒溼之氣在於骨節支節不用而痛汗注煩心名爲骨痺是爲手足三陰皆虚受諸寒溼故留鍼補之令經痺去之矣身有所傷血出多及中風寒若有所墮墜四支解㑊不收名曰體解取其少腹齊下三

結交三結交者陽明太陰也齊下三寸關元也因傷出血多一也中風寒二也有墮墜三也體者四支也三者俱能令人四支解墮不能收者名曰體解之病可取之足陽明足太陰於齊下小腸募關元穴也三結者足之三陰太陰之氣在齊下與陽明交結者也　平按甲乙血出多作出血多墮墜作墜墮靈樞解㑊作解惰體解作體惰齊靈樞甲乙作臍

厥痹者厥氣上及腹取陰陽之絡視主病者寫陽補陰經失逆之氣從足上行及於少腹取足之陰陽之絡所主之病寫去其血補足三陰經也

頸側之動脈人迎人迎足陽明也在嬰筋之前嬰筋之後手陽明也名曰扶突次脈手少陽脈也名曰天牖次脈足太陽也名曰天柱腋下動脈臂太陰也名曰天府膺下當中任脈謂之天突任脈之側動脈足陽明在嬰筋之前人迎也名足陽明等者十二經脈足太陰屬脾絡胃上膈俠陽明連舌本足少陰從腎上貫膈入肺循喉嚨俠舌本足厥陰屬肝絡膽循喉嚨後上入頏顙連目系上額與督脈會顛支者從目系下頰裏此足三陰至頸項之中所行處深故不得其名足厥陰雖至於頰不當頸項衝處故其穴不得脈

蘭陵堂刊

名手少陰心脉雖循胸係目系以心不受邪其氣不盛手心主脉從心包循胸出脇腋不至頭項又是心包其氣更不盛故此二脉之穴不得脉名手太陰肺脉以肺居藏上主氣其氣強盛雖不至頭項發於氣穴得於脉名手足三陽手太陽脉雖循頭上頰至目兊眥以是心府其氣不盛故穴不得脉名足少陽膽府脉起目兊眥下行至胸以膽穀氣不盛故其穴不得脉名唯手足陽明穀氣強盛手少陽三焦之氣有本爲足少陽檢例誤耳足太陽諸陽之長所以此之四脉並手太陰入於五部大輸之數也與彼本輸之中脉次多少不同彼中十二經脉之中唯無足之三陰手之少陰手足諸陽皆悉□□奇經八脉之中有任有督以爲脉次此中唯取五大要輸以爲差别　平按注所行處深袁刻作行處深深又注皆悉下所缺二字細玩餘文似具于二字

陽逆頭痛胸滿不得息取人迎足陽明從大迎循髮際至額顱故陽明氣逆頭痛也支者下人迎循喉嚨屬胃絡脾故氣逆胸滿不得息可取人迎人迎胃脉主水穀總五藏之氣寸口爲陰此脉爲陽以候五藏之氣禁不可灸也

暴瘖氣鯁取扶突與舌本出血手陽明别走大絡乘肩髃上曲頰循齒入耳中會宗脉五絡皆入耳中故耳中脉名宗脉也所以人暴瘖氣鯁取此手足之陽明扶突之穴出血得已氣在咽中如魚鯁之狀故曰氣鯁舌本一名風府在項入髮際一寸督脉上今手陽明正經不至風府當是耳中宗脉絡此舌本以血有餘故寫出也　平按氣鯁靈樞鯁作鞕甲乙作硬取作刺

暴聾氣蒙耳目不明取

天牖手少陽從膻中上係耳後支者從耳後入耳中走出耳前至目兑眥故手少陽病耳暴聾不得明了者可取天牖在頭筋鈌盆上天容後天柱前完骨下髮際上也　平按甲乙䝉下有瞀字不明作不開下有頭頷痛湙出鼻衄不得息不知香臭風眩喉痺十八字取天牖作天牖主之暴攣癇眩足不任身取天柱足太陽脉起目内眥上額交顛入絡腦下俠脊抵腰循膂過髀樞合膕貫腨出外踝後至小指外側故此脉病暴腳攣小兒癇頭眩足瘻可取天柱天柱俠項後髮際大筋外廉陷者中也　平按甲乙攣上有拘字暴痺内逆肝肺相薄血溢鼻口取天府此爲大輸五部熱盛爲痺手太陰脉起於中焦下絡大腸還循胃口上膈屬肺故此脉病腹暴痺脾胃氣逆肝肺之氣相薄致使内逆血溢鼻口故取天府天府在腋下三寸臂臑内廉動脉此爲頸項之間藏府五部大輸　平按痺甲乙作痹大輸靈樞作天牖甲乙作此爲胃之大腧五部也注云五部按靈樞云陽逆頭痛胸滿不得息取人迎暴瘖氣鞕刺扶突與舌本出血暴聾氣蒙耳目不明取天牖暴拘攣癇痓足不任身者取天柱暴痺内逆肝肺相薄血溢鼻口取天府此爲胃之五大俞五部也今士安散作五穴於篇中此特五部之一耳據此則大輸五部靈樞太素經文本相連屬士安撰甲乙散見於各篇中又此注所引刺扶突今本靈樞作取扶突暴拘攣今本靈樞作暴攣癇痓今本靈樞作癇眩此爲胃之五大俞五部也今本靈樞作此爲天牖五部與所引畧有不同想有别本也臂陽

内經二十六　十四

蘭陵堂刊

明有入鼽徧齒者名曰人迎下齒齲取之臂惡寒補之不惡寒寫之臂陽明手陽明也手陽明脈從手上行循臂入缺盆下絡肺支者從缺盆行嬰筋後上頸入至下齒中還出俠鼻起足陽明交頞中下入上齒中遂出循頤至大迎支者從大迎下行嬰筋之前至人迎至嬰筋時二經皮部之絡相至二經故臂陽明之氣亦發人迎故稱有入所以下齒齲取於手之商陽穴也惡寒陽虛故補之不惡寒者陽實故寫之也　平按靈樞入鼽作入頄甲乙齒上無徧字人迎靈樞甲乙作大迎甲乙注云靈樞名曰禾窌或曰大迎詳大迎乃是陽明脈所發則當云禾窌是也然而下齒齲又當取足陽明禾窌大迎當試可知耳據此則靈樞甲乙所稱未能確定玩楊注自明又注俠鼻俠字表刻誤作㑊足之大陽有入頄徧齒者名曰角孫上齒齲取之在鼻與鼽前方病之時其脈盛則寫之虛則補之一曰取之出眉外方病之時盛爲虛補徧音遍足太陽經起目內眥上額其太陽皮部之絡有下入於頄後徧上齒又入於耳氣發角孫之穴故曰有入所以上齒齲者取之鼻及鼽骨之前有絡見者刺去其血虛則補絡補絡可飲補藥眉外謂足陽明上關穴也上關在耳前上廉起骨開口有空亦量虛實以行補寫也　平按足之太陽甲乙作手太陽入頄靈樞

甲乙作入頄靈樞䪼前作頄前眉外作鼻外下無方病之時盛寫虛補入字　足陽明有俠鼻入於面者名曰懸顱屬口對入繫目本視有過者取之損有餘益不足反者益甚　足陽明大經起鼻交頞下鼻外入上齒中還出俠口交承漿循頤出大迎上耳前循髮際氣發懸顱之穴有皮部之絡與口相當入繫目系對當也視此足陽明有餘不足可損益之取之失者反益甚也　平按甲乙有俠作又俠靈樞俠作挾甲乙目本下有頭痛引頷取之六字益不足作補不足　足太陽有通項入於腦者正屬目本名曰眼系頭目固痛取之在項中兩筋間入腦乃別　足太陽經起目内眥上額交顛上其直者從顛入絡腦還出別下項有絡屬於目本名曰目系太陽爲目上綱故亦是太陽與目爲系今別來屬於頭其氣是通故頭與目有固痛者取於項中足太陽筋兩間別下項者氣之所發大椎穴者大椎在第一椎上陷者三陽督脈之會也　平按固痛靈樞甲乙作苦痛注筋兩據經文應作兩筋　陰蹻陽蹻陰陽相交陽入陰出陰陽交於兑眥陽氣盛則瞋目陰氣盛則瞑目　二蹻皆起於足行至於目是爲二蹻同向上行

何以稱陽入陰出也人之呼氣出爲陽也吸氣入爲陰也故呼氣之時在口爲出於頭足亦出吸氣之時在口稱入於頭足亦入今於目眥言陰陽出入以相交會目得明也所以陽盛目張不能合陰盛則目瞑不得開宜取此二喬也平按喬靈樞甲乙作蹻陽入陰出靈樞作陽入陰陰出陽兊作銳甲乙作陽氣絶乃瞑陰氣絶則眠**寒厥取陽明少陰於足留之**失逆寒氣從足而上令足逆泠可取足少陰脉太谿太谿在足内踝後骨上動脉陷中取足陽明脉解谿解谿在足衝陽後一寸半　平按靈樞甲乙寒厥一節在熱厥後**熱厥取足太陰少陽**失逆熱氣從足起者可取足少陽絡光明在外踝上五寸別走厥陰者及足太陰脉瘵主病者也**舌縱涎下煩悗取足少陰**足少陰脉從足心上行屬腎絡膀胱貫肝膈入肺循喉嚨俠舌本支者從肺絡心注胸中故其脉厥熱涎下心中煩悗取足少陰然谷穴然谷在足内踝前起大骨下陷者中也　平按甲乙涎作㵪悗作悶取足少陰作陰交主之**振寒洒洒鼓頷不得汗出腹脹煩悗取手太陰**洒音洗手太陰脉起於中焦下絡大腸還循胃口上膈屬肺別者上出缺盆循喉嚨合手陽明從缺盆上頸貫頰入下齒中肺以惡寒故虛病振寒鼓頷也循胃屬肺故腹脹煩悗悗音悶可取手太陰少商穴少商在手大指端内側去爪甲角如韭葉　平按甲乙洒洒作淒淒悗作悶注循胃口循袁刻作從**刺虛者刺其去也**謂營衛氣

已過之處爲去故去者虛也補之令實刺實者刺其來也謂營衛氣所至之處爲來故來者爲實寫之使虛也春取絡脈春時肝氣始生風疾氣急經氣尚深故取絡脈分肉之間療人皮膚之中病也夏取分腠夏時心氣始長脈瘦氣弱陽氣流於經隧溝洫熏熱分腠內至於經故取分腠以去肌肉之病也秋取氣口秋時肺氣將歛陽氣在合陰氣初勝溼氣及體陰氣未盛故取氣口以療筋脈之病氣口即合也冬取經輸冬時腎氣方閉陽氣衰少陰氣緊太陽沉故取經井之輸以下陰氣取榮輸實於陽氣療於骨髓五藏之病也平按輸甲乙作俞下同凡此四時各以爲齊絡脈治皮膚分腠治肌肉氣口治筋脈經輸治骨髓五藏齊音劑也身有五部伏兔一伏兔在膝上六寸起肉足陽明氣發禁不可灸又不言得鍼此要禁爲第一部故生癰疽者死也腓二腓者踹也腓音肥承筋一名踹腸一名直腸脈在踹中央陷中足陽明太陽氣所發禁不可刺故踹爲要害之處生癰疽者死也平按甲乙腓作踹無腓者踹也四字靈樞踹也作腨也背三自要輸已上二十一椎兩箱稱背去藏府甚近皮肉至薄若生癰疽陷而必死也五藏之輸四五藏手足二十五輸當於輸穴生癰疽者死也項五項之前曰頸後曰項三陽督脈在項故項生癰疽致

死也五部有癰疽者死癰疽害甚故生人之要處致死病始手臂者先取手陽明太陰而汗出以下言療熱病取脈先後熱病等所起起於四支及頭故病起兩手者可取手陽明井商陽在手大指次指内側去爪甲角如韭葉以手陽明穀氣盛也及手太陰郄孔最在腕上七寸也病始頭首者先取項太陽而汗出有熱等病起於頭者可取於項足太陽脈天柱之穴天柱在俠項後髮際大筋外陷也病始足胻者先取足陽明而汗出病起足者可取陽明合三里穴三里在膝下三寸胻外廉　平按靈樞甲乙胻作脛臂太陰可出汗手太陰脈主氣故出汗取之也　平按出汗靈樞作汗出下同足陽明可出汗足陽明主水穀多氣血故出汗取之取陰而汗出甚者止之於陽取陽而汗出甚者止之於陰取陰脈出汗不止可取陽脈所主之穴止若取陽脈出汗不止可取陰脈所主之穴止之也　平按甲乙無兩於字凡刺之害中而不去則精洩不中而去則致氣精洩則病甚恇懼致氣則生爲癰瘍凡行鍼要害無過二種一種者刺中於病補寫不以

時去鍼則洩人精氣刺之不中於病即便去鍼以傷良肉故致氣聚精減盡虛故病甚虛恇恇怯也氣聚不散爲癰爲瘍也　平按恇懼靈樞甲乙作而恇

癰疽　平按此篇自篇首至此其候也黃帝曰善見靈樞卷十二第八十一癰疽篇又自篇首至藏傷故死矣見甲乙經卷十一第九上篇又自黃帝曰願盡聞癰疽之形至此其候也黃帝曰善見甲乙經卷十一第九下篇又自黃帝問於岐伯曰有病癰腫致痛至可使全黃帝曰善見素問卷十三第四十腹中論篇又自黃帝問曰諸癰腫筋攣至末見素問卷五第十七脈要精微論篇甲乙同上

黃帝問於岐伯曰余聞腸胃受穀上焦出氣以溫分肉而養骨節通腠理上焦出衛氣衛氣爲陽故在分肉能溫之也氣潤骨節骨節腦髓皆悉滋長故爲養也令腠理無癰故爲通**中焦出氣如露上注谿谷而滲孫脈津液和調變化而赤爲血血和則孫脈先滿滿乃注於絡脈皆盈乃注於經脈**出氣謂營氣也經絡及孫絡有內有外內在藏府外在筋骨肉間穀入於胃精液滲諸孫絡入於大絡大絡入經流注於外外之孫絡以受於寒溫四時之氣入絡行經以注於內今明水穀津液入於孫絡乃至於經也內外經絡行於藏府藏府氣和乃

得生也　平按露甲乙作霧孫絡二字靈樞甲乙不重而赤甲乙作赤而先滿滿乃注於絡脈靈樞作先滿溢乃注於絡脈甲乙滿字不重絡脈下重絡脈二字注滲諸孫絡諸袁刻作於

陰陽已張因息乃行行有經紀周有道理與天合同不得休止張□張也陰營氣也陽衛氣也神之動也故出入息動息之動也營衛氣行營衛氣行必有經紀營衛周行道理人與天道同運天運非常之道故不休也　平按甲乙已張作乃張乃行作而行

切而調之從虛去實寫則不足疾則氣減留則先後從實去虛補則有餘血氣已調形神乃持余已知血氣之平與不平未知癰疽之所從生成敗之時死生之期期有遠近何以度之可得聞乎切專志也用心專至調虛實也寫者□順於虛專去盛實寫之甚者則不足也氣至因而疾寫則便氣盛氣至留而不寫則鍼與氣先後不相得也若順實唯去於虛補之甚者則有餘也是以切而調之者得之於心不可過虛實也故善調者補寫血氣使形與神相保守也持者保守也如此調養血氣平與不平言已知之然猶未通癰疽三種之論故請所聞　平按形神靈樞作形氣甲乙作神氣平與不平甲乙作至

與不至岐伯曰經脈留行不止與天同度與地合紀此言天有度數地有經紀故天宿失度日月薄蝕地經失紀水道流溢草蘲不成五穀不殖徑路不通民不往來巷聚邑居別離異處蘲采古切草名也亦節枯也此言天度地紀有失致損也　平按蘲靈樞作萓注云魚幾切詳玉篇萓本作宜鹿葱也廣韻蘲古采切草死也與楊注節枯之意同較萓義爲長血氣猶然請言其故夫血脈營衛同流不休上應星宿下應經數此言人之血氣合於天地　平按甲乙星宿作天宿寒氣客於經絡之中則血泣血泣則不通不通則衛氣歸之不得復反故癰腫寒氣化爲熱熱勝則腐肉肉腐則爲膿膿不寫則爛筋筋爛則傷骨骨傷則髓消不當骨空不得泄寫煎枯空虛則筋骨肌肉不相營經

脈敗漏薰於五藏藏傷故死矣此言血氣行失有損有病也平按煎枯空虛靈樞作血枯空虛甲乙作則筋骨枯空枯空靈樞營作榮甲乙作親經脈作經絡故死作則死黃帝曰願盡聞癰疽之形與忌日名凡有三問一問癰疽形狀二問癰疽死生忌日三問癰疽名字也岐伯曰癰發於嗌中名曰猛疽猛疽不治化爲膿膿不寫塞咽半日死其化爲膿者寫已則含豕膏毋冷食三日而已下答癰疽形狀及名并所發處合二十一種一十八種有名有狀有所發處三種但有所發之處無名與狀二十一種中七種無死生忌日餘十四種皆有忌日凡癰疽所生皆以寒氣客於經絡之中令血凝澀不通衛氣歸之寒極化爲熱氣□成癰疽腐肉爲癰爛筋壞骨爲疽輕者療之可生重者傷藏致死名猛疽等癰疽之名聖人見其所由立之名狀如左隨變爲形亦應不可勝數也近代醫人元不識本名之旨隨意立稱不可爲信嗌咽也寒氣客脈之處即發熱以爲癰疽無常處也　平按寫已已靈樞無兩已字甲乙作膿寫已靈樞甲乙含作合膏下無毋字注熱氣下原缺一字袁刻作鬱積二字不合謹空一格發於頸名曰夭疽其癰大以赤黑不急治則熱氣下入

泉掖前傷任脈內薰肝肺薰肝肺十餘日而死矣項前曰頸　平按泉靈樞甲乙作淵說見前陽氣大發消腦留項名曰腦鑠其色不樂項痛而刺以鍼煩心者死不治腦後曰項　平按陽氣靈樞作陽留甲乙留項作瑠項鑠靈樞甲乙作爍項痛而刺以鍼靈樞刺上有如字甲乙作腦項痛如刺以鍼靈樞治上有可字發於肩及臑名曰疵癰其狀赤黑急治之此令人汗出至足不害五藏癰發四五日逆焫之肩前臂上膕肉名臑發於掖下赤堅名曰米疽治之砭石欲細而長數砭之塗以豕膏六日已勿裹之砭甫廉反砭同以石刺病也欲細而長者傷形深也　平按靈樞甲乙堅下有者字治之下有以字數砭作疏砭注砭同二字袁刻脫其癰堅而不潰者為馬刀俠癭急治之馬刀亦謂癰不膿潰者是也頸前曰癭也發於胸名曰井疽其狀如大豆三四日起不早治下入腹不

內經二十六　九

蘭陵堂刊

治七日死井疽起三四日不瘵下入腹寒熱不去十日死也　平按發於脇上靈樞甲乙有發於膺名曰甘疽色青其狀如穀實瓜蔞常苦寒熱急治之去其寒熱十歲死死後出膿一條

發於脇名曰敗疵敗疵者女子之病也灸之其病大癰膿治之其中乃有生肉大如赤小豆剉蔆翹草根各一升水一斗六升煮之竭爲三升即强飲厚衣坐釜上令汗出至足已敗亦曰攺量謂此病生於女子故釜上蒸之出汗即已有本翹松各一升　平按甲乙其中上無治之二字蔆上無剉字有治之以三字各一升上有及赤松子根五字竭上有令字爲三升作得三升靈樞作爲取三升

發於股胻名脫疽其狀不甚變而癰膿搏骨不急治三十日死髀內曰股股外曰髀膝上股下骨稱曰股胻也　平按靈樞甲乙胻作脛脫疽作股脛疽甲乙變下有色字搏骨作内薄於骨急治之

發於尻名曰兑疽其狀赤堅大急治之不治三十日死矣尻脽也脽音誰　平按兑靈樞甲乙作銳三十日日本醫心方作四十日

發於股陰名

曰赤施不急治六日死在兩股之内不治六十日而死陰下之股　平按甲乙施作殆靈樞六日作六十日六十日作十日甲乙同發於膝名曰疵疽其狀大癰色不變寒熱而堅勿石石之死須其柔乃石之者生勿石之者準例皆砭之此唯言石之或以冷石熨之所以堅而不石以其寒聚結聽柔乃石之　平按靈樞疵疽作疵癰而堅作如堅石甲乙須其柔作須其色異柔諸癰疽之發於節而相應者不可治也當節生癰膿入節間傷液故不可療也　平按甲乙無疽字發於陽者百日死發於陰者四十日死也丈夫陰器曰陽婦人陰器曰陰　平按四十日靈樞作三十日發於脛名曰兔齧其狀赤至骨急治不治害人也脛謂膝下脛骨也　平按甲乙齧作齒赤作如赤豆三字害人作殺人發於踝名曰走緩其狀色不變數石其輸而止其寒熱不死色不變者肉色不變也石其輸者以冷石熨其所由之輸也　平按靈樞甲乙踝上有内字靈樞狀下有癰也二字輸甲乙作俞發於

足上下名曰四淫其狀大癰不色變不治百日死足上下者足趺上下也　平按靈樞甲乙無不色變三字發於足傍名曰厲疽其狀不大初如小指發急治之去其黑者不消輙益不治百日死傍謂足內外之側也　平按初如甲乙作初從之去作去之黑上有狀字不消作不可消發於足指名曰脫疽其狀赤黑死不治不赤黑不死治之不衰急斬去之活不然則死矣不則死者不斬去死也　平按靈樞不衰上無治之二字斬下無去字靈樞甲乙無活字不然甲乙作不去靈樞無然字黃帝曰夫子言癰疽何以別之岐伯曰營衛稽留於經脈之中則血泣而不行不行則衛氣從之從之而不通壅遏而不得行故曰大熱不止熱勝則肉腐肉腐則爲膿然不能陷於骨髓骨髓不爲焦枯五藏不爲

傷故命曰癰營衛稽留經脉泣不行者寒氣客之血泣不行衛氣歸在泣血之中也　平按甲乙稽留作積留經脉作經絡靈樞從之二字不重甲乙作歸之故曰靈樞作故熱甲乙作故曰熱靈樞骨髓二字不重陷於骨髓甲乙作陷肌膚於骨髓命曰作名曰黄帝曰何謂疽岐伯曰熱氣淳盛下陷肌膚筋髓骨枯内連五藏血氣竭當其癰下筋骨良肉皆毋餘故命曰疽癰下者即前之癰甚肌膚肉筋骨髓斯之六種皆悉破壞命之曰疽也　平按淳甲乙作純骨枯作骨肉靈樞無骨字竭下甲乙有絕字疽者上之皮夭以堅上如牛領之皮癰者其皮上薄以澤此其候也黄帝曰善此言其癰疽之候異　平按甲乙上之作其上夭下有瘀字上如作狀如黄帝問於岐伯曰有病癰腫頸痛胸滿腹脹此爲何病何以得之因於癰腫有此三病未知所由故請之也　平按靈樞癰作臏甲乙頸作脛岐伯曰名厥逆因癰腫熱聚氣失逆上上盛故頸痛下虚故胸滿腹脹也　平按甲乙作病名曰厥逆注失字表刻脱曰治之奈何曰灸之則

瘖石之則狂須其氣并乃可治曰何以然曰陽氣重上有餘於上灸之則陽氣入陰入則瘖石之則陽氣虛虛則狂須其氣并而治之可使全黃帝曰善灸之瘖者陽氣上實陰氣下虛灸之火壯陽盛溢入陰故瘖以冷石熨之則陰氣獨盛陽氣獨虛以陽氣獨虛發於狂可任自和然後療之使之全也　平按則瘖素問作入則瘖甲乙同使全甲乙作使愈黃帝問曰諸癰腫筋攣骨痛此皆安生因於癰腫有此二病故請所生　平按生甲乙作在表刻作主岐伯曰此寒氣之腫也八風之變也曰治之奈何曰此四時之病也以其勝治其輸筋骨是陰加以寒氣故爲寒腫也此乃四時入正虛風變所爲也引其所勝剋之則愈也　平按治其輸素問作治之愈也甲乙輸作俞

蟲癰平按此篇自篇首至末見靈樞卷十第六十八上膈篇又見甲乙經卷十一第八

黃帝問於岐伯曰氣爲上鬲上鬲者食飲入而還出

余已知之矣蟲爲下鬲下鬲者食晬時乃出余未得其意願卒聞之晬子内反鬲癰也氣之在於上管癰而不通食入還即吐出蟲之在於下管食晬時而出蟲去下虚聚爲癰故須問也　平按靈樞鬲作膈上鬲二字不重甲乙入上無飲字岐伯曰喜怒不適飲食不節寒溫不時則寒汁流於腸中流於腸中即蟲寒蟲寒則積聚守於下管守於下管則下管充郭衛氣不營邪氣居之人食則蟲上癰蟲上食則下管虚虚則邪氣勝之積聚以留留則食成癰成則下管約其癰在管内者則沈而痛深其癰在外者則癰外而痛浮癰上皮熱蟲癰之病所由有三一因喜怒傷神不得和適二因縱慾飲食不節三因隨情寒溫不以時受此三因中隨有一種乖和則寒邪汁下流於腸中令腸内蟲寒聚滿下管致使衛氣不得有營邪氣居之又因於食蟲亦上食下管遂虚邪氣積以成癰其癰若在管内其痛則深若管外其痛則浮當癰皮

熱以爲候也　平按甲乙則寒汁流於腸中流作留流於腸中卽蟲寒作留則蟲寒管作脘則下管充郭衛氣不營作守下脘則胃腸充郭胃氣不營靈樞則下管充郭作則腸胃充郭虛則邪氣勝之作下管虛則邪氣勝之甲乙勝下無之字有勝則二字靈樞則沈二字作卽

黃帝曰：刺之奈何？岐伯曰：微按其癰，視氣所行，以手輕按癰上以候其氣取知癰氣所行有三一欲知其癰氣之盛衰二欲知其癰之淺深三欲知其刺處之要故按以視也　平按甲乙無微字先淺刺其傍，稍内益深，遂而刺之，毋過三行，候其癰傍氣之來處先漸淺刺後以益深者欲導寸氣令行也還復也如此更復刺不得過於三行也　平按遂靈樞甲乙作還據本注亦應作還當係傳寫之誤察其沈浮，以爲深淺，沈浮淺深也察癰之淺深以行鍼也　平按甲乙作淺深已刺必熨，令熱入中，日使熱内，邪氣益衰，大癰乃潰，寒汁邪氣聚以爲癰故癰塞也令刺已熨之令熱入中者以寒溫使其日有内熱寒去癰潰也以參伍禁，以除其内，亦可含於豕膏無冷食三日其病已矣參伍揣量也　平按甲乙作亙以參禁靈樞作伍以參禁恬惔無爲，乃能行氣，夫情所有在則氣有所并氣有所并則不能營衛故忘情恬惔無爲則氣將自營也　平按靈

樞甲乙惔作澹袁刻作惔後以酸苦化穀乃下酸爲少陽苦爲太陽此二味爲溫故食之能化穀也　平按靈樞酸作鹹甲乙作後服酸苦化穀乃下爲矣

寒熱瘰癧平按此篇自篇首至末見靈樞卷十第七寒熱篇又見甲乙經卷八第一上篇

黃帝問於岐伯曰寒熱瘰癧在於頸掖者皆何氣使生岐伯曰此皆鼠瘻寒熱之毒氣也堤留於脈而不去也風成爲寒熱寒熱之變亦不勝數乃至甚者爲癰病也今行脈中壅遏遂爲瘰癧鼠瘻也堤癰障　平按掖靈樞甲乙作腋堤留於脈甲乙作稽於脈注云靈樞稽作隄今本靈樞仍作留無隄字黃帝曰去之奈何岐伯曰鼠瘻之本皆在於藏其末上於頸掖之閒其浮於脈中而未內著於肌肉而外爲膿血者易去也寒熱之氣在肺等藏中循脈而上發於頸掖不生於項在脈中未在肌肉言其淺也爲膿血者外泄氣多故易去也　平按甲乙上於作上出脈中作胸中而未內著作未著二字靈樞上於作上出於三字

注易去袁刻誤作是去 黃帝曰去之奈何岐伯曰請從其本引其末可使衰去而絕其寒熱審按其道以予之徐來徐往以去之本謂藏也末謂瘻處也道謂藏府脉行所發穴路也徐往來者動鍼法也 平按奈何下袁刻脱岐伯曰三字其小如麥者一刺知三刺而已瘰之得愈分劑也 黃帝曰決其死生奈何岐伯答曰反其目視之其中有赤脉從上下貫瞳子見一脉一歲死見一脉半一歲半死見二脉二歲死見二脉半二歲半死見三脉三歲而死見赤脉而不下貫瞳子可治以下言死生候也寒熱已成成在太陽太陽爲目上綱其脉下見令太陽經溢入絡中甚者并入絡中下貫瞳子瞳子是骨之精爲寒熱傷甚故一脉獨貫一歲死也若爲二三氣散不獨故二三歲死也雖有赤脉不貫瞳子可得療者以未傷骨精故也

灸寒熱法平按此篇自篇首至末見素問卷十六第六十骨空論篇又見甲乙卷八第一上篇

灸寒熱之法先取項大椎以年爲壯數大椎穴三陽督脈之會故灸寒熱氣取明堂大椎有療傷寒病不療寒熱 平按先取素問作先灸次灸厥骨以年爲壯數視背輸陷者灸之此脈中血寒而少故取背輸陷也厥骨脊骶骨也有本厥與骨通爲一字巨月反 平按厥骨素問甲乙作撅骨注此脈袤刻誤作此血與臂肩上陷者灸之臂肩亦取脈陷療寒熱之輸肩貞等穴也 平按素問甲乙與作舉兩季脇之間灸之季脇本俠脊京門穴也外踝之上絶骨之端灸之陽輔等穴足小指次指間灸之臨泣等穴也 平按小指素刻作少指腨下陷脈灸之承山等穴 平按腨下甲乙作腨上外踝之後灸之崑崙等穴也缺盆骨上切之堅痛如筋者灸之平按甲乙堅痛作堅動膺中陷骨間灸之髃骭骨下灸之平按髃骭骨素問甲乙作掌束骨齊下關元三寸灸之毛際動脈灸之膝下三寸分間灸之平按膝下甲乙作臍下三寸作二寸足陽明灸之跗上動脈灸

之平按足陽明下素問無灸之二字新校正云按甲乙經全元起本足陽明下有灸之二字并趺上動脈是二穴據此則全本與本書相同但今本甲乙仍無灸之二字顛上動脈灸之平按素問甲乙動脈作一字犬所齧之處灸之三壯即以犬傷痛壯數灸也凡當灸二十七處骭音干䯒骭穴也衝陽等穴也題云灸寒熱法此總數之二十七處中有依其輸穴亦取氣指而灸之不可為定可量取也　平按齧素問作嚙甲乙同無三壯二字痛壯數灸也素問作病法灸之甲乙作病法三炷灸之二十七處素問甲乙均作二十九處傷食灸不已者必視其經之過於陽者數刺之輸血藥之也傷食為病灸之不得愈者可刺之刺法可刺大經所過之絡出血及飲藥調之陽絡脈也　平按素問灸下有之字之輸作其俞血藥作而藥

黃帝內經太素卷第二十六 寒熱　黃陂蕭貞昌校字

黄帝内經太素卷第二十七 邪論

通直郎守太子文學臣楊上善奉　敕撰注

黄陂蕭延平北承甫校正

七邪

十二邪

邪客

邪中

邪傳

七邪 平按此篇自篇首至末見靈樞卷十二第八十大惑篇又自篇首至甚者爲惑見甲乙經卷十二第四又自人之喜忘者至故不嗜食也見甲乙卷十二第一自病而不得卧出者至末見甲乙卷十二第三惟編次小異

内經二十七　一

蘭陵堂刊

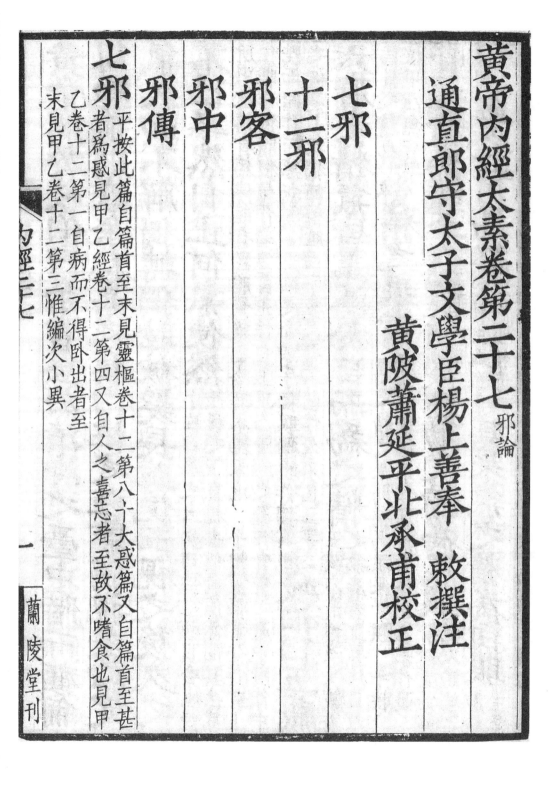

黃帝問於岐伯曰余嘗登於清泠之臺中階而顧匍匐而前則惑余私異之竊内怪之狂瞑獨視安心定氣久而不解獨轉獨眩被髮長跪俛而視之後久之不已卒然自止何氣使然小怪曰異之大異曰怪之瞑目合也俛而視之下直視也何氣使然問其生惑所由也轉有爲傳眩有爲脆量誤也泠有本爲零也　平按靈樞嘗登作嘗上狂瞑作獨瞑獨轉作獨傳自止作自上甲乙清泠之臺作青霄之臺中階作中陛而顧作而惑無匍匐至怪之十四字獨瞑獨視作獨冥視之被髮上無獨轉獨眩四字後久之不已作久不已三字岐伯曰五藏六府之精氣皆上注於目而爲之精五藏六府精液及藏府之氣清者上昇注目以爲目之精也　平按甲乙無皆字精之果者爲眼精之果別稱爲眼果音顆　平按靈樞果作窠無者字甲乙果作裹骨之精爲瞳子腎精主骨骨之精氣爲目之瞳子筋之精爲黑眼肝精主筋筋氣以爲精之黑眼也血之精爲絡心精主血血氣以爲眼精赤絡其果氣之精爲白眼肺精主氣

氣之精爲白眼平按靈樞果作窠甲乙其果作其絡白眼作白睛肌肉之精則爲約束裹擷脾精主肉肉氣之精以爲眼之束約裹擷擷胡結反　平按甲乙擷作契筋骨血氣之精而與脈并爲系上屬於腦後出於項中四氣之精并脈合爲目系其系上屬於腦後出項中故邪中於項因逢其身虛其入深則隨眼系以入於腦則腦轉腦轉則引目系目系急急則目眩以轉矣後曰項前曰頸以目系入腦故邪循目系腦轉目眩也　平按甲乙項作頭因作目靈樞入於腦下重入於腦三字甲乙重入字目系目系急急靈樞甲乙作目系急目系急邪中其精所中不相比也則精散精散則視歧故見兩物五精合而爲眼邪中其精則五精不得比和別有所見故視歧見於兩物如第二問等也　平按邪中其精靈樞作邪其精其精五字甲乙作邪中之精則其精衰刻精誤作經注亦誤目者五藏六府之精也營衛魂魄之所常營也神氣之所生也故神勞則魂魄散志意亂目之有也凡因三物

一爲五藏六府精之所成二爲營衛魂魄血氣所營三爲神明
氣之所生是則以神爲本故神勞者魂魄意志五神俱亂也 是故瞳子
黑眼法於陰白眼赤脉法於陽故陰陽合傳而精明
也 是以骨精瞳子筋精黑眼此二是肝腎之精故法於陰也果氣白眼及血
之赤脉此二是心肺兩精故法於陽也肺雖少陰猶在陽中故爲陽也此
之陰陽四精和合通傳於氣故曰精明也 平按
甲乙白眼作白睛合傳作合揣注云靈樞作傳 目者心之使也心
者神之舍也故神分精亂而不傳卒然見非常之處
精神魂魄散不相得故曰惑 心藏者心内形也心者神之用神
者心之主也故神勞分散則五精
亂不相傳卒見非常兩物者也以其精神亂爲惑
也 平按傳靈樞作轉甲乙作揣注云一作轉 黄帝曰余疑其然
余每之東苑未嘗不惑去之則復余惟獨爲東苑勞
神乎何其異也 清泠之臺在東苑故每往登臺則惑去臺則復於
常豈不爲彼東苑勞神遂至有惑是所可怪也 岐
伯曰不然也心有所喜神有所惡卒然相感則精氣

亂視誤故惑神移乃復夫心者神用謂之情也情之所喜謂之欲也故情之起欲是神之所惡神之所好心
之所惡是以養神須去情欲欲去神安長生久視任心所作則情欲百端情欲
既甚則傷神害命斯二不可並行並行相感則情亂致惑若得神移反本則惑
解神復　平按卒然相感靈樞甲乙
感作惑注并行相感袁刻惑誤作惑是故閒者爲迷甚者爲惑
黃帝曰善閒輕也甚重也此爲第一惑邪黃帝曰人之喜忘者何氣使然
岐伯曰上氣不足下氣有餘腸胃實而心肺虛虛則
營衛留於下久不以時上故喜忘矣心肺虛上氣不足也腸胃實下氣有餘也營衛
行留於腸胃不上心肺虛故喜忘復有上時又得不忘也此爲第
二喜忘邪也　平按喜忘靈樞甲乙作善忘靈樞久下有之字黃帝曰
人之喜飢而不嗜食者何氣使然岐伯曰精氣并於
脾熱氣留於胃胃熱則消穀穀消故喜飢胃氣逆上
故胃管寒胃管寒故不嗜食也精氣陰氣也胃之陰氣並在脾內則胃中獨熱故消食喜飢胃

氣獨熱逆上爲難所以胃咽中冷故不能食也此爲第三不嗜食邪　平按靈樞甲乙喜飢作善飢胃管作胃脘

黃帝曰病而不得臥出者何氣使然岐伯曰衛氣不得入於陰常留於陽留於陽則陽氣滿滿則陽蹻盛不得入於陰陰氣虛故目不得瞑矣

衛氣晝行陽脈二十五周夜行五藏二十五周晝夜周身五十周若衛行陽脈不入藏陰則陽脈盛則陽蹻盛而不和陰蹻虛也二蹻並至於目故陽盛目不得瞑所以不臥此爲第四不得臥邪瞑音眠　平按靈樞臥下無出字疑衍甲乙瞑作眠

黃帝曰病而目不得視何氣使然岐伯曰衛氣留於陰不得行於陽留於陰則陰氣盛盛則陰蹻滿不得入於陽陽氣虛故目閉焉

衛氣留於五藏則陰蹻盛不和惟陰無陽所以目閉不得視也以陽主開陰主閉也此爲第五不得視邪也　平按病而目靈樞作病目甲乙作目閉二字留作行行作入注云九卷行作留入作行

黃帝曰人之多臥者何氣使然岐伯曰此人腸胃大而皮膚

濇而分肉不解焉腸胃大則衛氣留久皮膚濇則分肉不解其行遲夫衛氣者晝日常行於陽夜行於陰故陽氣盡則卧陰氣盡則寤故腸胃大則衛氣行留久皮膚濇分肉不解則行遲留於陰也久其氣不精則欲瞑故多卧腸胃小皮膚滑以緩分肉解利衛氣之留於陽也久故少卧焉其人腸胃能大皮膚能濇大則衛氣停留濇則衛氣行遲留而行濇其氣不精故多卧少寤反之少卧此爲第六多卧邪也　平按濇靈樞作澀甲乙作澀不精靈樞作不清注多卧邪袁刻邪作者

黄帝曰其非常經也卒然多卧者何氣使然岐伯曰邪氣留於上焦上焦閉而不通已食若飲湯衛反留於陰而不行故卒然多卧邪氣留於上焦上焦之氣不行或因飲食衛氣留於心肺故悶而多卧此爲第七邪也　平按衛反留靈樞作衛氣

蘭陵堂刊

留久甲乙作衛氣久留黄帝曰善治此諸邪奈何岐伯曰先其府藏誅其小過後調其氣盛者寫之虛者補之必先明知其形氣之苦樂定乃取之療此七邪之法先取五藏六府諸募等藏府之上諸穴除其微過然後調其藏府五輸六輸而補寫之補寫之前必須明知形氣虛實苦樂之志然後取之　平按先其府藏靈樞作先其藏府甲乙作先視其府藏形氣靈樞作形志

十二邪平按此篇自篇首至末見靈樞卷五第二十八口問篇又自黄帝曰人之欠者何氣使然至末見甲乙經卷十二第一惟編次小異

黄帝間居避左右而問岐伯曰余以聞九鍼之經論陰陽逆順六經已畢願得口問岐伯避席再拜對曰善乎哉問也此先師之所口傳也間居晏也避去也六經陰陽各有三陰三陽之脉也口傳者文傳得麤口傳得妙謂口決其理也　平按靈樞避左右作辟左右以聞作已聞再拜下無對字黄帝曰願聞口傳

岐伯曰：夫百病之始生也，皆生於風雨寒暑、陰陽喜怒、食飲居處、大驚卒恐。風雨寒暑居處外邪也，陰陽喜怒飲食驚恐内邪也。平按：願聞袁刻作願問，食飲靈樞作飲食。血氣分離，此内外邪生病所由，凡有五别。一令血之與氣不相合也。陰陽破散，二令藏府陰陽分散也。經絡決絶，脈道不通，三令經脈及諸絡脈不相通也。平按：靈樞決作厥。陰陽相逆，衛氣稽留，四令陰陽之氣乖和，衛氣不行。經脈空虛，血氣不次，乃失其常，五令諸經諸絡虛竭，營血衛氣行無次第。平按：靈樞空虛作虛空。論不在經者，請道其方。如上所說論在經者，余已知之，有所生病不在經者，請言其法也。黃帝曰：人之欠者，何氣使然？岐伯曰：衛氣晝日行於陽，夜則行於陰，陰者主夜，夜者主臥；陽者主上，陰者主下，故陰氣積於下，陽氣未盡，陽引而上，陰引而下，陰陽相引，故數欠。陽氣盡而陰氣

蘭陵堂刊

盛則目瞑陰氣盡而陽氣盛則寤矣陽氣主晝在上陰氣主夜在下陰氣盡陽氣盛
則寤陽氣盡陰氣盛則瞑今陽氣未盡故引陰而上陰氣已起則引陽而下陰
陽相引上下故數欠也　平按甲乙晝下無日字夜則行於陰無則字靈樞夜
下有半字又甲乙陽引作陽氣陰
引作陰行則寤下有腎主欠三字寫足少陰補足太陽寫於腎脉足
少陰實補於
膀胱脉足太陽虛今陰陽氣
和故欠愈也有本作足太陰黃帝曰人之噦者何氣使然岐
伯曰穀入於胃胃氣上注於肺今有故寒氣與新穀
氣俱還入於胃新故相亂真邪相攻并相逆復於胃
故爲噦穀入胃已清氣上注於肺濁氣下留於胃有故寒氣與新穀氣俱
入於胃新故真邪在於胃中相攻相逆復從胃出故爲之噦　平
按並相逆靈樞並上有氣字甲乙無
並字復於胃靈樞甲乙復下有出字補手太陰寫足少陰宜補肺脉
手太陰寫
腎脉足少陰以足少陰主寒故須寫之手太陰主氣故先補之　平按甲乙補
上有肺主噦三字足少陰作足太陰下有亦可以草刺其鼻嚏而已無息而疾
引之立已大驚之
亦可已二十四字黃帝曰人之唏者何氣使然岐伯曰此

陰氣盛而陽氣虛陰氣疾而陽氣徐陰氣盛陽氣絕
故爲唏唏火几反笑也陰氣盛而行疾陽氣虛而行徐是以陽氣絕爲唏也補足太陽寫足少陰
以府膀胱太陽氣絕故須補之腎藏少陰氣盛故須寫之黄帝曰人之振寒者何氣使然岐
伯曰寒氣客於皮膚陰氣盛陽氣虛故振寒寒慄補
諸陽以陽虛陰盛陽虛故皮膚虛陰盛故寒客皮膚故振寒寒慄宜補三陽之脈黄帝曰人之噫者何
氣使然岐伯曰寒氣客於胃厥逆從下上散復出於
胃故爲噫寒氣先客於胃厥而逆上消散復從胃中出故爲噫補足太陰陽明一曰補
眉本脾胃府藏皆虛故補斯二脈眉本是眉端攢竹穴足太陽脈氣所發也黄帝曰人之嚔者何
氣使然岐伯曰陽氣和利滿於心出於鼻故爲嚔陽之
和氣利滿於心中上衝出於鼻故爲嚔也補足太陽滎眉本一曰眉上陽虛而利故補陽脈太陽

起鼻上兩箱發於攢竹太陽滎
在通谷足指外側本節前陷中
黃帝曰：人之揮者，何氣使然？岐伯曰：胃不實則諸脈虛，諸脈虛則筋肉懈惰，筋肉懈惰行陰用力，氣不能復，故爲揮。
胃氣不實穀氣少也穀氣既少
脈及筋肉並虛懈惰因此行陰
行陰入房也此又入房用力氣不得復四支緩縱故名爲揮揮云干反牽引也
謂身體懈惰牽引不收也　平按揮靈樞作嚲音妥下垂也甲乙作軃乃嚲字
之訛袁刻諸脈虛下脫諸脈虛
三字注穀氣少誤作穀少氣
補分肉間。
筋脈皆虛故取病
所在分肉間補之
黃帝曰：人之哀而涕泣出者，何氣使然？
涕泣多目無所
見何氣使然也
岐伯曰：心者，五藏六府之主也。
涕泣出之所以有三心
者神用藏府之主一也
目者，宗脈之所聚，上液之道也。
手足六陽及手少陰足厥陰等諸脈湊目故曰宗脈所
聚大小便爲下液之道涕泣以爲上液之道二也　平
按注以爲上液之
道袁刻脫以字
口鼻者，氣之門戶也。
目者惟是液之道也口
鼻二竅氣液之道三也
故悲哀愁憂則心動，心動則五藏六府皆摇，摇則宗脈盛宗脈盛則液道開液道開故涕泣出焉有物相盛遂即心動以其心動即心藏及餘四藏並六府亦皆搖動藏府既動藏府之脈皆動藏府宗脈搖動則目鼻液道並開以液道開故涕泣出也　平按宗脈盛靈樞甲乙盛作感又注有物相盛盛疑係感字傳寫之誤液者所以灌精而濡空竅者也故上液之道開泣出不止則液竭液竭則精不灌精不灌則目無所見矣故命曰奪精五穀液以灌目五穀之精潤於七竅今但從目鼻而出不止則竭也諸精不得其液則目眼無精故目無所見以奪精也　平按泣出不止靈樞甲乙作則泣泣不止補天柱經俠項天柱經足太陽也天柱俠項後髮際大筋外廉陷中足太陽脈氣所發故補之　平按項靈樞甲乙作頸甲乙頸下有俠頸者頸中分也七字本書在後黃帝曰人之太息者何氣使然岐伯曰憂思則心系急心系急則氣道約氣道約則不利故太息以申出憂思勞神故心系急心系遽肺其脈上迫肺系肺系為喉通氣之道既其被迫故氣道約不得通也故太息取氣以申出之　平按申靈樞甲乙作伸補手少陰心

主足少陽留之手少陰手心主二經皆是心經足少陽膽經以心系急引於肝膽故二陰一陽並須留鍼以經黃帝曰人之涎下者何氣使然岐伯曰飲食者皆入於胃胃中有熱熱則蟲動蟲動則胃緩胃緩則廉泉開故涎下蟲者穀蟲在於胃中也廉泉舌下孔通涎道也人神守則其道不開若爲好味所感神者失守則其孔開涎出也亦因胃熱蟲動故廉泉開涎因出也　平按涎甲乙作羨補足少陰腎足少陰脈上俠舌本主於津涎今虛故涎下是也黃帝曰人之耳中鳴者何氣使然岐伯曰耳者宗脈之所聚也故胃中空則宗脈虛虛則下溜脈有所竭者故耳鳴人耳有手足少陽太陽及手陽明等五絡脈皆入耳中故曰宗脈所聚也溜脈入耳之脈溜行之者也有竭不通虛故耳鳴也補客主人手大指爪甲上與肉交者手陽明入耳過客主人也手大指爪甲上手太陰脈是手陽明之裏此陰陽皆虛所以耳鳴故並補之　平按甲乙無爪字黃帝曰人之自齧舌者何氣使然岐

伯曰此厥逆走上脈氣輩至也輩類也厥逆之氣上走於頭故上頭類脈所至之處即自齧舌也　平按甲乙齧作囓輩作皆少陰氣至則齧舌少陽氣至則齧頰陽明氣至則齧脣矣視主病者則補之腎足少陰脈厥逆至於舌下則便齧舌手足少陽脈厥逆行至於頰即便齧頰手足陽明厥逆行至於脣即便齧脣此輩諸脈以虛厥逆故視其所病之脈補也凡此十二邪者皆奇邪之走空竅者也故邪之所在皆為之不足此十二邪皆令人虛故曰奇邪空竅謂是輸竅者也此之邪氣所至之處損於正氣故令人不足為病也　平按甲乙十二作十四故上氣不足腦為之不滿耳為之善鳴頭為之傾目為之瞑頭為上也邪氣至頭耳鳴頭不能正目暗者也　平按靈樞善鳴作苦鳴傾上有苦字瞑作眩中氣不足溲便為之變腸為之喜鳴腸及膀胱為中也邪至於中則大小便色皆變於常及腸鳴也　平按喜靈樞作苦甲乙作善袁刻亦作善下氣不足則為痿厥足悶補足外踝下留之邪氣至足則足痿厥

蘭陵堂刊

撣緩其足又悶可補之外踝之下一本刺足大指間上二寸留之　平按靈樞爲上有乃字足悶作心悗甲乙作心悶急下有刺足大指上二寸留之本書在後黃帝曰治之奈何岐伯曰腎主爲欠取足少陰肺主爲噦取手太陰足少陰唏者陰與陽絶故補足太陽寫足少陰振寒補諸陽噫補足太陰陽明嚏補足太陽眉本撣因其所在補分肉間泣出補天柱經俠項俠項者頭中分也平按靈樞項作頸太息補手少陰心主足少陽留之涎下補足少陰耳鳴補客主人手大指爪甲上與肉交者自齧頰平按靈樞頰作舌視主病者則補之目瞑項强足外踝下留之痿厥足悶刺足大指間上二寸留之一曰足外踝下留之以下委言療方與陽者陰盛不絶不可寫不得言與可爲盛也頭中

分者取宗脈所行頭中之分擇瘻厥同爲一病名字有異此文信之也　平按目瞑項强靈樞作目眩頭傾足上有補字足悶作心悗

邪客

平按此篇自篇首至末見素問卷十一第三十九舉痛論篇又自五藏六府固盡有部至青黑爲痛見甲乙經卷一第十五

黄帝問岐伯曰余聞善言天者必有驗於人人之善言天者是人必法天以言人故有驗於人也善言古者必有合於今以今尋古爲今法故必合於今善言人者必厭於己善言知人必先足於己乃得知人不足於己而欲知人未之有也　平按素問厭上有有字如此則道不惑而要數極所謂明矣如此人有三善之行於道不惑所以然者得其要理之極明達故也數理也今余問於夫子令可驗於己令之可言而知也視而可見捫而可得令驗於己如發蒙解惑可得聞乎先自行之即可驗於己也然後問其病之所由故爲言而知之也察色而知故爲視而知之也診脈而知故爲捫而可得斯爲知者先驗於身故能爲人發蒙於耳目解惑於心府於此之道可以聞不　平按素問令可驗於己令之可言而知也十二字作令言而可知五字如發蒙作而發蒙岐

伯再拜曰帝何道之問黄帝曰願聞人之五藏卒痛何氣使然岐伯曰經脉流行不止環周不休寒氣平按氣有本作風入焉經血稽遲泣而不行客於脉外則血少客於脉中則氣不通故卒痛矣平按素問入焉經血稽留作入經而稽留故卒痛矣作故卒然而痛黄帝曰其痛也或卒然而止者或常痛甚不休者或痛甚不可按者或按之而痛止者或按之而無益者或喘動應手者或心與背相應而痛者平按素問相應作相引或心脇肋與少腹相引而痛者平按素問脇上無心字或腹痛引陰股者或痛宿昔成積者或卒然痛死不知人有間復生者平按素問有間作有少間或腹痛而悗悗歐者或腹痛而復泄

者或痛而閉不通者股外爲髀髀內爲股陰下之股爲陰股也悗音悶也　平按素問或腹痛而悗悗厥者作或痛而嘔者注陰股袁刻誤作陰病凡此諸痛各不同形別之奈何凡此十四別痛十三寒客內爲病一種熱氣客內爲閉皆爲痛病不知所由故須問之　平按諸痛袁刻作諸病岐伯對曰寒氣客於腸外則腸寒寒則縮卷卷則腸絀急絀急則外引小絡故卒然痛得炅則痛立已矣因重中於寒則痛久矣絀褚律反縫也謂腸寒卷縮如縫連也腸絀屬腸經之小絡散絡於腸故腸寒絀急引絡而痛得熱則立已炅熱也　平按素問腸均作脈卷作踡立巳作立止寒氣客經絡之中與炅氣相薄則脈滿滿則痛而不可按也寒氣稽留炅氣從上則脈充大而血氣亂故痛不可按也痛不可按之兩義解之一寒熱薄於脈中滿痛不可得按二寒下留熱氣上行令脈血氣相亂故不可按也平按素問故痛作故痛甚寒氣客於腸胃之間募原之下而不得散

小絡急引故痛按之則氣散故痛止矣（腸胃皆有募有原募原之下皆有孫絡寒客腸胃募原之下孫絡引急而痛故按之散而痛止　平按素問而不得散作血不得散故痛止作故按之痛止）寒氣客於俠脊之脈則深按之不能及故按之无益（俠脊脈督脈俠脊故曰俠脊脈也督脈俠於脊裏而上行深故按之不及所以按之無益者也）寒氣客於衝脈衝脈起於關元隨腹直上則脈不通不通則氣因之故喘動應手矣（關元在齊下小腹下當於胞故前言衝脈起於胞中直上邪氣客之故喘動應手有本无起於關元下十字也　平按素問直上下有寒氣客三字）寒氣客於背輸之脈則脈泣泣則血虛虛則痛其輸注於心故相引而痛按之則熱氣至至則痛止矣（背輸之脈足太陽脈也太陽心輸之絡注於心中故寒客太陽引心而痛按之不移其手則手熱故痛止　平按素問則脈泣作則血脈澀注於心袁刻誤作主於心注寒客太陽袁刻誤作寒客大腸）寒氣客於厥陰厥陰之脈者絡陰器繫於

肝寒氣客於脈中則血泣脈急引脇與少腹矣厥陰肝脈屬肝絡膽布脇肋故寒客血泣脈急引脇與少腹痛也　平按素問客於厥陰下有之脈二字引脇與少腹作故脅肋與少腹相引痛、厥氣客於陰股寒氣上及少腹血泣在下相引故痛厥氣客在陰股陰股之血凝泣故其氣上引少腹而痛也　平按素問故痛作故腹痛引陰股寒氣客於五藏厥逆上洩陰氣竭陽氣未入故卒然痛死不知人氣復反則生矣寒氣入五藏中厥逆上吐遂令陰氣竭絶陽氣未入之間卒痛不知人陽氣入藏還生也寒氣客於腸募關元之間絡血之中血泣不得注於大經血氣稽留不得行故卒然成積矣腸謂大腸小腸也大腸募在天樞齊左右各二寸原在手大指之間小腸募在齊下三寸關元原在手外側腕骨之前完骨寒氣客此募原之下血絡之中凝泣不行久留以成積也　平按素問腸募關元作小腸膜原卒然作宿昔此節在寒氣客於五藏上寒氣客於腸胃厥逆上出故痛而歐矣寒客腸胃其氣逆上

蘭陵堂刊

故痛歐吐也寒氣客於小腸，不得成聚，故後洩腹痛矣寒客小腸不得成於積聚故後利腹痛也熱氣留於小腸，小腸中癉熱焦竭，則故堅乾不得出矣熱氣留止小腸之中則小腸中熱糟粕焦竭乾堅故大便閉不通矣　平按素問小腸中癉熱作腸中痛癉熱堅上無故字不得出下有故痛而閉不通六字注留止袁刻作留於

黃帝曰：所謂言而可知者也，視而可見奈何？岐伯曰：五藏六府固盡有部，視其五色，黃赤爲熱，白爲寒，青黑爲痛，此所謂視可見者也五藏六府各有色部其部之中色見視之即知藏府之病此則視而可見者也　平按甲乙青黑爲痛在黃赤爲熱上

黃帝曰：聞而可得奈何？岐伯曰：視其主病之脈，堅而血皮及陷下者，可聞而得也視脈及皮之狀問其所由故爲聞而得也　平按素問聞作捫據上文捫而可得應作捫血下無皮字

黃帝曰：善

邪中 平按此篇自篇首至末見靈樞卷一第四邪氣藏府病形篇又見甲乙經卷四第二上篇

黄帝問岐伯曰邪氣之中人也奈何岐伯曰邪氣之中人也高黄帝曰高下有度乎岐伯曰身半已上者邪中之也身半以下者溼中之也 高者上也身半以上風雨之邪所中故曰中於高也風爲百病之長故偏得邪名也身半以下清溼之邪溼最沈重故襲下偏言也 平按靈樞也高作高也甲乙以下作已下 故曰邪之中人也無有恒常中於陰則留於府中於陽則留於經 邪中於臂胻之陰獨傷陰經流入中藏藏實不受邪客故轉至留於六府者也中於頭面之陽循三陽經下留陽經故曰无常也 平按靈樞無恒字留作溜甲乙經經作藏

黄帝曰陰之與陽也異名同類上下相會 陰陽異名同爲氣類三陽爲表居上三陰爲裏在下表裏氣通故曰相會 經絡之相貫如環无端 三陰之經絡脈別走入於三陽三陽之經絡脈別走入於三陰陰陽之氣旋迴周而復始故曰无端 邪之中人也或中於陰

或中於陽上下左右死有恒常其故何也經絡相貫周環自是常理邪之中人循行亦可與經絡同行然中於陰陽上下左右生病異者其故何也岐伯答曰諸陽之會皆在於面人之方乘虛時及新用力若熱飲食汗出腠理開而中於邪手足三陽之會皆在於面人之受邪所由有三一爲乘年虛時二爲新用力有勞三爲熱飲熱食汗出腠理開有此三虛故邪中人　平按靈樞人之二字作中人也三字若下無熱字中面則下陽明中項則下太陽中於頰則下少陽其中於膺背兩脇亦中其經邪之總中於面則著手足陽明之經循之而下若中頭後項者則著手足太陽之經循之而下若別中於兩頰則著手足少陽之經循之而下若中胸背及兩脇三處亦著三陽之經循經而下也黃帝曰其中於陰奈何岐伯答曰中於陰者常從臂胻始夫臂與胻其陰皮薄其肉淖澤故俱受於風獨傷其陰以下言邪中於陰經也四支手臂及腳胻當陰經上皮薄其肉濁澤故四處俱受風邪所以獨傷陰

經下經言風雨傷上清溼傷下者舉多爲言其實腳胻亦受風邪也　平按注濁澤依經文應作淖澤黃帝曰此故傷其藏乎岐伯曰身之中於風也不必動藏故邪入於陰經其藏氣實邪氣入而不能客故還之於府是故陽中則溜於經陰中則溜於府邪之傷於陰經傳之至藏以藏氣不客外邪故還流於六府之中也故陽之邪中於面流於三陽之經陰之邪中臂胻溜於六府也　平按甲乙客作容溜作留府作腑黃帝曰邪之中藏者奈何前言外邪不中五藏次言邪從內起中於五藏故問起也岐伯曰愁憂恐懼則傷心愁憂恐懼內起傷神故心藏傷也形寒飲寒則傷肺以其兩寒相感中外皆傷故氣逆而上行形寒飲寒內外二寒傷肺以肺惡寒也　平按飲寒靈樞作寒飲甲乙作飲冷有所墜墮惡血留內若有所大怒氣上而不下積於脇下則傷肝因墜惡血留者外傷也大怒內傷也內外二傷積於脇下傷肝也　平按靈樞甲乙無若字有所

擊仆若醉入房汗出當風則傷脾擊仆當風外損也醉以入房汗出內損也內外二損故傷脾也　平按甲乙醉上有以字有所用力舉重若入房過度汗出浴水則傷腎用力舉重汗出以浴水外損也入房過度內損也由此二損故傷腎也　平按浴水水字袁刻誤作也黃帝曰五藏之中風奈何岐伯曰陰陽俱感邪乃得往黃帝曰善前言五藏有傷次言五藏中風陰陽血氣皆虛故俱感於風故邪因往入也　平按甲乙俱感作俱相感黃帝問岐伯曰首面與身形屬骨連筋同血合氣耳天寒則地裂凌冰其卒寒或手足懈惰然其面不衣其故何也首面及與身形兩者皆屬於骨俱連於筋同受於血並合於氣何因遇寒手足冷而懈惰首面无衣不寒其故何也　平按袁刻氣下脫耳字岐伯曰十二經脈三百六十五絡其血氣皆上於面而走空竅六陽之經並上於面六陰之經有足厥陰經上面餘二至於舌下不上於面而言皆上面者舉多爲言耳其經絡血氣貫通故皆上走七竅以

爲用也　平按注六陽之經衰刻之作六其精陽氣上於目而爲精其經絡精陽之氣上走於目成於眼精也　平按甲乙氣上有之字靈樞上於目作上走於目爲精作爲睛甲乙同其別氣走於耳而爲聽別精陽氣入耳以爲能聽其宗氣上出於鼻而爲臭五藏聚氣以爲宗氣宗氣入鼻能知臭也其濁氣出於胃走脣舌而爲味耳目視聽故爲清氣所生脣舌識味故爲濁氣所成味者知味也　平按甲乙出上有下字其氣之津液皆上薰於面面皮又厚其肉堅故熱甚寒不能勝也以其十二經脈三百六十五絡血氣皆上薰面以其陽多其皮堅厚故熱而能寒也　平按面皮靈樞甲乙作而皮熱上靈樞有天字甲乙有大字勝下均有之字

邪傳平按此篇自篇首至是謂至治見靈樞卷十第六十六百病始生篇又見甲乙經卷八第二自五邪入至末見素問卷七第二十三宣明五氣篇

黃帝問岐伯曰夫百病之始生也皆生於風雨寒暑

蘭陵堂刊

清溼喜怒溼從地起雨從上下其性雖同生病有異寒生於外清發於内性是一物起有内外所病亦有不同喜者陽也怒者陰也此病之起也喜怒不節則傷藏心主於喜肝主於怒二者起之過分即傷神傷神即内傷五藏即中内之部也風雨則傷上清溼則傷下三部之氣所傷異類願聞其會風雨從頭背而下故爲上部之氣清溼從尻腳而上故爲下部之氣所傷之類不同望請會通之也岐伯對曰三部之氣各不同或起於陰或起於陽請言其方或起於陰謂臂胻及尻或起於陽謂面與項膺背及脇請具申之也喜怒不節則傷於藏藏傷則病起於陰陰謂内也清溼襲虛則病起於下風雨襲虛則病起於上足陽並於陰陰虛即清溼襲之故曰病起於下也人之面項陰並於陽氣虛即風雨襲之故曰病在於上也是謂三部至其淫佚不可勝數是謂三部之氣生病不同更隨所因變而生病漫衍過多不可量度也　平按佚靈樞甲乙作泆下同黃帝問曰余固不能數故問於天師願卒聞其道

諸邪相傳變化爲病余知不可數量天師所知固應窮其至數余請卒聞其道天師尊之號也　平按靈樞天師作先師岐伯對曰風雨寒熱不得虛邪不能獨傷人卒然逢疾風暴雨而不病者亦无虛邪不能獨傷人必因虛邪之風與其身形兩虛相得乃客其形虛邪即風從虛鄉來故曰虛邪風雨寒熱四時正氣也四時正氣不得虛邪之氣亦不能傷人卒風暴雨雖非正氣不得虛邪之氣亦不能傷人必因虛邪之風及身形虛相感故得邪客於形　平按亦无虛邪甲乙亦作蓋靈樞同惟邪上有故字相得甲乙作相搏兩實相逢衆人肉堅其中於虛邪也因於天時與其躬身參以虛實大病乃成風雨寒暑四時正氣爲實風也衆人肉堅爲實形也兩實相逢无邪客病也故虛邪中人必因天時虛風並身形虛合以虛實也參合也虛者形虛也實者邪氣盛實也兩者相合故大病成也　平按甲乙衆人肉堅作中人肉堅因於天時作因其天時躬身靈樞作身形氣有定舍因處爲名邪氣舍定之處即因處以施病名如邪舍形頭即爲頭眩等頭病也若舍於腹即爲腹痛泄利等病也若舍於足則爲足悗不仁之病也上

蘭陵堂刊

下中外分爲三貞上謂頭面也下謂尻足也中謂腹三部各有其外也貞正也三部各有分別故名三貞也　平按貞靈樞作員甲乙作真是故虛邪之中人也始於皮膚皮膚緩則腠理開從毛髮入入則柢深深則毛髮立淅然皮膚痛皮膚緩者皮膚爲邪所中無力不能收故緩也人毛髮中虛故邪從虛中入也柢久也邪氣逆入久深腠理之時振寒也　平按從毛髮入靈樞作開則邪從毛髮入柢靈樞作抵甲乙作消留而不去則傳舍於絡脈在絡脈之時痛於肌肉其痛之時大經乃代去散邪也孫絡大絡皆稱絡脈也十二經脈行皆代息以大經在肌肉中令肌肉痛故大經代息也　平按甲乙則傳舍於絡痛於肌肉作通於肌肉其痛之時作其病時痛時息靈樞時下有息字留而不去傳舍於經在經之時洫泝善驚經脈連於五藏五藏爲邪氣所動故其善驚驚即洫泝振寒也泝音訴　平按洫泝靈樞作洒淅甲乙同善靈樞作喜留而不去傳舍於輸在輸之時六經不通四支節痛腰脊乃強輸謂五藏二十五輸六府三十六輸

大經謂三陰三陽也輸在四支故四支痛也足太陽及督脈在腰脊邪氣循之故急强也　平按輸素問甲乙作俞四支節痛靈樞作四肢則肢節痛甲乙作四節即痛

留而不去傳舍於伏衝在伏衝之時體重身痛

衝脈爲經絡之海故邪居體重　平按傳舍甲乙作伏舍伏衝下靈樞甲乙有之脈二字體重身痛甲乙作身體重痛

留而不去傳舍於腸胃舍於腸胃之時賁嚮腹脹多寒則腸鳴飧泄食不化多熱則溏出糜

賁嚮虛起皃多寒則邪爲飧泄多熱則邪爲溏糜糜黄如糜也　平按嚮靈樞作響甲乙作嚮袁刻作響甲乙不化上無食字注皃袁刻誤作也

留而不去傳舍於腸胃之外募原之間

腸胃之府外有募原邪傳腸胃之外溢至募原之間也

留著於脈稽留而不去息而成積

脈謂經絡及絡脈也謂邪著於經絡之脈傳入腸胃之間長息成於積病此句是總也　平按靈樞甲乙稽下有留字

或著孫絡或著絡脈或著經脈或著輸脈或著於伏衝之脈或著於膂筋或著於腸胃之募原上連於緩

筋邪氣淫泆不可勝論以下言邪著成積略言七處變化滋章不可復論也輸脈者足太陽脈以管五藏六府之輸故曰輸脈膂筋謂腸後脊膂之筋也緩筋謂足陽明筋以陽明之氣主緩　平按孫絡靈樞作孫脈注滋章袁刻作滋蔓黃帝曰願盡聞其所由然願盡聞者願盡聞於成積所由岐伯曰其著孫絡之脈而成積者其積往來上下臂手孫絡之居也浮而緩不能勾積而止之故往來移行腸間之水湊滲注灌濯濯有音居著也邪氣著於臂手孫絡隨絡往來上下其孫絡浮緩不能勾止積氣臂手之絡行在腸閒故邪隨絡脈往來令腸閒之水湊滲有聲也濯濯水聲也　平按甲乙臂手作擘乎注擘音拍破盡也勾作拘腸閒之水作腸胃之外靈樞作腸胃之閒水有寒則脈䐜滿雷引故時切痛邪循於絡在腸閒時有寒則孫絡䐜滿引腸而作雷聲時有切痛　平按靈樞無脈字甲乙脈作腹其著於陽明之經則俠齊而居飽食則益大飢則益小胃脈足陽明之經直者下乳內廉下俠齊入氣街中故邪氣著之飽食則其脈麤大飢少穀氣則脈細小今人稱此病兩絃也

平按靈樞俠作挾其著於緩筋也似陽明之積飽食則痛飢則安緩筋足陽明之筋也邪客緩筋是足陽明筋從上下腹俠齊而布似足陽明經脈之積飽則大而痛飢小而安亦邪俠經之大小也　平按似袁刻作以注同靈樞亦作似其著於腸胃之募原也痛而外連於緩筋飽食則安飢則痛募謂腸胃府之募也原謂腸胃府之原也募原之氣外來連足陽明筋故邪使飽安飢痛也　平按注足陽明筋袁刻筋誤作經其著於伏衝之脈者揣揣應手而動發手則熱氣下於兩股如湯沃之狀衝脈下者注少陰之大絡出於氣街循陰股內廉入膕中伏行骭骨內下至內踝之屬而別前者伏行出跗屬下循跗入大指間以其伏行故曰伏衝揣動也以手按之應手而動發手則熱氣下於兩股如湯沃邪之盛也　平按揣揣靈樞甲乙作揣之其著於膂筋在腸後者飢則積見飽則積不見按之弗得膂筋足少陰筋循脊內俠膂在小腸後附脊因飢則見按之可得飽則不見按之難得也　平按甲乙弗得作伏得其著於輸之脈者閉塞不通津液不下空竅乾壅

輸脈足太陽脈也以管諸輸絡腎屬膀胱故邪著之津液不通大便乾壅不得下於大小便之竅也　平按空靈樞作孔甲乙作而空竅乾此邪氣之從外入内從上下者結邪行處也黃帝曰：積之始生至其已成奈何？岐伯曰：積之始生，得寒乃生，厥上乃成積也。夫聚者陽邪積者陰邪也此言病成若言從生陰陽生也故積之始生邪得寒氣入舍於足以爲積始也故曰得寒乃生也寒厥邪氣上行入於腸胃以成於積也　平按靈樞厥下無上字甲乙上作止黃帝曰：成積奈何？岐伯曰：厥氣生足悗，足悗生脛寒，脛寒則血脈涘泣，寒氣上入腸胃，入於腸胃則䐜脹，䐜脹則腸外之汁沫迫聚不散，日以成積。以上言成積所由三別外邪厥逆之氣客之則陽脈虛故脛寒脛脈皮薄故血寒而涘泣涘凝也寒血循於絡脈上行入於腸胃寒血入於腸胃則腸胃之内䐜脹腸胃之外冷汁沫聚不得消散故漸成積也此爲生積所由一也　平按足悗甲乙作足溢注云靈樞作凝濇甲乙作凝泣寒氣上甲乙作寒熱上下卒然盛食多飲則脈滿，起居不節，用力過度則絡脉傷陽絡傷則血外溢外溢則衄血陰絡傷則血內溢內溢則便血腸外之絡傷則血溢於腸外腸外有寒汁沫與血相薄則并合涘聚不得散而積成矣盛飲多食無節遂令脉滿起居用力過度內絡脉傷若傷腸內陽絡則便衄血若傷腸內陰絡遂則便血若傷腸外之絡則血與寒汁凝聚爲積此則生積所由二也　平按靈樞盛食多飲作多食飲脉滿作腸滿涘聚靈樞甲乙作凝聚散下有而字卒然外中於寒若內傷於憂怒則氣上逆氣上逆則六輸不通溫氣不行涘血藴裹而不散津液泣滲著而不去而積皆成矣人之卒然外中於寒以入於內內傷憂怒以應於外內外相搏厥氣逆上陰氣既盛遂令六府陽經六輸皆不得通衛氣不行寒血凝泣藴裹不散著而成積所由三也　平按憂怒甲乙作憂恐六輸作穴俞涘血藴裹作凝血縕褁泣滲作凝濇靈樞作濇滲黃帝曰其生於陰者奈何岐伯曰憂思傷心前言積成於陽以下言積成於陰憂思勞神故

傷心也重寒傷肺飲食外寒形冷內寒故曰重寒肺以惡寒故重寒傷肺忿怒傷肝肝主於怒故多怒傷肝也醉以入房汗出當風則傷脾因醉入房汗出當風則脾汗得風故傷脾也　平按醉以甲乙作醉飽用力過度若入房汗出浴水則傷腎腎與命門主於入房故用力及入房汗出浴水故傷於腎也　平按靈樞無水字此外內三部之所生病者也黄帝曰善憂思爲內重寒爲外入房當風以爲內外故合前三部所生病　平按靈樞甲乙外內作內外治之奈何岐伯曰察其所痛以知其應有餘不足當補則補當寫則寫毋逆天時是謂至治凡積之病皆有痛也故察其痛以候其積既得其病順於四時以行補寫可得其妙也五邪入邪入於陽則爲狂邪入於陰則爲血痹邪入於陽搏則爲癲疾邪入於陰搏則爲瘖陽入之於陰病靜陰出之於陽病善怒熱氣入於陽脈重陽故爲狂病寒邪入於陰脈重陰故爲血痹陽邪入於陽脈聚爲

癲疾陽邪入於陰脉聚爲瘖不能言陽邪入陰者則爲病好靜陰邪出之於陽陽動故多生怒也　平按素問五邪入作五邪所亂則爲血痺作則痺邪入於陽摶作摶陽二字邪入於陰摶作摶陰二字怒上無善字新校正云難經云重陽者狂重陰者癲巢元方云邪入於陰則爲癲脉經云陰附陽則狂陽附陰則癲孫思邈云邪入於陽則爲狂邪入於陰則爲血痺邪入於陽傳則爲癲痙邪入於陰傳則爲痛瘖全元起云邪已入陰復傳於陽邪氣盛府藏受邪使其氣不朝榮氣不復周身邪與正氣相擊發動爲癲疾邪已入陽陽今復傳於陰藏府受邪故不能言是勝正也諸家之說不同故俱載又引全元起云陽入陰則爲靜出則爲恐千金方云陽入於陰病靜陰出於陽病怒

五發陰病發於骨陽病發於血以味病發於氣陽病發於冬陰病發於夏陰之爲病發骨疼等陽之爲病發於血痺等五味爲病發於氣不調等冬陽在內故病發冬夏陽在外故病發夏也　平按素問五發作五病所發以味病發於氣作陰病發於肉

內經二十七　九

蘭陵堂刊

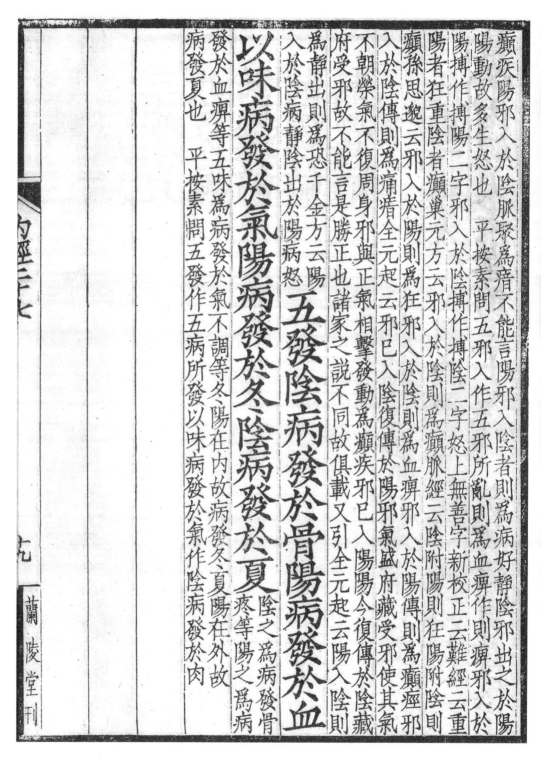

黃帝内經太素卷第二十七 邪論

黃陂蕭貞昌校字

黄帝内經太素卷第二十八風

通直郎守太子文學臣楊上善奉　敕撰注

黄陂蕭延平北承甫校正

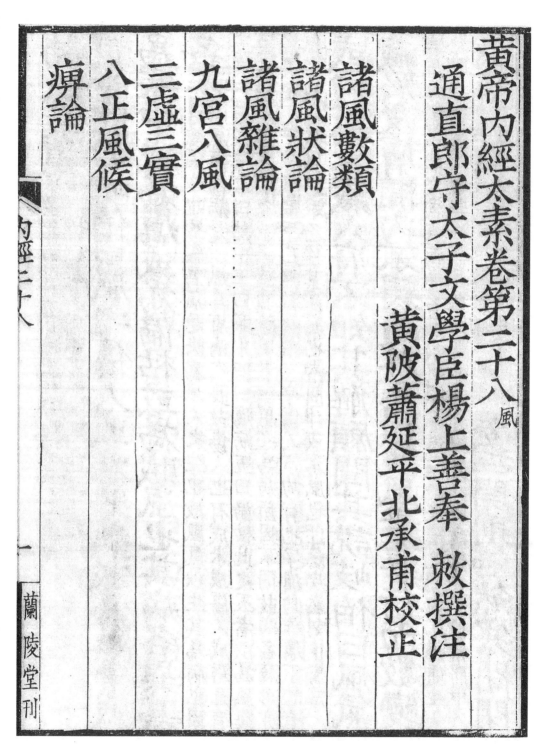

諸風數類平按此篇自篇首至末見素問卷十二第四十二風論篇又見甲乙經卷十第二上篇

黃帝問於岐伯曰風之傷人或爲寒熱或爲熱中或爲寒中或爲癘或爲偏枯或爲賊風也其病各異其名不同風氣一也徐緩爲氣急疾爲風人之生也感風氣以生其爲病也因風氣爲病是以風爲百病之長故傷人也有成未成傷人成病凡有五別一曰寒熱二曰熱中三曰寒中四曰癘病五曰偏枯此之五者以爲風傷變成餘病形病名各不同或爲賊風者但風之爲病所因不同故病名病形亦各異也　平按素問甲乙無於岐伯三字傷人下均有也字癘均作厲下均有風字或爲賊風也甲乙作其爲風也素問作或爲風也注急疾袁刻作疾急或内至五藏六府不知其解願聞其說岐伯曰風氣藏於皮膚閒内不得通外不得洩風者喜行而數變言風入於藏府之内爲病遂名藏府之風風氣藏於皮膚之閒内不得通生大小便道外不得腠理中洩風性好動故喜行數變以爲病也　平按素問甲乙曰上有對字閒上有之字喜作善下同風者甲乙作風氣者注生大小便生字恐衍腠理開則洒然寒閉閉

則熱而悗風氣之邪得之因者或因飢虛或因復用力腠理開發風入毛腠洒然而寒腠理閉塞內壅熱悶洒音洗如洗而寒也　平按洒甲乙作悽閉字素問甲乙不重閉則熱而悗素問悗作悶甲乙作不熱而悶其寒也則衰食飲其熱也銷肌肉故使人怢慄而不能食名曰寒熱其寒不泄在內故不能食其熱不泄在外故銷肌肉也是以使人惡風而不能食稱曰寒熱之病怢慄振寒皃也　平按銷肌肉素問甲乙作則消肌肉怢慄甲乙作解㑊新校正云全元起本作失味風氣與陽入胃循脈而上至目眥其人肥則風氣不得外泄則為熱中而目黃也以下言熱中病也風氣從皮膚循足陽明之經入於胃中足陽明經從目內眥入屬於胃故循其脈至目內眥以其人肥腠理密實不開風氣壅而不得外泄故內為熱中病目黃也　平按與陽入胃素問甲乙作與陽明入胃目眥作目內眥人變瘦則外泄而寒則為寒中而泣出以下言寒中之病也人瘦則腠理疏虛外泄溫氣故風氣內以為寒中足陽明脈虛冷故目泣出也　平按素問甲乙瘦上無變字風氣與巨陽俱入行諸脈輸散於分理間衝氣淫邪與衛氣相干

其道不利故使肌肉賁䐜而有傷衛氣有所涘而不行故其肉有不仁以下言癘病也巨陽足太陽也風氣之邪與足太陽二氣俱入十二經脈輸穴之中又散於分肉腠理之間其與太陽俱入於輸衛上來者淫邪之氣與衛氣相干致令衛氣澀而不行故肌肉賁起腹脹有所傷也以衛氣凝聚不行故肉不仁也涘義當凝也　平按素問甲乙巨陽作太陽輸作俞分理作分肉衛氣淫邪素問無此四字甲乙作衛氣悍邪時五字賁䐜甲乙作膹脹素問作憤䐜傷素問甲乙均作瘍涘素問甲乙作凝

癘者營氣熱胕其氣不精故使其鼻柱壞而色敗也皮膚傷潰風寒客於脈不去名曰癘風胕腐也太陽與衛氣在營血之中故濁而熱於胸腹上衝於鼻故鼻鼽骨壞其氣散於皮膚故皮膚潰爛以其邪風寒氣客脈留而不去爲病稱曰癘風癘力誓反　平按營氣素問甲乙作有榮氣胕甲乙作浮不精素問甲乙作不清傷潰素問甲乙作瘍潰或名曰寒熱言前癘風或名寒熱之病也

以春甲乙傷於風者爲肝風以夏丙丁傷於風者爲心風以季夏戊已傷於邪者爲脾風以秋庚辛中於邪

者爲肺風以冬壬癸中於邪者爲腎風春甲乙者木王時也木王盛時衝上風來名曰邪風木盛近衰故衝上邪風來傷於肝故曰肝風餘皆倣此　平按戊己傷於邪甲乙邪作風庚辛中於邪及壬癸中於邪甲乙均作傷於風氣中五藏六府之輸亦爲藏府之風藏府輸者當是背輸近傷藏府之輸故曰藏府之風也　平按素問風下無氣字輸素問甲乙作俞各入其門户之中則爲偏風門户空穴也邪氣所中之處即偏爲病故名偏風也　平按之中素問作所中甲乙作風之所中風氣循風府而上則爲腦風風府在項入髮際一寸督脈陽維之會近太陽入腦出處風邪循脈入腦故名腦病也風入系頭則爲目風邪氣入於目系在頭故爲目風也　平按甲乙入上無風字系素問作係眠寒飲酒中風則爲漏風因飲酒寒眠膝開中漏汗故爲漏風有本目風眠寒也　平按眠寒素問甲乙作眠寒屬上節入房汗出中風則爲內風入房用力汗出中風內傷故曰內風也新沐中風則爲首風新沐髮已頭上垢落腠開得風故曰首風也久風入中則爲腸風飧泄皮膚受風日久傳入腸胃之中洩痢故曰腸風外

三

蘭陵堂刊

在腠理則爲洩風風在腠理之中洩汗不止故曰洩風也故風者百病之長也至其變化爲他病也無常方然故有風氣也百病因風而生故爲長也以因於風變爲萬病非唯一途故風氣以爲病長也　平按素問甲乙化下有乃字故素問作致新校正云全元起本及甲乙經致字作故攻今本甲乙仍作故下無攻字

諸風狀論平按此篇自篇首至末見素問甲乙卷第同前

黄帝問於岐伯曰願聞其診及其病能診者既見其狀因知所由故曰診也晝間暮甚等即爲狀也欬短氣等即爲病能也　平按素問無黄問於岐伯五字曰下有五藏風之形狀不同者何十字注既見既字袁刻脫岐伯曰肺風之狀多汗惡風色皏然白時欬短氣晝日則差暮則甚診在眉上其色白皏普幸反白色薄也肺風病能凡有七別一曰多汗二曰惡風三曰色白謂面色白薄也四曰嗽欬五曰短氣六曰晝間暮甚以肺主太陰故暮甚也七曰診五色各見其部薄澤者五藏風之候也白肺色也心風之

狀多汗惡風焦絶喜怒赫者赤色痛甚則不可快診在口其色赤心風狀能有七一曰多汗二曰惡風三曰焦絶焦熱也絶不通也言熱不通也四曰喜怒五曰面赤色六曰痛甚不安七曰所部色見口爲心部也　平按喜素問甲乙作善下同素問赫作嚇下無者字痛素問甲乙作病則不可快甲乙作則言不快素問作則言不可快

肝風之狀多汗惡風喜悲色微蒼嗌乾喜怒時憎女子診在目下其色青肝風狀能有八一曰多汗二曰惡風三曰喜悲四曰面色微青五曰咽乾六曰喜怒七曰時憎女子八曰所部色見也

脾風之狀多汗惡風身體怠墮四支不欲動色薄微黃不嗜食診在鼻上其色黃脾風狀能有七一曰多汗二曰惡風三曰身體怠墮謂除頭四支爲身體也四曰四支不用五曰面色微黃六曰不味於食七曰所部色見也

腎風之狀多汗惡風面龎然胕腫腰脊痛不能正立其色炲隱曲不利診在頤上其色黑腎風狀能有七一曰多汗二曰惡風三曰面腫四曰腰脊痛五曰面色黑如烟炲炲大才反六曰隱曲不利謂大小

內經二十八　　　　蘭陵堂刊

便不得通利七日所部色見頤上腎部也有本爲肌上誤也　平按龐素問作痝胕素問甲乙作浮素問脊上無腰字甲乙色始上有其字頤素問甲乙作肌

胃風之狀頸多汗惡風飲食不下鬲塞不通腹喜滿失衣則䐜脹食寒則洩診瘦而䐜腹大胃風狀能有八一曰頸多汗二曰惡風三曰不下飲食四曰膈不通膈中饐也五曰腹喜滿六曰失覆腹脹七曰食冷則痢八曰胃風形診謂瘦而腹大胃風候也　平按診瘦而䐜腹大素問甲乙作診形瘦而腹大新校正云按孫思邈云新食竟取風爲胃風

首風之狀頭面多汗惡風先當風一日則病甚頭痛不可出内至其風日則病少愈首風狀能有三一曰頭面多汗二曰惡風三曰診候不出者不得遊於庭也不内者不得在室也　平按甲乙頭面多汗作頭痛面多汗素問先當風作當先風素問甲乙不可下有以字風日日字袁刻脱新校正云孫思邈云新沐浴竟取風爲首風

漏風之狀或多汗常不可單衣食則汗出甚則身汗息惡風衣裳濡口乾喜渴不能勞事漏風狀能有七一曰多汗謂重衣則汗衣單則寒二曰因食汗甚病甚無汗三曰惡風四曰衣裳恒溼五曰口

乾六曰喜渴七曰不能勞事也　平按素問甲乙身汗息作身汗喘息裳作常新校正云孫思邈云因醉取風爲漏風其狀惡風多汗少氣口乾善渴近衣則身熱如火臨食則汗流如雨骨節懈墮不欲自勞

洩風之狀多汗汗出洩衣上口乾上來其風不能勞事身體盡痛則寒洩風狀能有四一曰多汗污衣二曰口乾三曰□□皮上冷也四曰勞則體痛寒也　平按洩素問甲乙作泄口乾上來素問作口中乾上漬甲乙作咽乾上漬注污衣衣袠刻作洩衣三曰下原缺二字袠刻作液洇新校正云孫思邈云新房事取風爲內風其狀惡風汗流沾衣裳疑此洩風乃內風也

諸風雜論　平按此篇自篇首至末見靈樞卷九第五十八賊風篇又見甲乙經卷六第五

黃帝曰夫子言賊風邪氣之傷人也令人病焉今有其不離屏蔽不出室內之中卒然病者非必離賊風邪氣其故何也賊風者風從衝上所勝處來賊邪風也離歷也賊邪之風夜來人皆臥雖是晝日不離屏蔽室內不歷賊風邪氣仍有病者其故何也　平按室內靈樞甲乙作室穴非必靈樞作非不袠刻脫必字

岐伯曰此皆嘗有所傷

於溼氣藏於血脈之中分肉之間久留而不去若有所墮墜惡血在內而不去卒然喜怒不節飲食不適寒温不時腠理閉而不通其開而遇風寒時血氣涘結與故邪相襲則爲寒痹其有熱則汗出汗出則受風雖不遇賊風邪氣必有因加而發焉人雖不離屏室之中傷於寒溼又因墜有惡血寒溼惡血等邪藏於血脈中又因喜怒飲食寒温失理遂令腠理閉塞壅而不通若當腠開遇於風寒則血凝結與先寒溼故邪相因遂爲寒痹雖在屏蔽之中因熱汗出腠開受風斯乃屏內之中加此諸病不因賊風者　平按其開而遇風寒甲乙無其開二字遇上有適字時血氣涘結素問甲乙作則血氣凝結

黃帝曰今夫子之所言者皆病人之所自知也其無所遇邪氣又無怵惕之志卒然而病者其故何也唯有鬼神之事乎因內邪得病病人並能自知仍有自知不遇寒溼之邪又無喜怒怵惕之志有卒然爲病當是鬼神

爲之乎　平按其無所遇邪氣甲乙無所字之志靈樞作之所志鬼神上靈樞甲乙有因字注仍有袁刻作因有有岐伯曰此亦有故邪留而未發也因而志有所惡及有所慕血氣内亂兩氣相薄其所從來者微視之不見聽而不聞故似鬼神以下答意非無故邪在内亦非無怵惕之志故有所惡即爲怒也夢有所樂即爲喜也因此兩者相薄故血氣亂而生病所來微細視聽難知衆人謂如鬼神非鬼神也　平按靈樞甲乙無夢字薄靈樞作搏黃帝曰其祝而已者其故何也岐伯曰先巫者固知百病之勝先知其病之所從生者可祝而已黃帝曰善先巫知者巫先於人因於鬼神前知事也知於百病從勝剋生有從内外邪生生病者用鍼藥療之非鬼神能生病也鬼神但可先知而已由祝去其巫知之病非祝巫之鬼也　平按祝下甲乙有由字固知靈樞甲乙作因知其病之所從生者甲乙作百病之所從者

九宮八風

平按此篇自九宮八風圖至篇末見靈樞卷十一第七十七九宮八風篇又自風從其衝後來見甲乙經卷六第一

內經二十八

六

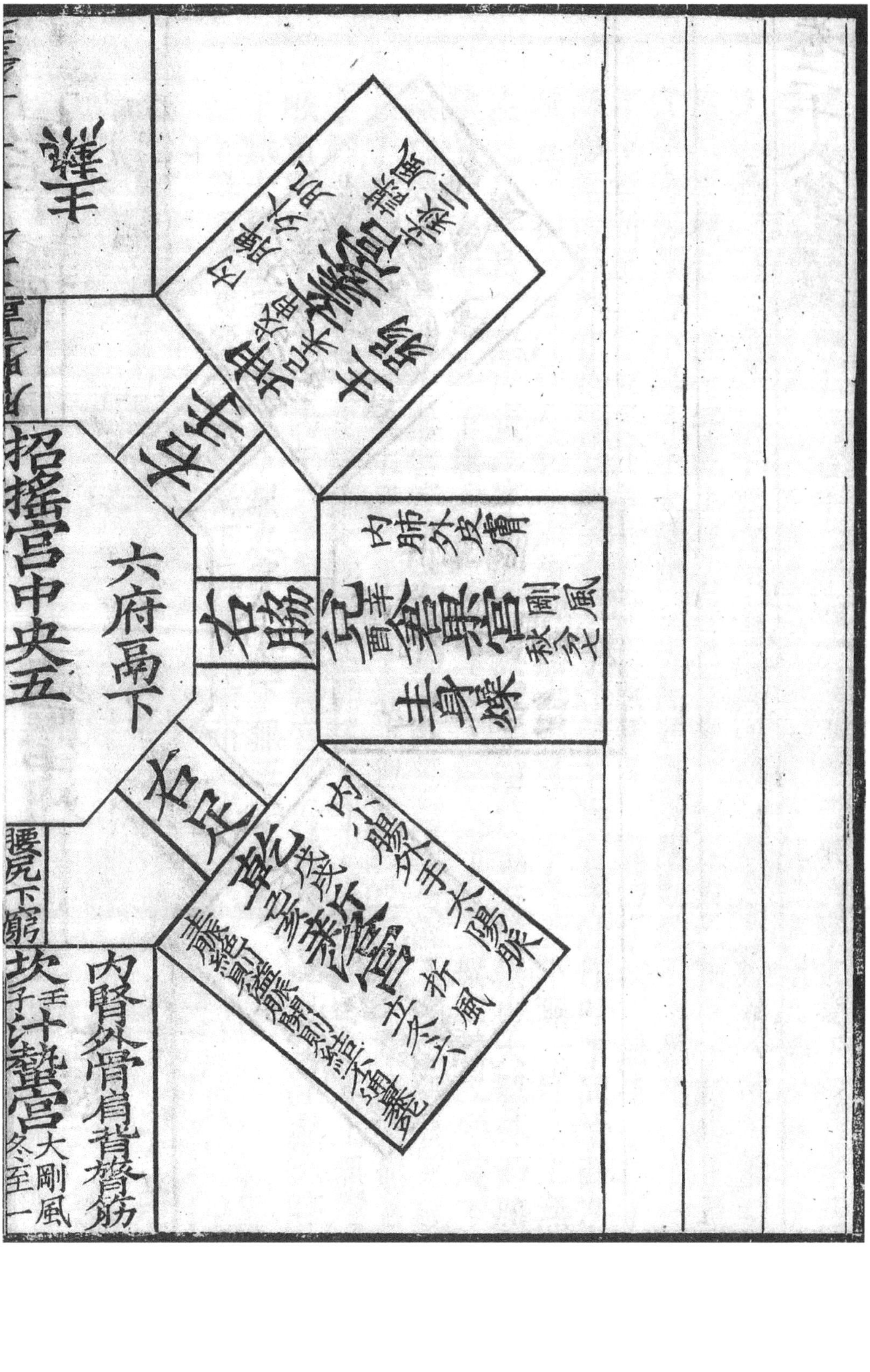
招搖宮中央五
六府鬲下
右脇
右足
腰尻下竅
坎
叶蟄宮
大剛風
冬至一
內腎外骨肩背膂筋

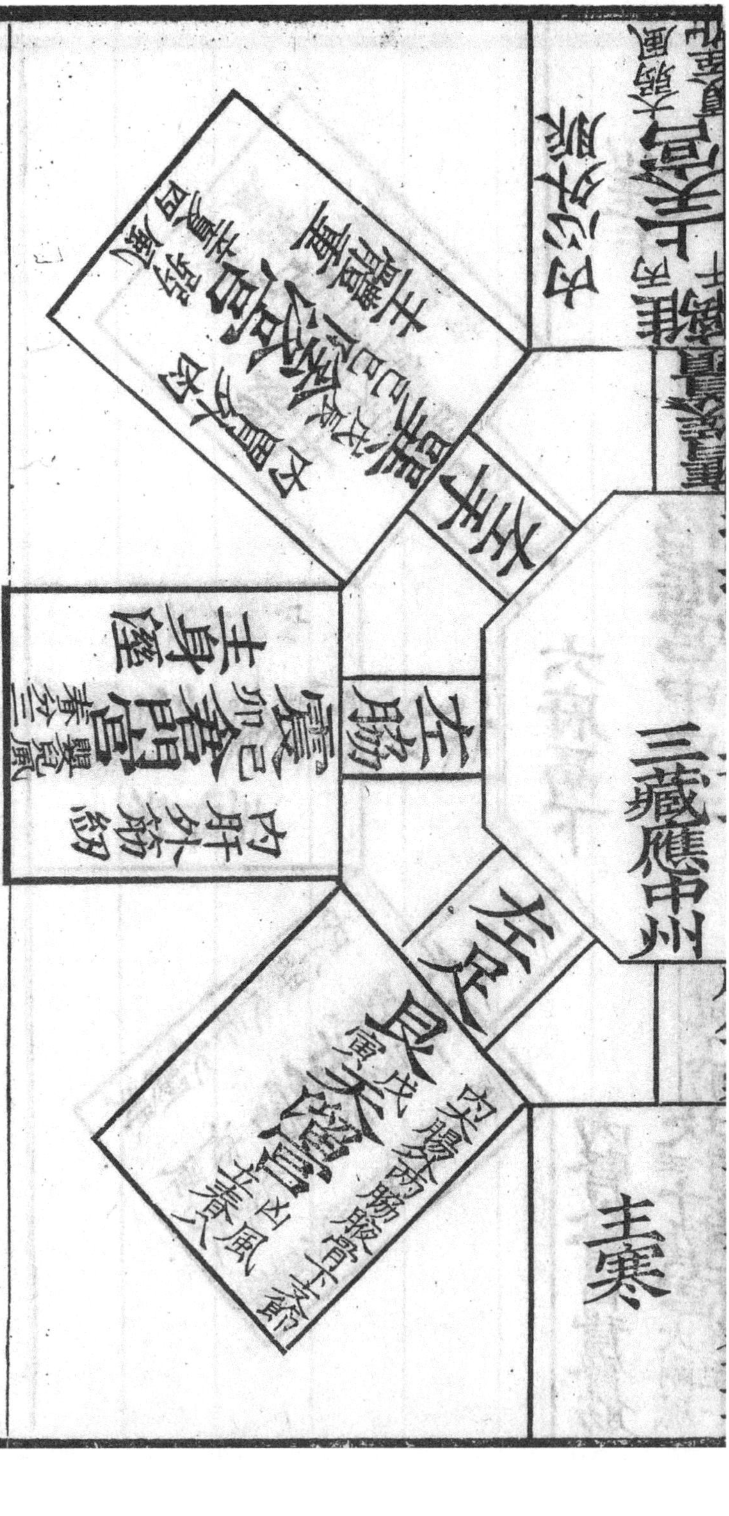

卷二十八第七頁

平按此圖靈樞坤上無右手二字坤下無戊申己未四字玄委下無宫字兩傍無内脾外肌主弱六字下無謀風二字立秋下無二字兑上無右脇二字兑下無辛酉二字倉果下無宫字兩傍無内肺外皮膚主身燥八字下無剛風二字秋分下無七字乾上無右足二字乾下無戊戌己亥四字新洛下無宫字兩傍無内小腸外手太陽脈主脈絶則溢脈閉則結不通暴死二十一字下無折風二字立冬下無六字坎上無腰尻下竅四字坎下無壬子二字兩傍無内腎外骨肩背膂筋主寒十字汁蟄下無宫字汁作叶下同按西京賦五緯相汁注汁作叶和也亦通下無大剛風三字冬至下無一字艮上無左足二字艮下無戊寅二字天㽕下無宫字㽕作留右傍無内大腸外兩脇腋骨下支節十一字下無凶風二字立春下無八字震上無左脇二字震下無己卯二字倉門下無宫字兩傍無内肝外筋紉主身溼八字下無嬰兒風三字春分下無三字巽上無左手二字巽下無戊辰己巳四字陰洛下無宫字兩傍無内胃外肉主體重七字下無弱風二字立夏下無四字離上無膺喉首頭四字離下無丙午二字上天下無宫字兩傍無内心外脈主熱六字下無大弱風三字夏至下無九字中央下無五字招搖下無宫字兩傍無六府鬲下三藏應中州九字

立秋二玄委平按靈樞有西南方三字秋分七倉果平按靈樞有西方二字立冬六新洛平按靈樞有西北方三字夏至九上天平按靈樞有南方二字招搖五平按靈樞無五字有中央二字冬

至一汁蟄平按靈樞有北方二字立夏四陰洛平按靈樞有東南方三字春分三倉門
平按靈樞有東方二字立春八天溜平按靈樞溜作留下同有東北方三字太一常以冬至之
日居汁蟄之宮四十六日明日居天溜四十六日明
日居倉門四十六日明日居陰洛四十五日明日居
上天平按靈樞作天宮四十六日明日居玄委四十六日明日
居倉果四十六日明日居新洛四十五日明日復居
汁蟄之宮從其宮平按從其宮三字靈樞作日冬至矣太一日遊以冬至之日居叶蟄之宮十八字數所
在日從一處至九日復反於一常如是無已終而復
始太一徙日平按徙靈樞作移天必應之以風雨以其日風雨則
吉歲矣民安少病矣先之則多雨後之則多旱太一

在冬至之日有變占在君太一在春分之日有變占在相太一在中宮之日有變占在吏太一在秋分之日有變占在將太一在夏至之日有變占在百姓所謂有變者太一居五宮之日疾風折樹木揚沙石各以其所生占貴賤日視風所從來而占之平按靈樞所生作所主日視作因視從其所居之鄉來爲實風主生長養萬物風從其衝後來爲虚風傷人者也平按甲乙傷上有賊字主殺主害者也謹候虚風而避之故聖人避邪弗能害此之謂也平按靈樞故聖人避邪弗能害作故聖人日避虚邪之道如避矢石然邪不能害是故太一入從立於中宮乃朝八風以占吉凶也以下言太一從於中宮以朝八風以占吉凶也平按靈樞從作徙風從南

蘭陵堂刊

方來名曰大弱風其傷人也內舍於心外在於脉其氣主爲熱平按靈樞作氣主熱三字風從西南方來名曰謀風其傷人也內舍於脾外在於肌其氣主爲弱平按甲乙肌下有肉字風從西方來名曰剛風其傷人也內舍於肺外在於皮膚其氣主爲身燥平按靈樞甲乙燥上無身字風從西北方來名曰折風其傷人也內舍於小腸外在手太陽脉脉絶則溢脉閉則結不通喜暴死平按甲乙溢作泄喜靈樞甲乙作善風從北方來名曰大剛之風其傷人也內舍於腎外在於骨與肩背之膂筋其氣主爲寒風從東北方來名曰凶風其傷人也內舍於大腸外在於兩脇腋骨下及支節風從

東方來名曰嬰兒之風其傷人也内舍於肝外在於筋紉其氣主爲身溼紉女巾反索也謂筋傳之也　平按紉靈樞甲乙作紐溼上甲乙無身字風從東南方來名曰弱風其傷人也内舍於胃外在於肉其氣主體重平按於肉靈樞作肌肉甲乙作於肌凡此八風皆從其虛之鄉來乃能病人三虛相薄則爲暴病卒死兩實一虛病則爲淋洛寒熱犯其兩溼之地則爲痿故聖人避邪風如避矢石焉其有三虛而偏中於邪風則爲擊仆偏枯矣風從衝後來故稱虛鄉來也三虛謂年虛月虛時虛三虛之中縱使二實但令一虛遇邪猶爲淋洛寒熱居處溼地即爲委厥況二虛一實遇邪其病安得不甚若先三虛逢邪遂致擊仆偏枯之病也　平按靈樞相薄作相搏甲乙兩實一虛作兩虛一實淋洛靈樞甲乙作淋露避邪風甲乙無風字靈樞無邪字仆靈樞作骨

蘭陵堂刊

三虛三實平按此篇自篇首至末見靈樞卷十二第七十九歲露篇又見甲乙經卷六第一

黃帝問少師曰余聞四時八風之中人也故有寒暑寒則皮膚急而腠理閉暑則皮膚緩而腠理開賊風邪氣因以得入乎將必須八正虛邪乃能傷人乎黃帝謂四時八節虛邪賊風中人要因其暑腠理開時因入傷人故致斯問也　平按因以得入乎靈樞甲乙作因得以入乎甲乙八正虛邪作八正風邪

少師答曰不然賊風邪氣之中人也不得以時少師答意腠理開者賊風中深腠理閉者賊邪中淺以其賊邪賊害甚也不得以時者暑開之時即入閉之時不入也

然必因其開也其入也深其內極也疾其病人卒暴邪之中人若因腠理開者爲害有三一則邪入深也二則極人命速三則病死卒暴也　平按其入也深靈樞甲乙無也字其內極也疾甲乙極作亟注云亦作極靈樞作其內極病其病人卒暴靈樞甲乙卒上有也字

因其閉也其入也淺以留其病人也徐以持也若腠理閉爲遇

有二一則邪入淺也二則爲病充徐持久留之也　平按持靈樞甲乙作遲下無也字黄帝曰有寒温和適腠理不開然有卒病者其故何也少師曰帝弗知邪入乎雖平居其腠理開閉緩急固常有時也平和適也人雖和適而居腠理開閉未必因於寒暑因於月之滿空人氣盛衰故腠理開閉有病不病斯乃人之常也　平按固常有時也靈樞作其故常有時也黄帝曰可得聞乎少師曰人與天地相參也與日月相應也人之身也與天地形象相參身盛衰也與日月相應也故月滿則海水西盛日爲陽也月爲陰也東海陽也西海陰也月有虧盈海水之身隨月虛實也月爲陰精主水故月滿西海盛也人血氣精肌肉充皮膚緻毛髮堅焦理郄烟垢著當是之時雖遇賊風其入淺亦不深人身盛時法月及與西海皆悉盛實也但賊邪不入凡有六實一曰血氣精而不濁二曰肌肉充實不疏三曰皮膚密緻不開四曰毛髮堅實不虛五曰焦腠理曲而不通三焦之氣發於腠理故曰焦理郄曲也六曰烟塵垢膩蔽於腠理有此六實故賊風雖入不能深也　平按靈樞甲乙

血氣精作血氣積焦理作腠理靈樞淺下無亦字至其月郭空則海水東盛人血氣虛其衛氣去形獨居肌肉減皮膚緩腠理開毛髮淺焦理薄烟垢落當是之時遇賊風則其入也深其病人也卒暴人身衰時法月及與西海皆悉衰也月空東海盛者陰衰陽盛也凡有八衰一曰血氣虛濁謂當脈血氣虛也二曰衛氣減少謂脈外衛氣去而少也三曰肌肉疏減四曰皮膚虛緩五曰腠理空開六曰毛髮虛淺七曰焦理疏薄八曰理無烟垢有此八虛所以賊邪深入令人卒病也平按靈樞血氣作氣血皮膚緩作皮膚縱毛髮淺作毛髮殘焦理作膲理甲乙無淺焦理三字黃帝曰其有卒然卒死暴病者何邪使然少師曰得三虛者其死暴疾得三實者邪不能傷人也人備三虛其病死暴疾也　平按靈樞甲乙卒死作暴死甲乙無暴病二字何邪使然靈樞作何也注暴疾衰刻疾誤作死黃帝曰願聞三虛少師曰乘年之衰人年七歲加於九歲至十六歲名曰年衰如是恒加九歲至一百六皆年之衰也非歳露年以其人實邪不傷故人至此年名曰乘也逢月之

空月郭空時人具□虛當此虛時故曰逢也平按注虛上所空一字據上文應作入失時之和因爲賊風所傷是謂三虛故論不知三虛工反爲粗攝養乖於四時和氣非理受於風寒暑溼人之有此三虛故從衝後發屋折木揚沙走石等賊風至身洒然起於毫毛發於腠理即爲賊風傷也・平按和下甲乙有人氣之少四字賊風下有邪氣二字黃帝曰願聞三實少師曰逢年之盛逢年謂不加年衰也遇月之滿十五日時也得時之和雖有賊風邪氣不能危之攝養順於四時和氣人之有此三實縱有賊邪不能傷也平按不能危之甲乙作不能傷也也上不能上袁刻有定字黃帝曰善乎哉論明乎哉道請藏之金匱命曰三實然此一夫之論也子之所論皆善者以其內明於道故請藏而寶之此舉一夫之論以類衆人也平按命曰三實靈樞在黃帝曰上

入正風候平按此篇自篇首至末見靈樞卷十二第七十九歲露論篇又見甲乙經卷六第一

黃帝曰願聞歲之所以皆同病者何因而然前章言人有攝養乖

蘭陵堂刊

和遇賊邪之失此言同受邪風俱有傷害以爲問也　平按何因而然甲乙作何氣使然少師曰此八正之候也八正候者八節之正虛邪候也黃帝曰候之奈何少師曰候此者常以冬之至日太一立於汁蟄之宮其至也天應之以風雨風雨從南方來者爲虛風賊傷人者也其以夜至者萬民皆臥而弗犯也故其歲民少病九宮經曰太一者玄皇之使常居北極之傍汁蟄上下政天地之常□起也汁蟄坎宮名也太一至坎宮天必應之以風雨其感從太一所居鄉來向中宮名爲實風主生長養萬物若風從南方來向中宮爲衝後來虛風賊傷人者也其賊風夜至人皆寢臥不犯其風人少其病也　平按冬之至日靈樞甲乙作冬至之日爲虛風甲乙作名曰虛風夜下靈樞甲乙有半字注其感感字恐係風字傳寫之誤其以晝至者萬民懈惰而皆中於虛風故萬民多病虛邪入客於骨而不發於外至其立春陽氣大發腠理開因立春之日風從西方來萬民

又皆中於虛風此兩邪相薄經氣絶代懈惰謂不自收飾情逸腠開邪客至骨而不外洩至立春日復有虛風從西方衝上而來是則兩邪相薄致經脈絶代以爲病也骨有本作胃也　平按相薄靈樞甲乙作相搏袁刻誤作兩薄絶代靈樞甲乙作接代故諸逢其風而遇其雨者命曰遇歲露焉因歲之和而少賊風者民少病而少死歲多賊風邪氣寒溫不和民多病而多死矣露有其二一曰春露主生萬物者也二曰秋露主衰萬物者也今歲有賊風暴雨以衰於物比秋風露故曰歲露焉是以實風至也歲和有吉虛風至也歲露致凶也黃帝曰虛邪之風其所傷貴賤何如候之奈何以下言候虛風所傷貴賤故因問起也少師曰正月朔日太一居天溜之宮其日西北風不雨人多死以下具言虛風也　平按溜靈樞作留正月朔日平旦北風春民多死者也正月朔日平旦北風行民病死者十有三平按民病死者靈樞甲乙

蘭陵堂刊

死作多正月朔日日中北風夏民多死者正月朔日夕時北風秋民多死者終日北風大病死者十有六正月朔日風從南方來命曰旱鄉（平按自終日以下至旱鄉甲乙無）從西方來命曰白骨將將國有殃人多死亡（平按命甲乙作名上有而大二字將字靈樞甲乙不重）正月朔日風從東方來發屋揚沙石國有大災正月朔日風從東南行春有死亡（平按靈樞南下有方字甲乙無此二條）正月朔日天和溫不風糴賤民不病天寒而風糴貴民多病（平按天和溫甲乙作天時和溫無糴賤糴貴四字不病作無病而風作風疾）此所以候歲之虛風賊傷人者（平按甲乙無此句靈樞無虛字者下有也字）二月丑不風民多心腹病三月戌不溫民多寒熱四月巳不暑民多病癉十月申

不寒民多暴死諸謂風者皆發屋折樹木揚沙石起毫毛開腠理平按甲乙寒熱下有病字靈樞甲乙病癉作癉病諸下有所字甲乙樹下無木字開靈樞甲乙作發理下均有者也二字

痹論平按此篇自篇首至逢溼則縱黃帝曰善見素問卷十二第四十三痹論篇自黃帝問於岐伯曰周痹之在身也至陰陽之病也見靈樞卷五第二十七周痹篇自問曰人有身寒至不相有也曰死見素問卷九第三十四逆調論篇自風痹淫病至末見靈樞卷五第二十四厥病篇又自篇首至故不爲痹黃帝曰善見甲乙經卷十第一上篇自問曰痹或痛或不痛至逢溼則縱黃帝曰善見甲乙經卷十第一下篇自黃帝問於岐伯曰周痹之在身也至轉引而行之見甲乙經卷十第一上篇自問曰人有身寒至是人當攣節見甲乙經卷十第一下篇自問曰人之肉苛者至不相有也曰死見甲乙經卷十二第三自風痹淫病至末見甲乙經卷十第一下篇

黃帝問岐伯曰痹安生岐伯曰風寒溼三氣雜至合而爲痹風寒溼等各爲其病若三氣雜至合而爲一病稱爲痹　平按痹安生甲乙作痹將安生素問作痹之安生雜至合而爲痹甲乙作合至雜而爲痹其風氣勝者爲行痹寒氣勝者爲痛痹溼氣勝

者爲著痺若三合一多即别受痺名故三中風多名爲行痺謂其痺病轉移不住故曰行痺三中寒多陰盛爲痛故曰痛痺三中溼氣多住而不移轉故曰著痺著住也此三種病三氣共成異於他病有寒有熱有痛不痛皆名爲痺也問曰其五者何也平按素問甲乙其五者作有五者答曰以冬遇此者爲骨痺以春遇此者爲筋痺以夏遇此者爲脉痺以至陰遇此者爲肌痺以秋遇此者爲皮痺冬時不能自調遇此三氣以爲三痺俱稱骨痺以冬骨也餘四倣此至陰六月脾所主也問曰内舍五藏六府何氣使然五時感於三氣以爲五痺其義已知而有痺病内舍藏府之中何氣使然也答曰五藏皆有合病久而不去内舍其合平按素問不去下有者字内舍其合作内舍於其合也甲乙作内舍於合故曰骨痺不已復感於邪内舍於腎筋痺不已復感於邪内舍於肝脉痺不已復感於邪内舍於心肌痺不已復感於邪内舍於脾皮痺不已

復感於邪內舍於肺五藏合者五藏五輸之中皆有合也諸脈從外來合五藏之處故合爲內也是以骨筋脈肌皮等五痹久而不已內舍於合在合時復感邪之氣轉入於藏入藏者死也　平按注入藏者死也袁刻藏誤作府所謂痹者各以其時重感於寒溫之氣也平按寒溫二字素問甲乙作風寒溼三字又素問此下有凡痹之客五藏者至痹聚在脾一段新校正謂全元起本在陰陽別論中此王氏所移本書在陰陽雜說中諸痹不已亦益於內其風氣勝者其人易已也所謂五痹不已者各以其時而重感賊邪寒溫之氣益內五藏之痹者死益風者易已也　平按亦益於內素問甲乙作亦益內也注而重感而字袁刻無問曰其時有死者或疼久者或易已者其故何也痹之輕重無過此三故爲問之也　平按素問曰下有痹字答曰其入藏者死以藏有神故痹入致死也其留連筋骨間者疼久膈著相繫在於筋骨之間故筋骨疼痛也其流皮膚間者易已流行在於皮膚淺處之間動而又淺故易已也　平按流素問作留甲乙作留連二字問曰客六府者何也答曰此亦由其食飲居

蘭陵堂刊

處而爲病本六府各有輸風寒溼氣中其輸而食飲應之循輸而入各舍其府以上言痹入藏以下言痹入府所由風寒溼等三氣外邪中於府輸飲食居處內邪應內以引外故痹入六府中其輸者亦府之合也　平按素問甲乙此亦下無由字輸作俞下同問曰以鍼治之奈何答曰五藏有輸六府有合循脈之分各有所發各治其遇則病瘳已五藏輸者療痹法取五藏之輸問曰療痹之要以痛爲輸今此乃取五藏之輸何以通之答曰有痛之痹可以痛爲輸不痛之痹若爲以痛爲輸故知量其所宜以取其當是醫之意也療六府之痹當取其合良以藏府輸合皆有藏府脈氣所發故伺而誅之　平按各治其遇素問作各隨其過甲乙作各治其過袁刻遇作道問曰營衛之氣亦令人痹乎此問營衛二氣何者與三氣合爲痹也　平按素問甲乙合作令答曰營者水穀之精氣也和調於五藏灑陳於六府乃能入於脈故循脈之下貫五藏絡六府營衛血氣循經脈而行貫於五藏調和精神絡於六府灑陳和氣陳起也故與三氣而合以爲痹也但十二經藏脈貫藏絡府

府脉貫府絡藏皆爲營氣何因此所言於營氣唯貫於藏但絡於府然此所言但舉一邊藏府之脉貫絡是同之也　平按之下素問甲乙作上下注十二經藏脈脈字袁刻誤作府衛氣者水穀之悍氣也其氣慓疾滑利其不能入於脉故循皮膚之内分肉之間熏於胃募散於胸腹逆其氣則疾順其氣則愈不與風寒溼氣合故不爲痹黃帝曰善衛之水穀悍氣其性利疾走於皮膚分肉之間熏於胃募故能散於胸腹壅之則生癰疽之病通之無疾是以不與三氣合而爲痹也　平按素問甲乙皮膚之内作皮膚之中胃募作肓膜則疾作則病甲乙慓作剽散於胸腹作聚於胸腹注云素問作散

問曰痹或痛或不痛或不仁或寒或熱或燥或溼者其故何也三氣爲痹之狀凡有其七故請解之答曰痛者其寒氣多有衣寒故爲痛内受寒氣既多復衣單生寒内外有寒故痹有痛　平按素問甲乙有衣寒故爲痛作有寒故痛其不仁者其病久入深營衛之行濇經絡時疏疏而不痛皮

蘭陵堂刊

膚不營故爲不仁其寒者陽氣少陰氣多與病相益故寒仁者親也覺也營衛及經絡之氣疏澀不營皮膚神不至於皮膚之中故皮膚不覺痛癢名曰不仁所感陽熱氣少陰寒氣多與先所病相益故痹爲寒也　平按素問甲乙其不仁者作其不痛不仁者疏而不痛甲乙作故不痛素問作故不通新校正云甲乙經不通作不痛詳甲乙經此條論不痛與不仁兩事後言不痛是再明不痛之爲重也其熱者陽氣多陰氣少病氣勝陽遭陰故爲痹熱所感陽熱氣多陰寒氣少陰陽二氣相逢相擊陽勝爲病故爲痹熱也　平按遭甲乙作乘其多寒汗而濡者此其逢溼甚其陽氣少陰氣盛兩氣相感故寒汗出濡所感陽氣少溼與寒氣相感故寒而汗濡衣溼也　平按其多寒汗甲乙汗下有出字素問汗上無寒字逢溼甚甲乙甚作勝故寒汗出濡素問無寒字夫痹之爲病不痛何也三氣合而爲病稱痹而有不痛者其故何也曰痹在骨則重在脈則血涘而不流在筋屈不伸在肉則不知在皮則寒故具此五者則不痛凡痹之類

逢寒則急逢溼則縱黃帝曰善三氣爲痹所在有五一人具此五者爲痹其痹不痛此爲不痛之痹有云痹者痛者未爲解痹者也不知者不覺不仁也　平按甲乙素問湊作凝不知作不仁素問則急作則蟲逢溼作逢熱黃帝問於岐伯曰周痹之在身也上下移徙隨脉上下左右相應閒不容空願聞此痛之在血脉之中耶將在分肉之閒乎何以致是其痛之移也閒不及下鍼其蓄痛之時不及定治而痛已止矣何道使然願聞其故夫周痹者邪居分肉之閒令正氣循身不周邪與周爲痹故稱周痹今帝之意言其痹痛循行上下移徙往來無處不至名爲周痹岐伯之意言於此痹行於衆處可爲衆痹非周痹也閒不及下鍼者痹痛之中未及下鍼其痛已移也　平按注循行上下別本作循形上下岐伯對曰此衆痹也非周痹也黃帝曰願聞衆痹岐伯對曰此各在其處更發更止更居更起以右應左以左應右非能

周也更發更休言衆痺在身左右之處更身而發不能周身故曰衆痺居起動靜也黄帝曰善刺之奈何岐伯對曰刺此者痛雖已止必刺其處勿令復起然衆痺在身所居不移但痛有休發故其痛雖止必須刺其痛休之處□令不起也　平按注令上一字原缺左方右方剩乡字袁刻作二恐誤謹空一格黄帝曰善願聞周痺何如岐伯對曰周痺者在血脈之中隨脈以上循脈以下不能左右各當其所言周痺之狀痺在血脈之中循脈上下不能在其左右不移其處但以壅其真氣使營身不周故名周痺也　平按循脈以下靈樞作隨脈以下黄帝曰善刺之奈何岐伯對曰痛從上下者先刺其下以遏之後刺其上以脫之痛從下上者先刺其上以遏之後刺其下以脫之刺周痺之法觀痺從上自下當先刺向下之前使其不得進而下也然後刺其痺後使氣洩脫也有痺從下上者准前可知也　平按遏靈樞作過注云亦作遏甲乙作通注云一作遏黄帝曰善此痛安生何因

而有名此問周痹之所由並問周痹名之所起也岐伯對曰風寒溼氣客於分肉之間迫切而爲沫沫得寒則聚聚排分肉而裂分也分裂則痛三氣以爲周痹循脈而行至分肉之間氣聚排迫分肉肉裂而爲痛也　平按靈樞甲乙而裂分作而分裂痛則神歸之神歸之則熱熱則痛解痛解則厥厥則他痹發發則如是痹痛引神即神歸痛神痛不已故熱氣集而痛解此處痛解厥已即餘處痛生周痹休發如是以爲休起也　平按發下靈樞甲乙重一發字注痛生袁刻痛誤作病　黃帝曰善余已得其意矣此內不在藏外未發於皮獨居分肉之間真氣不能周故命曰周痹以下解周痹名也　平按靈樞甲乙外上有而字命曰甲乙作名曰故刺痹者必先切循其下之六經視其虛實六經三陰三陽也切循痹病之下六經虛實一也　平按下之六經甲乙作上下之大經及大絡之血而結不通切循十五大絡知其通塞二也　平按靈樞甲乙而結不通作結而不通及虛而

脈陷空者調之熨而通其瘈緊轉引而行之黃帝曰善余以得其意矣又得其事也又循其脈知其虛陷者三也然後設以熨法用微熨之令其調適又以導引瘈緊轉引令其氣行方始刺之此爲療瘈之要也緊急瘈牽令緩也　平按靈樞甲乙調上有而字通下有之字瘈緊靈樞作瘈堅甲乙緊下有者字人九者經絡之理十二經脈陰陽之病也得其事者謂得之人法於九野經絡陰陽之病也　平按靈樞九上無人字

問曰人有身寒湯火不能熱也厚衣不能溫也然不凍慄此爲何病人身體冷而不覺寒其病難知故須問也　平按素問熱溫下均無也字此爲作是爲甲乙同荅曰是人者素腎氣勝以水爲事太陽氣衰腎脂枯不長一水不能勝兩火腎者水也而主骨故腎不生則髓不能滿故寒甚至骨素先也其人腎氣先勝足太陽腎府又衰腎脂枯竭不能潤長以其一腎藏府之水與心肝二陽同在一身爲陽所擊一水不勝二陽故反爲寒至於骨髓衣火不能溫也　平按而主骨素問作

而生於骨所以不能凍慄者肝一陽也心二陽也腎孤藏也一水不能勝上二火故不能凍慄者病名曰骨痹是人當攣節雖寒至骨二陽猶勝故不覺寒慄遂爲骨痹之病是人當爲骨節拘攣也一本攣爲變人有此病必節操變改也　平按上二火甲乙作上下火素問無上字問曰人之肉苛者何也雖近衣絮猶尚苛也是爲何病也荅曰營氣虛衛氣實衛氣虛則不仁而不用營衛俱虛則不仁且不用肉如苛也人身與志不相有也曰死苛音柯有本爲苛皆不仁之甚也故雖衣絮温覆猶尚不仁者謂之苛也故知近衣絮温覆即知覺者爲不仁也營虛衛實氣至知覺故猶仁也若營實衛虛者肉不仁也若營衛俱虛則不仁之甚故肉同苛如同也所以身肉不仁甚者與神不能相得故致死也　平按素問衛氣虛則不仁而不用作榮氣虛則不仁衛氣虛則不用肉如苛也作肉如故也有下有也字甲乙經曰死作三十日死也風痹淫病不可已者足如履冰時如湯入腹中脹脛淫濼

蘭陵堂刊

煩心頭痛時歐時悗眩以汗出久則目眩悲以喜恐短氣不樂不出三年死人病風痹之病又有此十二狀者不出三年死也　平按風痹淫病靈樞病上有濼字湯入腹中靈樞甲乙作入湯中脹脛靈樞作股脛甲乙作肢脛時歐時悗靈樞作時嘔時悗甲乙作時嘔時悶喜恐甲乙作喜怒靈樞無不樂二字

黄帝内經太素卷第二十八　黄陂蕭𡨴昌校字

黃帝內經太素

甲子冬

蕭延章題

黃帝內經太素卷第二十九　氣論

通直郎守太子文學臣楊上善奉　敕撰注
黃陂蕭延平北承甫校正

平按此篇自堅字以上已佚篇目亦不可考袁刻從靈樞刺節真邪篇自黃帝曰有一脈生數十病者節錄補入查自黃帝曰有一脈生數十病者至岐伯曰此邪氣之所生也一段已見本書卷二十二五邪刺篇未免重出茲特從靈樞刺節真邪篇黃帝曰余聞氣者有真氣以下至手按之補於堅字之上其自堅有所結至末見靈樞卷十一第七十五刺節真邪篇又見甲乙經卷十一第九下篇

黃帝曰余聞氣者有真氣有正氣有邪氣何謂真氣岐伯曰真氣者所受於天與穀氣并而充身也正氣者正風也從一方來非實風又非虛風也平按甲乙無非實風又四字注云太素云非災風也邪氣者平按甲乙卷十第一下有虛風也三字虛風之賊傷人也其中

人也深不能自去正風者其中人也淺合而自去其氣來柔弱不能勝眞氣故自去虛邪之中人也洒淅動形起毫毛而發腠理其入深內搏平按搏甲乙作薄下同於骨則爲骨痹搏於筋則爲筋攣搏於脈中則爲血閉不通則爲癰搏於肉與衛氣相搏陽勝者則爲熱陰勝者則爲寒寒則眞氣去去則虛虛則寒搏於皮膚之間其氣外發腠理開毫毛搖氣平按搖氣甲乙注云一本作淫氣往來行則爲癢留而不去則痹衛氣不行則爲不仁虛邪偏容於身半其入深內居營衛營衛稍衰則眞氣去邪氣獨留發爲偏枯其邪氣淺者脈偏痛虛邪之入於

身也深寒與熱相搏久留而內著寒勝其熱則骨疼肉枯熱勝其寒則爛肉腐肌為膿內傷骨內傷骨為骨蝕有所疾前筋筋屈不得伸邪氣居其間而不反發為筋溜（平按溜甲乙作瘤下腸溜同）有所結氣歸之衛氣留之不得反津液久留合而為腸溜久者數歲乃成以手按之柔已有所結氣歸之津液留之邪氣中之凝結日以易甚連以聚居為昔瘤以手按之（以上從靈樞刺節真邪篇節錄補入）堅（息大按之而堅積病□久也十四）有所結深中骨氣因於骨骨與氣并日以益大則為骨疽（先有聚結深至骨邊骨與氣并致令骨壞稱曰骨疽十五也　平按甲乙深中骨作氣深中骨日以益作息日以益）有所結中於肉氣歸之邪留而不去有熱則化而

爲膿先有聚氣爲熱營邪居熱則壞肉以爲癰膿十六　平按甲乙中於肉作氣中於肉氣歸之靈樞甲乙作宗氣歸之甲乙爲膿上無而字無熱則爲肉疽結氣無熱虛邪則壞肉以爲肉疽十七也　平按甲乙疽上無肉字凡此數氣者其發無常處而有常名也邪氣傷人身無有定處而有斯十七種名也

津液平按此篇自篇首至末見靈樞卷六第三十六五癃津液別篇又見甲乙經卷一第十三

黃帝問岐伯曰水穀入於口輸於腸胃其液別爲五天寒衣薄則爲溺與氣天熱衣厚則爲汗悲哀氣并則爲泣中熱胃緩則爲唾邪氣內逆則氣爲之閉塞而不行不行則爲水脹余知其然也不知其所由生願聞其說輸逆致也水穀入於口逆於腸胃之中化爲津液凡有五別則五藏津液凡所言液者通名爲津經稱津者不名爲液故液有五也此畧舉五液請解其義也　平按甲乙無余知其然也願聞其說九字靈樞說作道注逆致逆於別本逆均作送岐伯答曰水

穀皆入於口其味有五各注其海五味走於五藏四海肝心二藏主血故酸苦二味走於血海脾主水穀之氣故甘味走於水穀海肺主於氣故辛走於膻中氣海腎主腦髓故鹹走髓海也　平按甲乙各注作分注津液各走其道目為泣道腠理為汗道廉泉為涎道鼻為涕道口為唾道也故上焦出氣以溫肌肉充皮膚為津上焦出氣出胃上口名曰衛氣溫煖肌肉潤澤皮膚於腠理故稱為津也　平按上焦靈樞作三焦甲乙膚下有者字靈樞為下有其字其留而不行者為液水穀精汁注骨屬節中留而不去謂之為液　平按靈樞留作流天暑衣厚則腠理開故汗出因熱而腠理開而出者謂之為汗寒留於分肉之間沫聚則為痛寒留分肉之間津液聚沫迫裂分肉所以為痛　平按靈樞甲乙沫聚作聚沫天寒則腠理閉氣濇不行水下溜於膀胱則為溺與氣此解溺氣多之所由也　平按靈樞濇作澀下溜作下留甲乙作下流五藏六府心為之主耳為之聽目為之候肺為之相肝為之將脾為之衛腎為之主水

平按水靈樞甲乙作外故五藏六府之津液盡上滲於目心悲氣并則心系急急則肺葉舉舉則液上溢夫心系舉肺不能常舉乍上乍下故唏而泣出矣唏音去身中五官所管津液并滲於目為泣唏者泣出之時引氣張口也　平按肺葉舉舉靈樞作肺舉肺舉夫心系舉肺舉字靈樞作與甲乙作急靈樞唏作欬甲乙同泣出甲乙作涎出中熱則胃中消穀穀消則蟲上下作腸胃充郭故緩緩則氣逆故唾出蟲者三蟲也郭者胸臆也穀消之時則蟲動上下腸胃寬充郭中故腸胃緩而氣上所以唾也　平按故緩緩靈樞甲乙作故胃緩五穀之津液和合而為膏者內滲入於骨空補益腦髓而下流於陰平按陰靈樞甲乙作陰股陰陽不和使則液溢而下流於陰髓液皆減而下下過度則虛虛故骨脊痛而胻痠補益腦髓者穀之津液和合為膏滲入頭骨空中補益於腦滲入諸骨空中補益於髓下流陰中補益於精若陰陽過度不得以理和使則精

液溢下於陰以其分減髓液過多故虛而腰痛及脚胻痠也　平按靈樞甲乙使則作則使陰陽氣道不通四海閉塞三焦不寫津液不化水穀并於腸胃之中別於迴腸留於下焦不得滲膀胱則下焦脹水溢則爲水脹　藏府陰陽不得和通則四海閉而不流三焦壅而不寫其氣不得化爲津液水穀并於腸胃不消別於迴腸而留下焦不得入於膀胱脹於下焦溢入於身故爲水脹也　平按并於靈樞作并行　此津液五別之順逆　此上五別是爲津液順逆之義　平按順逆靈樞作逆順也

水論　平按此篇自篇首至末見素問卷二十四第八十一解精微論篇自曰請問哭泣而淚不出者至末見甲乙經卷十二第一

黃帝坐明堂雷公曰臣受業傳之以教皆以經論從容形法陰陽刺灸湯液藥滋所行治有賢不肖未必能十全謹聞命矣　天地之間四方上下六合宇間有神明居中以明造化故號明堂法天地爲室聖明居中以明道教

稱爲明堂從容者詳審皃也所受太素經論攝生安形詳審之法是謂陰陽刺灸湯液藥滋四種之術莫不要妙然□不肖行之不能十全謹受詔命雷公言已領解之 平按素問坐作在以教作行教教下無皆字湯下無液字滋所作所滋無謹聞命矣四字注不肖上原缺一字袁刻作有 黄帝曰若先言悲哀喜怒燥溼寒暑陰陽婦女若汝也先所言人悲哀等事請問所由者貧富賤貴及諸羣下通使臨事之徒使之適於道術聞其命 平按素問無黄帝曰三字 請問其所以然者卑賤富貴人之形體所從羣下通使臨事以適道術謹聞命矣請問其有俛愚仆偏之問不在經者敢問其狀雷公問有偃仆偏問雖合於道然不在經者欲知其狀也 平按素問俛作毚偏作㴸敢問作欲聞新校正云全元起本仆作朴 黄帝曰大矣仆偏所問之義大矣也 曰請問哭泣而淚不出者若出而少涕其故何也泣從目下涕自鼻出關爲一液也故人哭之時涕泣交連然有哭而無泣縱有泣涕少何也涕洟也 平按素問曰作公注縱有泣袁刻有字誤作少 黄帝曰在經□是此在經已陳之義非仆偏之問也 平按素問作在經有也 又復

問曰不知水所從生涕所從出也水者泣也請問涕泣何所從生平按素問無又曰二字黃帝曰若問此者無益於治工之所知道之所生也若汝也汝之問者無益於人仁義教有益於身道德之道故斯二者道之生也夫心者五藏專精也目者其竅也華色者其榮也是以人有得也則氣知於目有亡也憂知於色是以悲哀則泣下泣下水所由生心爲五藏身之總主故爲專精目爲心之通竅華色爲心之榮顯故有得通於心者氣見於目覩目可知其人喜也有亡於已者氣見於色視色可見其人憂也心哀悲者泣下水生也平按得素問作德新校正云太素德作得水宗者精水者至陰至陰者腎之精也宗精之水所由不出者是精持之也輔裹之故水不行也宗本也水之本是腎之精至陰者也則知人之哭泣不出者是至陰本精輔裹持之故不得出之矣平按水宗者甲乙作重精者精水者素問甲乙作積水也積水者六字所由素問甲乙作所以輔下素問甲乙有之字夫水之精爲志

蘭陵堂刊

火之精爲神是以目之水不生也（水陰精者志也火陰精者神也兩精持之故泣不下也平按夫下甲乙有氣之傳也四字神下素問甲乙有水火相感神志俱悲八字生上無不字）故以人彥言曰心悲名志悲心與精共湊目也是以俱悲則神氣傳於心精上不傳於志也而志獨悲故泣出也（彥美言也人之美言有當故取以爲信也彥言心悲名曰志悲有所以也良以心與精在於目俱爲悲者神氣傳於心精不傳於志亦無神持故陰精獨用爲悲所以泣水下也　平按素問甲乙故以人彥言曰作故諺言曰名下有曰字心與精作志與心精湊下有於字）涕泣之者腦腦者陽也髓者骨之充也故腦滲爲涕故夫志者骨之主也是以水流涕從之者行其類也夫涕之與泣也譬如人之兄弟也急則俱死出則俱亡其志以搖悲是以涕泣俱出而横行是故涕泣俱出相從志所屬之類

也夫涕泣之出本於腦也頭髓爲陽充骨之陰也志爲骨主腦深爲涕涕之與泣同爲水類故泣之水出涕即從之比之兄弟有急有出死生是同相隨不離涕泣亦爾志動而悲則涕泣横之也　平按陽也素問作陰也新校正云甲乙經太素陰作陽深素問甲乙作滲行其類也素問作其行類也出則俱亡素問甲乙作生則俱生新校正云太素生則俱生作出則俱亡揺悲素問甲乙作早悲相從志素問甲乙作相從者雷公曰大矣請問人哭泣而泣不出者若出而少涕不從何也讚帝所言並重問前哭涕泣之事黄帝曰夫泣不下者哭不悲也不泣者神不慈志不悲陰陽相持泣安能獨來神者爲陽志者爲陰神之失守故慈志之失守故悲悲故泣出今陰陽相持無失泣安從生也　平按不下素問甲乙作不出神不慈下素問甲乙有也神不慈則五字且夫志悲者惋則冲陰冲陰則志去目志去目則神不守精精神去目涕泣出也冲虛也志悲既甚即虛於陰陰虛則志亡志亡去目則可神次守精今神亦去目故涕泣俱出　平按甲乙素問惋下重一惋字精神精字原鈔作兩點乃上精字重文袁刻誤作二謹依素問甲乙作精注則可神次守精疑有誤袁刻可作不別本作則神不守精目

六　蘭陵堂刊

子獨不誦念夫經言乎厥則目無所見夫人厥則陽氣并於上陰氣并於下陽并於上則火獨光陰并於下則手足寒手足寒則脹夫一水不勝兩火故目眥而盲厥逆也人氣逆者陽氣并陰歸上於頭陰氣并陽歸下手足歸下手足則手足冷歸上於頭遂至目盲以其目是陽已是一火下陽并上則是二火志精在目則是一水一水不勝二火故熱盛爭而盲也平按素問甲乙手足寒作足寒兩火作五火故目眥而盲素問無而字甲乙作故目盲是以衛氣之風泣下而止是衛氣將於邪風至目遂令泣下風乃止也平按衛氣之風素問甲乙作氣衝風三字而止作而不止夫風之中目陽氣下守於精是火氣循目也故見風則泣出有以比之天之疾風乃能雨此其類風者陽也火也風之守精是火循目陽氣動陰陰作泣出比天疾風其雨必降之也平按甲乙素問下守作內守循目作燔目天之疾風素問作夫火疾生風新校正云太素作天之疾風乃能雨無生字與此正同甲乙作夫疾風生其類作之類

脹論平按此篇自篇首至惡有不下者乎見靈樞卷六第三十五脹論篇又見甲乙經卷八第三自黃帝問於岐伯曰水與膚脹至亦刺去其血脈黃帝曰善見靈樞卷九第五十七水脹篇又見甲乙經卷八第四自黃帝問於岐伯曰有病心腹滿至末見素問卷十一第四十腹中論篇甲乙經見同上

黃帝曰脉之應於寸口何如而脹岐伯曰其至大堅以濇者脹脉之大者多血少氣濇者亦多血少氣微寒脉口盛緊傷於飲食以其脉至診有多血少氣微寒即是傷於飲食爲脹也平按靈樞其至作其脉甲乙堅下有直字黃帝曰何以知府藏之脹也岐伯曰陰爲藏而陽爲府診得陰脉脹者以爲藏脹診得陽脉脹以爲府脹也黃帝曰夫氣之令人脹也在於血脉之中耶府藏之內乎血脉謂二十八脉也問脹所在也岐伯曰二者皆存焉然非脹之舍也衛氣並脉而行循分肉之間爲脹血脉及五藏六府各脹故曰二者存焉然非脹之所舍之處也平按靈樞二作三注云一作二黃帝曰願聞脹舍岐伯曰夫脹者皆在於府藏之外排藏府而郭胸脇脹皮

內經三十九　七

蘭陵堂刊

膺故命曰脹以下言其脹舍取之藏府之外胸脇及皮膚之間氣在其中郭而排之故命曰脹黃帝曰藏府之在胸脇腹裏之内也若匣匱之藏禁器也各有次舍異名而同處一城之中其氣各異願聞其故以下藏府居處也禁器比藏府也胸脇腹裏比之匣匱也次舍者五藏六府各有居處也藏府之名雖異同在一郭之中然藏府俱別請聞同異所由　平按甲乙無胸脇腹裏之五字城作域靈樞同其故下有黃帝曰未解其意再問九字岐伯曰夫胸腹者藏府之城郭也城郭藏府所處也　平按靈樞無城字膻中者主之官也膻中有心肺之氣故是藏府之官也　平按靈樞主之官作心主之宫城甲乙作心主之中宫胃者大倉也胃貯水穀以供故爲藏府大倉也咽喉小腸者傳道也咽傳水穀而入小腸傳之而出喉傳氣之出入故爲傳道也　平按靈樞道作送胃之五竅者閭里門戶也咽胃大腸小腸膀胱等竅皆屬於胃故是藏府閭里門戶也廉泉玉英者津液之道也故五藏六府各有畔界其病各有形狀廉泉

乃是涎唾之道玉英復爲溲便之路故名津液道也此則藏府畔界故藏府病形各異　平按甲乙道下有路字　營氣循脈爲脈脹衛氣并脈循分爲膚脹三里而寫近者一下遠者三下毋問虛實工在疾寫　以下謂營衛二氣爲脹營氣循脈周於腹郭爲脹名爲脈脹衛氣在於脈外傍脈循於分肉之間聚氣排於分肉爲腫稱爲膚脹三里以爲脹之要穴故不問虛實皆須寫之其病日近者可以鍼一寫其日遠者可三寫之下者脹消也終須疾寫可不致疑矣　平按靈樞營氣循脈下有衛氣逆三字衛氣并脈循分甲乙作衛氣并血脈循分肉三里而寫甲乙作取三里寫之一下下字甲乙注云一本作分下同　黄帝曰願聞脹形　願聞五藏六府脹形也　岐伯曰夫心脹者煩心短氣臥不安　平按甲乙安上有得字　肺脹者虛滿而喘欬肝脹者脇下滿而痛引少腹脾脹者喜噦四支急體重不能衣腎脹者腹滿引背快然腰髀痛　氣在藏府之外排藏府郭胸脇脹皮膚時煩心短氣臥不安者以爲心脹知此五藏六府脹皆放此各從其藏府所由脹狀有異耳快不暢也　平按靈樞少腹作小腹喜噦作善噦甲乙作苦噦

內經二十九　八

蘭陵堂刊

四支急靈樞作四肢煩悗甲乙作四肢悶靈樞衣上有勝字怏然靈樞作央央然六府脹者胃脹腹滿胃管痛鼻聞焦臭妨於食大便難大腸脹者腸鳴而痛濯濯腸中水聲也　平按靈樞甲乙胃管作胃脘冬日重感於寒則湌食不化小腸脹者少腹䐜脹引腰而痛膀胱脹者少腹滿而氣癃三焦脹者氣滿於皮膚中殼殼然而不堅膽脹者脇下痛脹口中苦好太息香為脾臭焦為心臭今脾胃之病聞焦臭者以其子病思聞母氣故也殼口角反殼殼□□皃今殼殼似實而不堅也　平按湌食靈樞作飧泄甲乙作泄湌少腹滿靈樞甲乙作小腹滿殼殼靈樞作輕輕好太息作善太息凡此諸脹其道在一明知逆順鍼數不失一者唯知補寫也補虛寫實得中故不失也寫虛補實神去其室致邪失正真不可定粗之所敗謂之夭命神室心藏也補實寫虛傷神故神去心室神去心室得於邪氣失其四時正氣致使真僞莫定也補虛

寫實神歸其室久塞其空謂之良工神安其藏故曰歸室神得歸藏自斯已去長閉腠理不令邪入謂上工也黃帝曰脹者焉生何因而有名平按靈樞無名字岐伯曰衛氣之在身也常并脈循分行有逆順陰陽相隨乃得天和衛氣并脈循於分肉有逆有順從曰循足三陽下爲順從曰循手三陽下爲逆以衛行有逆順故陰陽氣得和而順也 平按靈樞常下有然字甲乙分下有肉字靈樞同五藏更治四時有序五穀乃化然後厥氣在下營衛留止寒氣逆上真邪相攻兩氣相薄乃合爲脹五藏屬於五行故五藏更王四時寒暑次序得所五穀入腹得有變化也有寒厥之氣留於營衛之閒營衛不行寒氣逆上與正氣相薄交爭憤起謂之爲脹 平按更治靈樞作更始甲乙作皆治有序靈樞作循叙甲乙作皆叙薄靈樞作搏甲乙乃合爲脹作乃舍爲脹黃帝曰善何以解惑岐伯曰合之於真三合而得黃帝曰善行補寫時近者一取合於真氣即得病愈遠者三取合於真氣稱曰解惑之也黃帝問岐伯曰脹論

蘭陵堂刊

言曰毋問虛實工在疾寫近者一下遠者三下今有其三而不下其過焉在前言寫虛補實神去其室今言無問虛實工在疾寫其故何也所謂初病未是大虛復取三里故工在疾寫若虛已成又取餘穴虛者不可也今至三取不消請言過之所由也岐伯曰此言陷於肉肓而中氣穴者也肉肓者皮下肉上之膜也量與肌膚同類氣穴謂是發脹脈氣所發穴也不中氣穴則氣內閉鍼其餘處不中脹之氣穴則脹不洩也　平按注鍼袁刻誤作計鍼不陷肓則氣不行不陷肓膜則氣不行分肉間也不越中肉則衛氣相亂陰陽相逐其於脹也當寫不寫氣故不下三而不下必更其道氣下乃止不下復始可以萬全惡有殆者乎鍼入其皮起而不下其肉則衛氣行而失次陰陽之氣并也遂并也由於當寫不寫故三取不下也必須更取餘穴以行補寫以脹消爲工故得萬全必無危生之禍也　平按不越靈樞甲乙作上越相遂靈樞作相逐甲乙作相逆其於脹也必審其診當寫則寫當補

則補如鼓之應桴惡有不下者乎（言診審者如鼓應桴何有不當者也　平按診靈樞作胗注音軫）黃帝問於岐伯曰水與膚脹鼓脹腸覃石瘕石水何以別（此之六病有難分者故請別之也　平按甲乙無石水二字靈樞甲乙別下有之字）岐伯曰水始起也目果上微癰如臥新起之狀頸脈動時欬陰股間寒足胻癰腹乃大其水已成也以手按其腹隨手而起如裹水之狀此其候也（水病之狀候有六別一者目果微腫二者足陽明人迎之脈眡見其動不待按之三者脹氣循足少陰脈上衝於肺故時有欬四者陰下陰股間冷五者腳胻腫起六者腹如囊裹盛水狀按之不堅去手即起此之六種水病候也　平按靈樞甲乙目果作目窠微癰作微腫足胻癰靈樞作足脛瘇甲乙作足脛腫注眡袁刻作眼）黃帝曰膚脹何以候之岐伯曰膚脹者寒氣客於皮膚之間殼殼然不堅腹大身盡腫皮厚按其腹窅而不起腹色不變此

其候也次解膚脹凡有五別一者寒氣循於衛氣客於皮膚之間二者爲腫不堅三者腹大身腫四者皮厚按之不起窅焉了反深也五者腹色不變膚脹所由與候有斯五別也　平按殼殼然靈樞作鼟鼟然窅甲乙作腹陷二字

鼓脹何如岐伯曰腹身皆大大與膚脹等也色蒼黃腹脈起此其候也次解鼓脹凡有六別所由及候四種同於膚脹五者腹色青黃六者腹上脈絡見出鼓脹之候有此六別也　平按腹身皆大靈樞作腹脹身皆大甲乙作腹身皆腫靈樞甲乙倉作蒼脈起作筋起甲乙注云一本作脈

腸覃何如岐伯曰寒氣客於腸外與衛氣相薄氣不得營因其所繫瘕而內著惡氣乃起息肉乃生其始也大如雞卵稍以益大至其成也如懷子之狀久者離歲按之則堅推之則移月事以時此其候也次解腸覃水停聚也腸覃凡有六別一者得之所由謂寒客於腸外與衛氣合瘕而爲內二者所生形之大小三者成病久近離歷也久者或可歷於年歲四者按之堅鞕五者推之可移六者月經時下腸覃所由與狀有斯六種也　平按靈樞甲乙相薄作相搏氣不

得營甲乙作正氣不得營靈樞營作榮瘕作癖息肉作瘜肉甲乙離歲作離歲月石瘕何如岐伯曰石瘕生於胞中寒氣客於子門子門閉塞氣不通惡血當寫不寫衃以留止日以益大狀如懷子月事不以時下次解石瘕凡有四別一者瘕住所在二者得之所由謂寒氣客子門之中惡血凝聚不寫所致三者石瘕大小形四者月經不以時下石瘕所由與狀有斯四種石水一種缺而不解也　平按氣不通靈樞作氣不得通皆生於女子可導而下黃帝曰膚脹鼓脹可刺耶岐伯曰先刺其腹之血絡後調其經亦刺去其血脉黃帝曰善腸覃石瘕二病皆婦人病也水病刺而去之腸覃石瘕可以鍼刺導而下之未知膚鼓二脹可刺已不先寫其血絡以去惡血後調其經亦去血絡也　平按靈樞腹之血絡作脹之血絡去其血脉作去其血絡黃帝問於岐伯曰有病心腹滿旦食則不能暮食此爲何病岐伯曰名爲鼓脹曰治之柰何曰治之以雞醴一

齊知二齊而已黃帝曰其時有復發者何也岐伯曰
此飲食不節故時痛雖然其病且已時當痛氣聚於
腹氣滿心腹故旦食暮不能也是名鼓脹可取雞糞作丸熬令烟盛以清酒
一斗半沃之承取汁名曰雞醴飲取汗一齊不愈至於二齊非直獨療鼓
脹膚脹亦愈有復發者以不慎節飲食故也　平按鼓脹素問新校正云太素
鼓作穀兹本仍作鼓注同素問甲乙雞醴作雞矢醴齊作劑故時痛作故時有
病也時當痛素問作時故當病甲
乙作因當風注取汗袁刻作取汁

風水論平按此篇自篇首至故月事不來黃帝曰善哉見素問卷九第三
十三評熱病論篇自黃帝問於岐伯曰有病龎然至末見素問卷
十三第四十七奇病論篇又自
篇首至末見甲乙經卷八第五

黃帝曰有病腎風者面胕龎然壅害於言可刺不胕
扶
付反義當腐也龎普江反腎氣損腐令面龎然起壅也而言無聲故曰害言此
為腎風之狀可刺以不也　平按龎素問甲乙作痝甲乙壅上有腫字注云素
問無腫字不
甲乙作否
岐伯曰虛虛不當刺而刺後五日其氣必至

如此狀者腎風之狀腎之重虛之風不可刺也刺之至其水數滿日其病氣當至也除刺之日後取五日合有六日水成數也　平按素問甲乙虛虛不當刺而刺作虛不當刺不當刺而刺問曰何如平按素問甲乙作其至何如答曰至必少氣時熱從胸背上至頭汗手熱口乾苦渴不能正偃正偃則欬病名曰風水腎風病氣至者凡有八候一者少氣二時熱三從胸至頭汗出四手熱五口熱六苦渴七不能正偃謂不能仰臥仰臥即欬有此八候候是腎風水病也　平按素問時熱下重時熱二字甲乙時下無熱字汗下素問甲乙有出字苦渴下素問有小便黃目下腫腹中鳴身重難以行月事不來煩而不能食二十三字甲乙同惟行上少以字食下重食字袁刻補入正經據本注不應補入仍從原鈔爲是黃帝曰願聞其說岐伯曰邪之所湊其氣必虛陰虛者陽必湊之故小便黃者中有熱邪湊虛腎氣虛也腎氣既虛則陽氣并之故中有熱小便黃也　平按小便黃者中有熱素問作少氣時熱而汗出也小便黃者少腹中有熱也甲乙作少氣時熱而汗出小便黃小便黃者少腹氣熱也不能正偃者胃中不和也正偃則欬甚上迫肺也腎有虛風即胃中不和仰臥氣上迫肺故

蘭陵堂刊

欬也諸有水氣者其微見於目下何以言曰水者陰也目下亦陰也腹者至陰之所居也故水在腹者必使目下腫水與目下及腹皆陰故水在腹即目下腫也　平按素問甲乙其微作徵腫何以上素問有帝曰二字甲乙有曰字真氣上逆口苦舌乾者故不得正偃正偃則欬清水以水在腹故真氣上逆口苦舌乾正偃則欬欬則吐清水也　平按素問甲乙逆下有故字乾下無者故二字有臥字欬下有出字諸水病者故不得臥臥則驚驚則欬甚又諸水病仰臥驚則欬甚復為候也　平按注復袁刻誤作腹腹中鳴者月事不來病本於胃也薄肝則煩不能食食不下者胃管隔月事不來之病由於胃氣不和故氣薄於肝煩不能食致使胃管隔塞腹中無食故腹鳴也　平按素問甲乙無月事不來四字甲乙病作脾素問甲乙薄肝作薄脾胃管作胃脘身重難以行者胃脈在足也胃脈足陽明在足今胃氣不和氣下於足遂令身重足不能行也月事不來者胞脈閉肺屬心而溢於

胞中令氣上迫肺心藏不得下通故月事不來黃帝曰善哉胞者任衝之脉起於胞中爲經絡海故曰胞脉也膀胱之胞與女子子門之間起此衝脉上至咽喉先過心肺但肺與心共相繫屬今胞脉虛邪閉塞下則溢於胞氣上則廹於肺氣不得下故月事不來也　平按肺屬心而溢於胞中素問甲乙作胞脉者屬心而絡於胞中令作今心藏作心氣

黃帝問於岐伯曰有病龐然如有水氣狀切其脉大緊身無痛者形不瘦不能食食少名爲何病岐伯曰病生在腎名爲腎風腎風而不能食喜驚驚以心痿者死黃帝曰善哉龐然者面皮起之皃腎風之狀凡有六別一面龐起二脉大緊三身無痛四形不瘦五食少六喜驚人有此六狀名曰腎風心不痿者可療得生痿者死矣　平按如有水氣狀素問無氣字生甲乙作主喜素問甲乙作善驚以素問作驚已甲乙作不已心痿素問甲乙作心氣痿袁刻痿作委

欬論平按此篇自篇首至末見素問卷十第三十八欬論篇又見甲乙經卷九第三

蘭陵堂刊

黃帝問於岐伯曰：肺之令人欬何也？岐伯曰：五藏六府皆令人欬，非獨肺也。五藏六府皆以肺傳與之，稱欬爲肺欬，然藏府皆有欬也。黃帝曰：願聞其狀。岐伯曰：皮毛者，肺之合也。毛先受邪氣，從其合，其寒飲食，飲食入胃，順肺脈上注於肺，肺寒外内合，邪因而客之□，爲肺欬。肺合皮毛，故皮毛受於寒邪，内合於肺。人肺脈手太陰，起胃中焦，下絡大腸，還循胃口，上鬲□肺。寒飲寒食入胃，寒氣循肺脈上入肺中，内外寒邪相合，肺以惡寒，遂發肺欬之病也。平按：素問、甲乙毛先受邪氣從其合作皮毛先受邪氣，邪氣以從其合；飲食二字不重；順肺脈作從肺脈；上注於肺作上至於肺；肺寒外内合作則肺寒，肺寒則外内合；爲上鈌一字，素問、甲乙作則，袁刻作發；注鬲下鈌一字，袁刻作故，不合。平擬據經文作注字，與肺字屬上讀。五藏各以其時受病，非其時各傳以與之。五藏各以王時傷寒，肺先受之，傳爲五藏之欬。非其時者，又因他藏受寒傳來與之，故肺欬之病傳與餘藏，稱五藏欬也。人與天地相參，故藏各治時感於寒則受病，微則爲欬甚則爲洩爲痛各以時者五藏各以王時也感於寒者感傷寒也感傷寒病有輕有重輕者爲欬重者以爲洩及痛痺也　平按故藏各治時素問甲乙作故五藏各以治時黄帝曰五藏之欬奈何岐伯曰五藏之久欬乃移於府以下言肺欬相傳爲藏府欬也五藏之欬近者未虛久者傳爲六府欬也　平按素問甲乙無此一段五藏之久欬二句在後脾欬不已上肺先受邪乘春則肝先受之乘夏則心受之乘至陰則脾受之乘冬則腎受之肺以惡寒肺先受寒乘春肝王時肝受即爲肝欬若肺先受寒乘於至陰即爲脾欬若肺先受寒乘冬即爲腎欬　平按素問肺先受邪上有乘秋則二字新校正云按全元起本及太素無乘秋則三字疑此文誤多也黄帝曰何以異之以下言問答五藏欬狀也岐伯曰肺欬之狀欬而喘息有音甚則唾血言肺欬狀也心欬之狀欬則心痛喉中介介如哽狀甚則咽喉腫介介喉中氣如哽也　平按甲乙介介作喝喝哽素問甲乙作梗咽喉腫素問甲乙作咽腫喉痺肝欬之狀欬則兩胠下痛甚則不可以轉

兩胠下以滿脾欬之狀欬則在右脇下痛引肩背甚則不可以動動則欬胠有本作脇也　平按兩胠下痛甲乙作胠痛素問作兩脇下痛兩胠下以滿素問作轉則兩胠下滿甲乙胠作脇引肩上素問甲乙有陰陰二字則欬下素問有劇字腎欬之狀欬則腰背相引而痛甚則欬演音涎腎液也謂欬涎出之也　平按演素問甲乙作涎黃帝曰六府之欬奈何安所受病岐伯曰脾欬不已則胃受之胃欬之狀欬而歐歐甚則長蟲出以下問答言六府欬狀六府之欬皆藏欬日以移入於府以爲府欬府不爲欬移入藏者以皮膚受寒内至於肺肺中外寒兩邪爲欬移於五藏然後外至於府故不從府移入於藏所以脾欬日以移爲胃欬長蟲蛕蟲也　平按素問甲乙脾欬不已土有五藏之以欬乃移於六府二句肝欬不已則膽受之膽欬之狀歐膽汁歐膽汁者欬引於膽故歐膽口苦也　平按歐歐膽汁素問甲乙作欬嘔膽汁肺欬不已則大腸受之大腸欬之狀欬而遺矢遺矢者欬引大腸故遺矢也　平按矢素問作失新校正云甲乙遺失作遺矢

心欬不已則小腸受之小腸欬之狀欬而氣氣者與欬俱出小腸在上欬引小腸故氣與欬俱發者也　平按欬而氣氣者與欬俱出素問甲乙作欬而失氣氣與欬俱失腎欬不已則膀胱受之膀胱欬之狀欬而遺溺欬動膀胱故尿出也　平按甲乙遺溺作遺尿久欬不已三焦受之三焦欬之狀欬而腹滿不欲食飲三焦無別屬藏與膀胱合故膀胱之欬久而不已腹病滿不欲食也此皆聚於胃關於肺使人多涕唾而面浮腫氣逆此六府欬皆以氣聚胃中上關於肺致使面壅浮腫氣逆爲欬也　平按素問甲乙胃下無管字黃帝曰治之奈何岐伯曰治藏者治其輸治府者治其合浮腫者治其經黃帝曰善療五藏欬宜療藏經第三輸也療六府欬者宜療藏經第六合也有浮腫者不可治絡宜療經穴也　平按輸素問甲乙作俞

黄帝内經太素卷第二十九 氣論　黄陂蕭貞昌校字

黄帝内經太素卷第三十 雜病

通直郎守太子文學臣楊上善奉　敕撰注

黄陂蕭延平北承甫校正

平按此卷卷首目録五十四行袁刻及日本别鈔本全佚平從楊惺吾氏所獲仁和寺十三紙中補入目録末有二行一行重身病三字高一格寫一行上缺三字下有於岐伯曰四字是上缺三字應係黄帝問三字曰下缺一字又下爲有重二字又下缺五字又下有此爲二字又下缺一字據素問奇病論及甲乙經婦人雜病篇曰下所缺一字應作人重下所缺五字應作身九月而瘖五字爲下所缺一字應作何則此一行應作黄帝問於岐伯曰人有重身九月而瘖此爲何正與本書下文病字相接

重身病

温暑病

四時之變

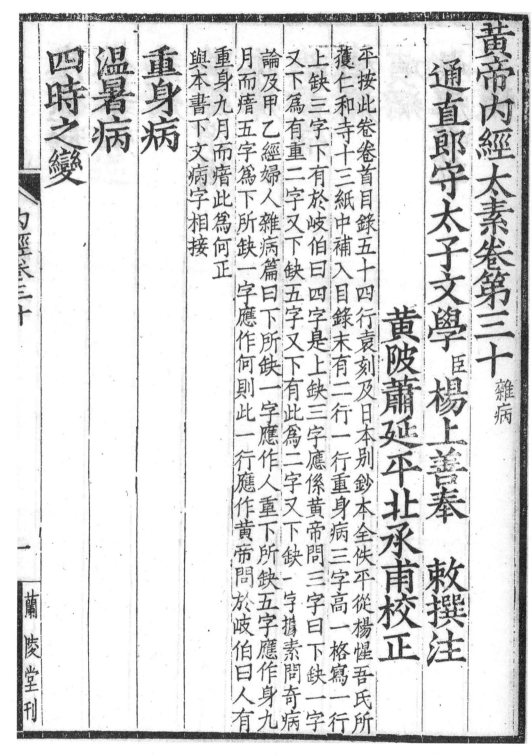

息積病
伏梁病
熱痛
脾癉消渴
膽癉
頭齒痛
頷痛
項痛
喉痺嗌乾
目痛

耳聾

衄血

喜怒

疹筋

血枯

熱煩

身寒

肉爍

卧息喘逆

少氣

氣逆滿
療噦
胥痛
髀疾
膝痛
痿厥
癃洩
如蠱如妲病
癲疾
驚狂

厥逆
厥死
陽厥
風厥本書作風逆
風痓
酒風
經解
身度
經絡虛實
禁極虛

經輸所療

重身病平按此篇自篇首至末見素問卷十三第四十七奇病論篇又見甲乙經卷十二第十

黃帝問於岐伯曰：人有重身九月而瘖，此爲何從太素殘卷補入病？岐伯曰：胞之絡脈絕。問曰：何以言之？答曰：胞絡繫於腎少陰脈，貫腎繫舌本，故不能言。曰：治之奈何？曰：無治也，當十月復。婦人懷子又名曰重身□□□□□屬膀□不言女子□今云胞絡繫於腎少陰上繫舌本者以是女子胞絡亦繫於腎故任身九月有胞絡絕者瘖不能言至十月胎生還復舊也　平按注重身下原缺六字宜空六格袁刻作胞絡脈三字不合膀下原缺一字宜空一格應是胱字袁刻作胱腎府三字不合女子下原缺一字袁刻作腎十月上袁刻脫至字復下袁刻脫舊也二字

刺法曰：無損不足，益有餘，以成疹。平按益甲乙作溢以成疹素問作以成其疹甲乙疹作辜注云素問作疹素問疹下有然後調之四字新校正云甲乙及太素無此四字乃本全元起注文誤書於此今當删去之所謂不足者身羸

瘦無用鑱石也益有餘者腹中有形而泄之泄之則精出而病獨擅中也故曰疹成身之羸瘦更用鑱石此爲損不足也腹中有形此爲有餘益之以成其病斯乃損於有餘爲病也益有餘爲病□知□實爲病難□故須言之　平按疹成甲乙作成辜

溫暑者病平按此篇自篇首至勿止見素問卷九第三十一熱病篇篇末一句見素問卷十六第六十一水熱穴論又見甲乙經卷七第一

凡病傷寒而成溫者先夏至日者爲病溫後夏至日者爲病暑病者當與汗皆出勿止所謂玄府者汗空冬傷於寒輕者夏至以前發於病溫冬傷於寒甚者夏至以後發於病暑暑病熱氣與汗俱出者此爲熱去勿止汗之空名玄府者謂腠理也　平按素問甲乙病者當與汗作暑當與汗甲乙汗空作汗孔也又素問新校正引楊注發於兩於字均作爲

四時之變平按此篇自篇首至末見靈樞卷十一第七十四論疾診尺篇又自春傷於寒至欬嗽見素問卷二第五陰陽應象大論篇又見甲乙卷十一第五

四時之變寒暑之勝重陰必陽重陽必陰故陰主寒陽主熱故寒甚則熱熱甚則寒日中陽隴必降爲陰夜半陰極必昇爲陽故曰寒生熱熱生寒此陰陽之變也十一月極寒一陽爻生即寒生熱也五月一陰爻生即熱生寒也故曰冬傷於寒春生癉熱寒冬之氣也傷過多也人之冬月受寒過多至春必屬癉熱之病此爲寒生熱也春傷於風夏生飧泄腸澼風春之氣也受風過多極爲飧泄腸澼此爲風生飧泄也夏傷於暑秋生痎瘧暑夏之氣也受暑過多極爲痎瘧此爲暑生瘧也秋傷於溼冬生欬嗽是謂四時之序溼秋之氣也受溼過多極爲欬嗽此爲溼生欬也此是四時必□□□不可易

平按注四時下原鈔有必字必下缺三字最下一字下半作文袁刻四時下無必字作之序支三字不合茲於必字下仍空三格

息積病平按此篇見素問卷十三第四十七奇病論又見甲乙經卷八弟二

黄帝問於岐伯曰病脇下滿氣逆行二三歲不已是

爲何病岐伯曰名曰息積此不妨於食不可灸刺精爲引服藥藥不能獨治也黃帝曰善脇下滿肝氣聚也因於喘息則氣逆行故氣聚積經二三歲名曰息積無妨於食而不可灸可以刺□引精並服藥藥行不可更刺　平按素問逆下無行字精爲引素問甲乙作積爲導引袁刻作精爲導引注可以刺袁刻刺字在可以二字之上可以下有導引二字無精字原鈔作可以刺刺下缺一字缺字下有引精二字謹依原鈔

伏梁病平按此篇見素問卷十一第四十腹中論又見素問卷十三第四十七奇病論又見甲乙經卷八第二

黃帝問曰人有身體胕股脛皆腫環齊而痛是爲何病岐伯曰病名曰伏梁此風根也不可動動之爲水溺清之府頭以下爲身四支曰體胕義當腐也髀外曰股膝下長骨曰脛如此四處皆腐腫並繞齊痛名曰伏梁此伏梁病以風爲本也動變發也若有變發可爲水病溺冷清之府也　平按素問胕作髀不可動上有其氣溢於大腸而著於肓肓之原在齊下故環齊而痛也二十二字本書在後甲乙素問清作濇府作病

黃帝問曰病有少腹盛者上下左右皆有

根此爲何病可治不岐伯曰病名伏梁伏梁何因如得之平按素問作帝曰伏梁因何而得之答曰裹膿血居腸胃之外不可治治之每切按之致死因有膜裹膿血在腸胃外四箱有根在少腹中不可按之故按之痛遂致於死名曰伏梁平按素問甲乙裹下有大字問曰何以然曰此下則因陰必膿血上則迫胃脘出鬲使胃脘內癰何以按之致死以其伏梁下因於陰膿血必上迫於胃管上出於鬲使胃管生癰故按之下引於陰上連心腹所以致死脘□□□平按素問甲乙必膿血作必下膿血出鬲作生鬲使胃作俠胃新校正云太素俠胃作使胃此人之病難治也居齊上爲逆居齊下爲順勿動亟奪論在刺法中此風根也其氣溢於大腸而著於肓肓之源在齊下故環齊而痛也如此之病得時必久也亟欺吏反數也此病是風爲本其氣溢於大腸之中著於齊下肓原故環臍痛不可輒動數奪奪之致死以居肓原所以齊上爲逆也平按此人之病難治也素問甲乙作此久病難治袁刻人字作積

人二字齊素問甲乙作
臍源素問甲乙作原

熱痛平按此篇見素問卷十一第四十腹論篇又見甲乙經卷七第一中篇

黄帝問於岐伯曰病熱者而有所痛者何也曰熱病者陽脈也以三陽之動也人迎一盛少陽二盛太陽三盛陽明在太陽□太陽入於陰故痛也在頭與腹乃䐜脹而頭痛黄帝曰善哉陽明血氣最大故人迎三盛得知有病太陽次少故二盛得知次少陽最少故一盛得知熱病爲陽太陽在頭故熱病起太陽先受太陽受巳下入陽明故陽明次病陽明受巳未流少陽故少陽有病太陽入於少陰陽盛陰虛故頭痛陽盛陰虛故腹脹也　平按甲乙一盛二盛三盛下均有在字素問在太陽三字作入陰也三字新校正云甲乙經無入陰也三字太陽入於陰故痛也在頭與腹素問甲乙作夫陽入於陰故病在頭與腹

脾癉消渴平按此篇見素問卷十三第四十七奇病論篇又見甲乙經卷十一第六

黃帝曰有病口甘者名爲何何以得之岐伯曰此五氣之溢也名曰脾癉夫五味入於口藏於胃脾爲之行其清氣液在脾令人口甘此肥美之所致也此人必數食甘美而多肥者令人內熱甘者令人滿故其氣上溢轉轉爲消渴治之以蘭蘭除陳氣五氣五穀之氣液在脾者五穀液也肥羹令人熱中故脾行涎液出廉泉入口中名曰脾癉內熱氣溢轉爲消渴以蘭爲湯飲之可以除陳氣也 平按素問名爲何作病名爲何甲乙作病名曰何清氣素問作精氣甲乙作津液液在脾素問甲乙作津液在脾此肥羹之所致也素問甲乙羹作美致作發新校正云太素發作致素問而多下有肥也二字素問甲乙滿上有中字轉字不重消渴甲乙作消癉注云素問作消渴素問甲乙蘭字不重

膽癉 平按此篇見素問卷十三第四十七奇病論篇又見甲乙經卷九第五

黃帝問岐伯曰有病口苦者名爲何何以得之岐伯

蘭陵堂刊

曰病名膽癉 平按病下素問甲乙有口苦取陽陵泉六字新校正云全元起本及太素無口苦取陽陵泉六字詳前後文勢疑此爲誤夫肝者中之將也取決於膽咽爲之使此人者數謀慮不決故膽虛氣上溢而口爲之苦治之以膽募輸在陰陽十二官相使中 膽爲肝府肝爲内將取決於膽其人有謀慮不決傷膽氣上膽溢從咽入口口苦名曰膽癉可取膽募日月穴也　平按甲乙肝者上有膽者中精之府六字注云素問無此字

頭齒痛 平按此篇自篇首至齒亦當痛見素問卷十三第四十七奇病論篇又見甲乙經卷九第一自齒痛不惡清飲至末見靈樞卷五弟二十六雜病篇又見甲乙經卷十二弟六

黄帝曰人有病頭痛以歲數不巳此安得之是爲何病岐伯曰當有所犯大寒内至骨髓髓者以腦爲主腦逆故令人頭痛齒亦當痛 大寒入於骨髓流入於腦中以其腦有寒逆故頭痛數歲不巳

齒爲骨餘故亦齒痛　平按素問甲乙歲數作數歲齒亦當痛作齒亦痛

齒痛不惡清飲取足陽明惡清飲取手陽明上齒雖痛以足陽明穀氣故飲不惡冷可取足陽明下齒痛取手陽明也　平按清靈樞甲乙作清道藏本靈樞作清

頷痛平按此篇見靈樞卷五第二十六雜病篇又見甲乙九卷第一

頷痛刺手陽明與頷之盛脉出血頰痛刺陽明曲周動脉見血立已不已按人迎於經立已手陽明上頸貫頰故頰痛皆取之曲周動脉有足陽明無手陽明動脉也　平按頷甲乙作頷靈樞作顑頰甲乙作頷靈樞作顑刺陽明靈樞甲乙作刺足陽明按人迎於經甲乙作按經刺人迎

項痛平按此篇見靈樞甲乙同上篇

項痛不可俛仰刺足太陽不可顧刺手太陽也足太陽脉行項故不可俛仰取之手太陽脉行項左右故不得顧取之也　平按甲乙項痛作頭項靈樞顧上有以字

喉痹嗌乾平按此篇自篇首至如韭葉見靈樞卷五第二十三熱病篇又見甲乙經卷九第三自喉痹不能言至末見靈樞卷五第二十六雜病篇又見甲乙經卷十二弟八及卷七弟一中篇

喉痹舌卷口中乾煩心心痛臂内廉痛不可及頭取手小指次指爪甲下去端如韭葉手之小指次指之端手少陽關衝手心主出屬心包下膈内手少陽從膻中上口係耳後故喉痹舌卷口乾煩心心痛及臂内痛皆取之也　平按臂内廉痛甲乙作臂表痛注云靈樞及太素俱作臂内廉痛又甲乙取下有關衝在三字韭葉下有許字注係上原缺一字袁刻作出檢靈樞經脈篇手少陽上項係耳後應作項又注皆取之皆字袁刻誤作者

喉痹不能言取足陽明能言取手陽明手陽明脈循缺盆上頭足陽明脈循喉嚨入缺盆故喉痹能言不能言取此二脈療主病者也

嗌乾口中熱如膠取足少陰足少陰脈至舌下故口熱取之　平按甲乙少陰作少陽

目痛平按此篇自篇首至陰蹻見靈樞卷五第二十三熱病篇自目眥外決至末見靈樞卷五第二十二癲狂篇又自篇首至末見甲乙經卷十二

弟四

目中赤痛從内眥始取之陰蹻目内眥陰蹻脉也故取所主之輸也　平按蹻靈樞甲乙作蹻

目眥外決於面者爲兌眥在内近鼻者上爲外眥下爲内眥人之目眥有三外決爲兌眥内角上爲外眥下爲内眥准明堂兌眥爲外眥近鼻者爲内眥也　平按靈樞兌作銳近鼻者下有爲内眥三字注准明堂袁刻作唯明堂

耳聾平按此篇自篇首至後取足見靈樞卷五第二十四厥病篇又見甲乙十二第五自聾而不痛至末見靈樞卷五第二十六雜病篇甲乙同上

耳聾無聞取耳中耳中聽宫角孫等穴也耳鳴取耳前動脉耳前動脈和窌聽會等穴也

耳痛不可刺者耳中有膿若有乾擿抵耳無聞也耳痛者有二有膿有乾擿抵無所聞者不可刺也而有聞聲者可刺擿當狄反抵乃井反　平按擿抵靈樞作耵聹二字甲乙亦作擿抵注云一本作耵聹

耳聾取手足小指次指爪甲上與肉交者先取

手後取足手少陽至小指次指即關衝穴足少陽至足小指次指即竅陰穴也其脉皆入耳中故二俱取之也　平按甲乙小指作少指無次指二字注云太素作小指次指耳鳴取手足中指爪甲上左取右右取左先取手後取足手之中指手心主脉明堂不療於耳足之中指十二經脉並皆不上今手足中指皆療耳鳴今刺之者未詳或可絡至繆刺也　平按手足中指靈樞甲乙作手中指聾而不痛取足少陽聾而痛取手陽明足少陽正經入耳手陽明絡脉入耳足少陽主骨益耳故取之也手陽明主氣益耳故痛取之也　平按靈樞兩痛字下均有者字

衄血平按此篇見靈樞卷五第二十六雜病篇又見甲乙經卷十二第七

衄而不衃血流取足太陽衃取手太陽不已刺腕骨下不已刺膕中出血衃血凝血也衃普盃反血不凝熱甚也足太陽起鼻手太陽至目内眥眥因鼻故衄血取之腕骨手腕前起骨名完骨非腕也　平按足太陽下甲乙有大衄二字衃取手太陽靈樞甲乙作衄血取手太陽

喜怒平按此篇見靈樞卷五弟二十六雜病篇又見甲乙經卷九弟五

喜怒而不欲食言益少刺足太陰怒而多言刺足少陽怒肝木也食脾土也今木剋土故怒不欲食宜補足太陰肝足厥陰怒也足少陽多言也故寫少陽也　平按足少陽甲乙作少陰注云太素作少陽

疹筋平按此篇見素問卷十三弟四十七奇病論篇又見甲乙經卷四弟二上篇

黃帝曰人有尺數甚筋急而見此爲何病岐伯曰此所謂疹筋者是腹必急白色黑色則病甚尺脈數筋急見出者此爲疹筋疹筋筋急腹急此必金水乘肝故色白黑即甚也有本爲尺瘦也　平按素問尺下有脈字甲乙尺數甚作尺膚緩甚注云一作瘦甚疹筋甲乙作狐筋狐筋者注云狐素問作疹素問甲乙腹上有人字黑色下有見字

血枯平按此篇自篇首至末見素問卷十一弟四十腹中論篇又見甲乙經卷十一弟七

蘭陵堂刊

黃帝曰有病胸脇支滿者妨於食病至則先聞腥臊臭出清液先唾血四支清目眩時時前後血病名爲何何以得之岐伯曰病名曰血枯此得之少時有所大脫血若醉以入房中氣竭肝傷故使月事衰少不來也（血枯病形有八一胸脇支滿二妨於食三病將發先聞腥臊臭氣四流出清液五病先唾血六四支冷七目眩八大小便時復出血有此八狀名曰血枯之病此得由於少年之時有大脫血若醉入房中氣竭絕傷肝遂使月經衰少或不復來以成此血枯之病也　平按甲乙支滿作榰滿清液作清涕）

黃帝曰治之奈何以何術荅曰四烏賊魚骨一藺茹二物幷令三合丸以雀卵大如小豆以五丸爲後飯鮑魚汁利脇中及傷肝（四四分一一分擣以雀卵爲丸食後服之飲鮑魚汁通利脇及補肝傷也　平按素問以何術作復以何術賊作鰂藺作藘新校正云太素藘作藺并令三合作并合之甲乙烏上無四字骨下無一字并令三合作并合素問甲乙鮑

魚上有飲以二字腸中作腸中

熱煩平按此篇見素問卷九弟三十四逆調論篇又見甲乙經卷七弟一上篇

問曰人身非常温也非常熱也爲之熱而煩滿者何也曰陰氣少而陽氣勝故熱而煩滿也身體發熱而苦熱而煩是爲陽勝故也

平按甲乙無爲之熱三字素問新校正云甲乙無此三字

身寒平按此篇見素問卷九弟三十四逆調論篇又見甲乙經卷十弟一下篇

問曰人身非衣寒也中非有寒也寒從中出者何也曰是人多痹氣而陽氣少而陰氣多故身寒如從水中出焉外衣不單内不不覺寒而身冷如從水中出内多寒氣故也平按素問甲乙中非有寒也作中非有寒氣也出者作生者

肉爍平按此篇見素問卷九弟三十四逆調論篇又見甲乙經卷七弟一上篇

問曰人有四支熱逢風寒如炙於火者何也平按於火素問甲乙作如火新校正云全元起本無如火二字太素云如炙於火當從太素之文答曰此人者陰氣虛陽氣盛四支者陽也兩陽相得也陰氣虛少水不能滅盛火而陽獨治獨治者不能生長也獨勝而止耳逢風如炙火者是人當肉爍人有四支先熱若逢風寒更如火炙是人陰虛陽盛以其四支是陽陽氣更盛四支二陽合而獨盛消爍肌肉不能生長故曰肉爍　平按素問甲乙少下重一少字滅作滅如炙火作如炙如火新校正云當從太素作如炙於火

臥息喘逆平按此篇自篇首至則不得偃臥見素問卷十三第四十六病能論篇自問曰人有逆氣至末見素問卷九第三十四逆調論篇又自篇首至末見甲乙經卷十二第三

黃帝問於岐伯曰人有臥而有所不安者何也岐伯曰藏有所傷及精有所乏倚則不安故人不能注懸

其病人之病有卧不安者五藏内傷入房太甚洩精過多有所不足故倚卧不安不能懸定病處數起動也　平按及精所有乏倚則不安别本乏作之素問作及精有所之寄則安甲乙作及情有所倚則卧不安新校正云太素作精所有倚則不安均無乏字本書原鈔作及精有所乏倚則不安與楊注洩精過多有所不足故倚卧不安正合袁刻無乏字素問甲乙懸上無注字注太甚袁刻作太盛黃帝曰人之不得偃卧者何也岐伯曰肺者藏之蓋也肺氣則脈大大則不得偃卧肺居五藏之上主氣氣之有餘則手太陽脈盛故不得偃卧也問曰人有逆氣不得卧而息無音者有起居如故而息有音者有得卧行而喘者有不得卧不能行而喘者有不能得卧卧而喘者皆何藏使然願聞其故此五皆是人之起居卧之與喘不安之病皆由藏内不和故請示也答曰不得卧而息有音者是陽明之逆也足三陽者下行今逆而上行故息有音陽明爲三陽之長故氣下行順而息調失和上行逆而有音此解息

有音也陽明者胃脉也胃者六府之海也其氣亦下行陽明逆不得從其道故不得卧上經曰胃不和則卧不安此之謂也陽明循道逆行息便有音今不依其道逆行故不得卧上經前所說經也　平按上經素問甲乙作下經王注下經上古經也夫起居如故息有音者此脾之絡脉逆絡脉不得隨經上下故留經而不行絡脉之病人也微故起居如故而息有音夫絡脉循脉經上下而行絡脉受邪注留於經病人也甚故起居不安息亦有聲今絡脉氣逆不循於經其病也微所以起居如故息有音也　平按脾之絡脉素問甲乙作肺之絡脉夫不得卧卧則喘者是水氣之客也夫水者循津液而流者也腎者水藏主津液津液主卧與喘腎爲水藏主於胃中津液今有水氣客於津液循之而流津液主卧主喘故津液受邪不能得卧卧即喘也　平按甲乙而流作而留素問甲乙津液二字不重

少氣平按此篇見靈樞卷五第二十二癲狂篇又見甲乙卷十一第七

少氣身漯漯也言吸吸也骨痠體重解不能動補少陰漯漯吸吸皆虛乏狀也骨疲體重皆腎虛耳故補腎足少陰脉於所發之穴補也　平按靈樞甲乙解作懈惰少陰作足少陰短氣息短不屬動作氣索補少陰取血絡屬連也索取氣也亦是腎氣虛故補足少陰正經寫去少陰絡血也　平按短氣袁刻作少氣靈樞甲乙少陰上有足字取作去

氣逆滿平按此篇自篇首至動脉見靈樞卷五第二十六雜病篇又見甲乙卷九第四自氣滿至氣下乃止見靈樞卷五第二十三熱病篇

氣逆上刺膺中陷者與下胸動脉胸下動脉中府等量取也　平按下胸甲乙作腸下注胸下動脉袁刻作胸膺氣下動脉原鈔無膺氣二字

氣滿胸中息喘取足太陰大指之端去端如韭葉寒則留之熱則疾之氣下乃止足太陰脉起足大指端隱白穴也　平按靈樞韭作薤

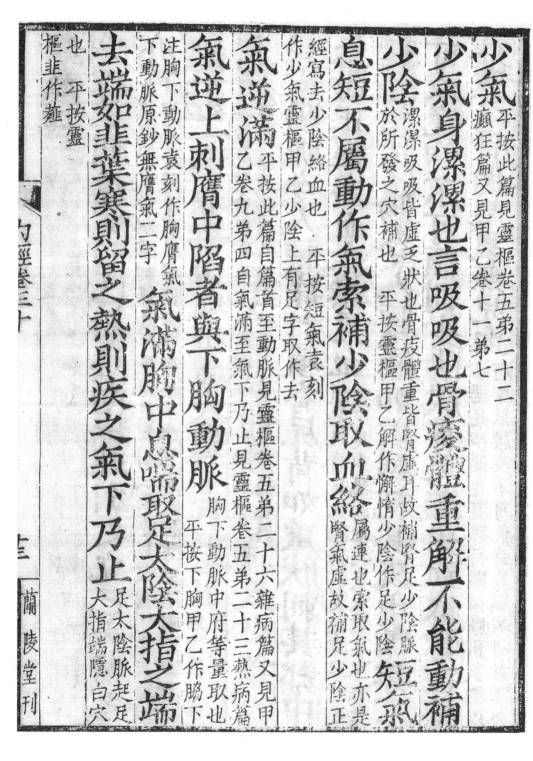

瘖嚱平按此篇見靈樞卷五第二十六雜病篇又見甲乙經卷十二第一

嚱以草刺鼻嚏而已無息而疾迎引之立已大驚之

亦可疾迎引之者以草刺無息可疾迎更刺引大驚令口嚱愈　平按靈樞甲乙亦可下有巳字注令下原缺一字原鈔於左方注有動字謹擬作動衰刻空三格不合

腰痛平按此篇自篇首至末見素問卷十一第四十一刺腰痛篇又見甲乙經九卷第八惟編次前後畧異

足太陽脈令人腰痛引項脊尻背如重狀刺其郄中

太陽正經出血春無見血項脊尻背足太陽脈行處故腰痛相引郄中足太陽刺金門足太陽在冬春時氣衰出血恐虛故禁之也少陽令人腰痛如以鍼刺其皮中循循然不

可以俛仰不可顧刺少陽成骨之端出血成骨在膝

外廉之骨獨起夏無見血少陽足少陽也其脈行頸循脇出氣街以行腰故腰痛不可俛仰反顧成骨膝臏外

側起大骨足少陽脈循脾出過故腰痛刺之足少陽在春至夏氣衰出血恐虛故禁之　平按素問甲乙循然作循循然不可顧素問作不可以顧甲乙作不可以左右顧成骨甲乙作盛骨獨起下素問甲乙有者乎陽明令人腰痛不可顧顧如有見者喜悲刺陽明於骭前三痏上下和之出血秋無見血足陽明支者循喉嚨入缺盆又支者循腹裏下氣街故腰痛不可顧陽明穀氣虛故妄有見虛爲肝氣所尅故喜悲下循胻外廉故刺之以和上下足陽明在仲夏至秋而衰出血恐虛故禁之也　平按素問甲乙不可顧作不可以顧喜悲作善悲骭作骺新校正云甲乙骺作骭令本甲乙仍作骺又注在仲夏上袁刻有脈字足少陰令人腰痛引脊內痛刺足少陰內踝下二痏春無出血出血太虛不可復也足少陰脈上股內後廉貫脊屬腎絡膀胱故腰痛引脊內痛也出然骨之下循內踝之後故取內踝之下少陰與太陽在冬至春氣衰出血恐虛故禁之也　平按脊內痛素問甲乙作脊內廉新校正云全元起本脊內廉作脊內痛太素亦同此前少足太陰腰痛證并刺足太陰法應古文脫簡也居陰之脈令人腰痛腰中如張弩絃刺居陰之脈在腨踵魚腸之

外循之累累然乃鍼刺之其病令人言嘿嘿然不慧刺之三痏居陰脉在腨踵魚腸之外其處唯有足太陽脉當是足太陽絡也　平按居陰素問甲乙作厥陰王注云厥陰一經作居陰是傳寫草書厥字為居也弩上素問甲乙有弓字魚腸作魚腹循之甲乙作循循言素問甲乙作善言新校正云詳善言與默默二病難相兼全元起本無善字於義為允嘿嘿素問甲乙作默默　解脉令人腰痛引膺目䀮䀮然時遺溲刺解脉在引筋肉分間在郄外廉之橫脉出血血變止解脉行處為病與足厥陰相似亦有是足厥陰絡脉　平按素問甲乙引膺作引肩䀮䀮作𥇍𥇍引筋作膝筋止上有而字筋肉袁刻肉作内同陰之脉令人腰痛痛如小鍼居其中怫然腫刺同陰之脉在外踝上絕骨之端為三痏同陰脉在外踝上絕骨之端當是足少陽絡脉也　平按小鍼素問甲乙作小錘新校正云太素小錘作小鍼怫素問甲乙作怫　解脉令人腰痛如引帶常如折腰之狀善怒刺解脉在郄中結絡如黍米刺之

血射似黑見赤血而已前之解脈與厥陰相似今此刺解脈郄中當是取足厥陰郄中之絡也　平按如別素問作如引帶甲乙作如裂書怒素問作善恐甲乙作善怒似黑素問甲乙作以黑新校正云按全元起云有兩解脈病源各異恐誤未詳素問此條在同陰之脈上

陽維之脈令人腰痛上弗然脈腫刺陽維之脈脈與太陽合腨下間上地一尺所陽維諸陽之會從頭下至金門陽交即是也行腰與足太陽合於腨下間上地一尺之中療陽維腫痛也　平按素問甲乙腰痛下重痛字弗作怫下同腫上無脈字上地作去地

衡絕之脈令人腰痛痛不可以俛不可以仰則恐仆得之舉重傷腰衡絕絡惡血歸之刺之在郄陽筋之間上郄數寸衡居為二痏出血衡脈循脊裏因舉重衡脈絡絕惡血歸聚之處以為腰痛可刺衡郄陽筋間上數寸衡氣居處　平按衡絕素問甲乙作衡絡痛不可以俛不可以仰則恐仆素問作不可以俛仰仰則恐仆甲乙作得俛不得仰仰則恐仆絕絡素問作絡絕甲乙作絡絕傷甲乙筋之間作之筋間

會陰之病令人腰痛痛上漯漯然汗汗乾

令人欲飲已欲走刺直陽之脉上二痏在蹻上郄下下三寸所橫居視其盛者出血刺直陽者有本作會陽蹻上郄下橫居絡脉也　平按漯漯然甲乙作濈濈然素問甲乙汗下有出字飲下重一飲字二痏作三痏喬作蹻郄下下三寸所素問作郄下五寸甲乙作郄下三所飛陽之脉令人腰痛痛上弗弗然甚則悲以恐刺飛揚之脉在内踝上二寸太陰之前與陰維會足太陽別名曰飛陽有本飛作蜚太陽去外踝上七寸別走足少陰當至内踝上二寸足少陰之前與陰維會處是此刺處也　平按二寸素問作五寸新校正云當作二寸太陰素問甲乙作少陰據本注足少陰之前與陰維會處則太陰恐係少陰傳寫之誤昌陽之脉令人腰痛痛引膺目䀮䀮然甚則反折舌卷不能言刺内筋為二痏在内踝大筋前太陰後上踝三寸所内筋在踝大筋前太陰後内踝上三寸所大筋當是足太陰之筋内筋支筋在足太陽大筋之前足太陰筋之後内踝上三寸也　平按素問内踝作内踝上三寸作二寸散脉令人腰痛

而熱熱甚生煩腰下如有横木居其中甚則遺溲刺散脈在膝前肉分間在絡外廉束脈爲三痏散脈在膝前肉分門者十二經脈中惟足厥陰足少陽在膝前主溲故當是此二經之別名在二經大絡外廉小筋名束脈亦名散脈也　平按素問甲乙肉上有骨字絡上無在字注膝前袁刻誤作脈前肉里之脈令人腰痛不可以欬欬則筋攣急刺肉里之脈爲二痏在太陽之外少陽絕骨之後太陽外絕骨後當是少陰爲肉里脈也　平按筋攣急素問攣作縮甲乙無急字甲乙之後作之端腰痛俠脊而痛至頭沈沈然目𥄂𥄂欲僵刺足陽明郄出血足陽明在頭下支者起胃下口循腹裏下至氣街腹裏近脊故腰痛刺足陽明郄中出血也　平按素問甲乙沈沈作几几𥄂𥄂作䀮䀮僵下有仆字郄下有中字新校正云太素作頭沈沈然腰痛上寒刺足太陽陽明上熱刺足厥陰不可以俛仰刺足少陽中熱如喘刺足少陰刺郄中出血

腰痛上熱補當腰足太陽足陽明脈腰痛上寒寫當腰足厥陰脈足少陽主機關不可俛仰取足少陽腰痛中熱口如喘氣動可取足少陰郄中出血也　平按如喘素問甲乙作而喘注機下衰刻脱關字中熱下原缺一字原鈔旁注極字又按注上熱上寒與經文不合疑有誤

腰痛引少腹控胗不可仰刺腰尻交者兩胂上以月生死爲痏數發鍼立已胗以沼反胂脊骨兩箱肉也　平按兩胂上素問甲乙作兩踝胂上素問立已下有左取右右取左六字

腰痛痛上寒取足太陽痛上熱取足厥陰不可以俛仰取足太陽中熱而喘取足少陰膕中血絡前腰痛刺郄中此刺膕中也　平按此段甲乙無素問在腰痛引少腹一段之前其文意亦小異素問云腰痛上寒不可顧刺足陽明上熱刺足太陰中熱而喘刺足少陰大便難刺足少陰少腹滿刺足厥陰如折不可以俛仰不可舉刺足太陽引脊内廉刺足少陰新校正云按全元起本及甲乙經并太素自腰痛上寒至此并無乃王氏所添再檢本書此段如上腰痛上寒一段僅不可以俛仰刺足太陽與刺足少陽不同注云前條爲刺郄中此刺膕中則此條與上條亦可互相發明也

髀疾平按此篇見靈樞卷五第二十四厥病篇又見甲乙經卷十第一下篇

髀不可舉側而取之在樞合中以員利鍼大鍼不可足太陽脈過髀樞中即爲樞合也　平按靈樞甲乙髀上有足字樞合甲乙作樞闔大鍼不可靈樞作大鍼不可刺

膝痛平按此篇見靈樞卷五第二十六雜病篇甲乙經見同上

膝中痛取犢鼻以員利鍼鍼發而閒之鍼大如氂刺膝無疑犢鼻足陽明脈氣所發故膝痛取之　平按靈樞鍼字不重

痿厥平按此篇見靈樞卷五第二十六雜病篇又見甲乙經卷十第四

痿厥爲四束悗乃疾解之日二不仁者十日而知毋休病已止四束四支如束悗煩也　平按爲四束靈樞甲乙作爲四末束甲乙悗作悶

癃洩平按此篇上節見靈樞卷五第二十三熱病篇又見甲乙經卷七第四下節見靈樞卷五第二十四厥病篇又見甲乙經卷十一第五

癃取之陰蹻及三毛上及血絡出血癃痳也陰蹻上循陰股入陰故取陰蹻所主病

者足厥陰脉起大指蘗毛之上入毛中環陰器故痓取陰蹻脉所主之輸並取足厥陰脉三毛之上及此二經之絡去血　平按靈樞痓作瘛甲乙作痓

病洩下血取曲泉曲泉足厥陰脉之所入也　平按洩靈樞甲乙作注

如蠱如妲病平按此篇見靈樞卷五第二十三熱病篇又見甲乙經卷八第一

男子如蠱女子如妲身體腰脊如解不欲食先取涌泉見血視跗上盛者盡見血蠱音古妲音但女惑男爲病男病名蠱其狀狂妄失其正理不識是非醉於所惑男惑女爲病女病爲妲其狀痿黃羸瘦醉於所惑今有男子之病如蠱女子之病如妲可並取腎之井可息相悦之疾也問曰喜怒憂思乃生於心今以鍼灸療之不亦迂乎答曰病有生於風寒暑濕飲食男女非心病者可以鍼石湯藥去之喜怒憂思傷神爲病者先須以理清神明性去喜怒憂思然後以鍼藥裨而助之但用鍼藥者不可□□又加身體骨脊解別不欲食者先取足少陰於足下涌泉之輸去血及循少陰於足跗上絡盛之處去血也　平按靈樞妲作怚食上有飲字涌泉靈樞甲乙作湧泉

癲疾平按此篇自篇首至故令人發爲癲疾見素問卷十三第四十七奇病論篇又見甲乙經十一卷第二自癲疾始生先不樂至末見靈樞卷五

弟二十二癲狂
篇甲乙見同上

黄帝問岐伯曰人生而有病癲疾者病名爲何安得之答曰病名爲胎疾此得之在腹中時其母有所大驚氣上不下精氣并居故令人發爲癲疾人之生也四月爲胎母爲人物所驚神氣并上驚胎故生巳發爲癲疾也　平按素問甲乙腹中上有母字故令人作故令子癲疾始生先不樂頭重痛視舉目赤其作極已而煩心候之於顔取手太陽陽明太陰血變而止手太陽上頭在目絡心手陽明絡肺手太陰與手陽明通故不樂頭重目赤心煩取之也　平按靈樞甲乙其作甚甲乙無陽明二字癲疾始作而引口啼呼喘悸候之手陽明太陽右僵者政其右左僵者政其左血變而止也手太陽支者別頰上䪼抵鼻手陽明俠口故啼呼左右僵皆取之也　平按靈樞甲乙悸下有者兩僵字均作强政其右作攻其左政其左作

攻其右又按注皆取之也則兩政字恐係攻字傳鈔之誤癲疾始作而反僵因脊痛候之足太陽陽明手太陽血變而止足太陽俠脊足陽明耳前上至額顱在頭手太陽繞肩甲交肩上故反僵脊痛取之也　平按靈樞而反僵作先反僵陽明下有太陰二字治癲疾者常與之居察其所當取之處病至視之有過者即寫之置其血於瓠壺之中至其發時血獨動矣不動灸窮骨二十五壯窮骨者骶骨也病有過者視其絡脈病過之處刺取病血盛之瓠壺中至其發時血自動不動者灸窮骨也　平按二十五壯靈樞作二十壯甲乙作三十壯骶骨甲乙作尾骶骨癲疾者頷齒諸腧分肉皆滿而骨居汗出煩悗歐多涎沫其氣下洩不治居處也骨之癲疾不可療候有八頷齒輸及分肉閒骨處汗出煩悗歐多涎沫氣下洩有此八候是骨癲疾死不可療也　平按靈樞頷作顑甲乙而骨居作而骨倨強直悗作悶靈樞涎沫作沃沫注有此八候袁刻此誤作死筋癲疾身卷攣急大刺項大經之大杼脈歐

多液沫氣下溲不治身卷攣急大者是足太陽之病宜刺頭之大經足太陽脉大杼之穴若歐液沫氣下溲死不可療也　平按靈樞甲乙疾下有者字卷靈樞作倦甲乙急下有脉字杼下無脉字液靈樞作沃甲乙作涎脉癲疾暴仆四支之脉皆脹而縱脉滿盡刺之出血不滿灸俠項太陽灸帶脉於腰相去三寸諸分肉本輸歐多沃沫氣下溲不治癲疾暴前倒仆四支脉皆脹滿而縱緩者可刺去其血若不脹滿可灸太陽於項療主病者又灸□□當十四椎相去三寸分肉之間療主癲疾之輸也　平按靈樞甲乙癲疾下有者字俠上有之字靈樞俠作挾甲乙灸帶脉上有又字沃作涎注灸下二字原不全玩其剩處似帶脉二字袁刻作腰取二字恐誤據經文應作帶脉二字治癲疾者病發如狂者死不治僵仆倒而不覺等謂之癲馳走妄言等謂之狂今癲疾發而若狂病甚故死不療也　平按靈樞癲上無治字病作疾

驚狂　平按此篇自篇首至末見靈樞卷五弟二十二癲狂篇又見甲乙經卷十一弟二

治狂始生先自悲喜忘喜怒喜恐者得之憂飢治之

取手太陽陽明血變而止及取足太陰陽明人之狂病先因憂結之甚不能去解於心又由飢虛遂神志失守則自悲喜忘喜怒喜恐乘卽發於狂病雖得之失志然因療之心府手太陽肺府手陽明也足太陰陽明主穀亦可補此二脉以實憂飢虛損即愈也　平按靈樞甲乙悲下有也字三喜字甲乙均作善靈樞作苦怒善恐手太陽靈樞甲乙作手太陰狂始發少卧不飢自高賢也自辯智也自尊貴也喜罵詈日夜不休治之取手陽明太陽太陰舌下少陰視脉之盛者皆取之不盛者釋之手陽明絡肺手太陽絡心手太陰屬肺主氣故少卧自高等皆是䰟失氣盛故視脉盛者皆寫去之及舌下足少陰脉盛者互寫去之　平按喜罵靈樞甲乙作善罵視下靈樞無脉字注互袁刻作亦狂喜驚喜笑好歌樂妄行不休者得之大恐治之取手陽明太陽太陰此三脉乃是狂驚歌樂妄行所由准推可知也　平按靈樞喜驚喜笑作言驚善笑甲乙作善驚善笑狂目妄見耳妄聞喜呼者少氣之所生也治之取手太

陽太陰陽明足太陰頭兩頷狂而少氣復生三病因此四經故皆取之也　平按甲乙足太陰作足太陽頭上有及字靈樞頷作顑狂者多食喜見鬼神喜笑而不發於外者得之有所大喜治之取足太陰陽明太陽後取手太陰太陽陽明不發於外者不於人前病發也得之大喜者甚憂大喜竝能發狂然大喜發狂與憂不同即此病形是也手足太陰手足陽明手足太陽是療此病所由故量取之以行補寫也　平按靈樞甲乙喜見喜笑作善見善笑後取作後取狂而新發未應如此者先取曲泉左右動脈及盛者見血食頃已不已以法取之灸骶骨二十壯曲泉肝足厥陰脈穴平按靈樞食頃作有頃

厥逆平按此篇自篇首至末見靈樞卷五第二十二癲狂篇自篇首至立快者是也見甲乙經卷七第三自內閉不得溲至末見甲乙經卷九第十

厥逆爲病也足暴清胸若將別腹若將以刃切之煩而不能食脈小大皆清緩取足少陰清取足陽明清

蘭陵堂刊

則補之温則寫之厥逆之病足冷胸痛心悶不能食其脈動之大小皆多血少氣緩而温者可取足少陰輸穴寫其熱氣足之寒者取足陽明輸穴補其陽虛也　平按靈樞甲乙將別作將裂脈小大皆清作脈小大皆濇暴清清取足陽明清則補之三清字今本靈樞及甲乙經均作清明趙府居敬堂靈樞均作凊腹作腸刃作刀緩作煖厥逆腹滿脹腸鳴胸滿不得息取之下胸二肋欬而動手者與背輸以指按之立快者是也厥逆胸滿不得息可量取下胸二肋欬而動手之處謂手太陰中府輸也厥逆腹滿脹腸鳴量取背胃及大小腹輸療主病者也　平按靈樞滿脹作脹滿二肋作二脇甲乙動下有應字輸作俞靈樞作腧注背胃據經文應作背輸袁刻作背輸內閉不得溲刺足少陰太陽與骶上以長鍼氣逆取其太陰陽明厥甚取少陰陽明動者之經足少陰太陽主於便溲故厥便溲閉取此陰陽二經輸穴療主病者若加氣逆可取手足太陰陽明療主病者若此閉及氣逆厥甚可取手足少陰陽明二經動脈療主病者也　平按靈樞厥下有陰字厥甚取少陰甲乙作厥甚取太陰

厥死平按此篇自篇首至末見素問卷十三第四十七奇病論篇又見甲乙經卷九第十一

黄帝問岐伯曰有癃者一日數十溲此不足也身熱如炭火頸膺如格人迎躁盛喘息氣逆此有餘也太陰脈微細如髮者此不足也其病安在名爲何病岐伯曰病在太陰其藏在胃頗在肺病名曰厥死不治此得五有餘二不足也問曰何謂五有餘二不足答曰所謂五有餘者五病之氣有餘也二不足者亦二病之氣不足也今外得五有餘内得二不足者此其身不表不裏亦明死矣癃痳也人有病一日數十溲腎氣不足也手太陰脈如髮肺氣不足也此則二藏不足也身熱如火一有餘也頸及膺二氣盛如格三有餘也頸前胃脈人迎躁盛四有餘也喘息氣逆五有餘也人之遇病外有五有餘内有二不足者病在手

足太陰藏於胃中動之於肺非定在於表裏名曰厥死之病不可療也　平按素問甲乙炭下無火字其藏在胃作其盛在胃甲乙五病之氣無五字素問甲乙亦二病之氣不足也作亦病氣之不足也亦明死矣甲乙作亦死證明矣又按本注闕二有餘一條素問王注云外五有餘者一身熱如炭二頸膺如格三人迎躁盛四喘息五氣逆也

陽厥　平按此篇自篇首至末見素問卷十三第四十六病能論篇又見甲乙經卷十一第二

黃帝曰有病喜怒者此病安在　平按素問甲乙喜怒作怒狂在作生新校正云太素怒狂作善怒　岐伯曰生於陽問曰陽何以使人狂答曰陽氣者因暴折而難決故喜怒病名陽厥　平按喜怒素問甲乙作善怒　問曰何以知之答曰陽明者常動巨陽少陽不動而動太疾此其候也　足陽明人迎脈常動有病名陽厥以陽氣暴有折損不通故狂而喜怒以其太陽少陽不動而大疾以爲候也　平按甲乙巨陽作太陽素問甲乙不動下重不動二字注有病衰刻作有疾不動而大疾衰刻動誤作通　問曰治之奈何答曰衰

其食即已夫食入於陰長氣於陽故奪之食即已使之服之以生鐵落爲飲夫生長氣椎鐵落自下氣疾衰其食者少食也穀氣熱故推入腹内陰中長盛陽所以憎於狂病故奪於情少食令服生鐵落病則愈矣生鐵落鐵漿也　平按衰其食素問作奪其食新校正云甲乙經奪作衰太素同落素問作洛夫生長氣椎鐵落素問甲乙作夫生鐵落者又按生長氣椎鐵五字頗費解當必有誤原鈔如是故仍之

風逆平按此篇見靈樞卷五第二十二癲狂篇又見甲乙經卷十第二下篇

風逆暴四支腫身漯漯唏然時寒飢則煩飽則喜變取手太陰表裏足少陰陽明之經肉清取榮骨清取井也手太陰爲裏手陽明爲表二經主氣肉者土也榮者火也火以生土故取榮溫肉也骨者水也井者木也水以生木以子實母故取井溫骨也　平按靈樞甲乙支作肢喜變作善變清今本靈樞及甲乙均作清趙府本靈樞作清甲乙榮作營

風痓平按此篇見靈樞卷五第二十三熱病篇又見甲乙經卷七第四

風痓身反折先取足太陽及膕中及血絡中有寒取三里足太陽行腰脊故身痓反折取其脈所生輸穴及膕中正經視血絡黑也可取足陽明三里之輸也　平按靈樞痓作痙血絡下有出血二字甲乙血絡下有出血痓三字

酒風平按此篇見素問卷十三第四十六病能論篇又見甲乙經卷十第二下篇

黃帝問曰病者身體懈惰汗出如浴惡風少氣此為何病答曰名曰酒風問曰治之奈何岐伯曰以澤寫朮各十分麋銜五合以三指撮為後飯飲酒汗出得風名曰酒風先食後服故曰後飯也　平按素問甲乙病者作有病五合以三指撮作五分合以三指撮素問王注云飯後藥先謂之後飯與此注不同

經解平按此篇見素問卷十三第四十六病能論篇

所謂深之細者其中手如鍼摩之切之聚者堅也博

者大也上經者氣之通天也下經者言病之變化也診脈所知中手如鍼此細之狀也切按也上經言上通天之氣下經言下病之變化也又自腰以上隨是何經之氣以爲上經自腰以下以爲下經上經通於天氣下經言其變化也　平按素問鍼下有也字氣上有言字金匱者決死生也金匱之章作決死生之論也揆度者切度之奇恆者言奇病也所謂奇者使奇病不得以四時死者也恆者得以四時死者也所謂揆者方切求也度者得其病處也以四時度之也得病傳之至於勝時而死此爲恆也中生喜怒令病次傳死者此爲奇也揆者方將求病所在揆量之也度者得其病處更於四時度其得失也　平按方切求也下素問有言切求其脈理也七字注令病次傳死者素問新校正引楊注作令病次傳者無死字又按素問王注云凡言所謂者皆釋未了義今此所謂尋前後經文悉不與此篇義相接似今數處少成文義者終是別釋經文世本既闕弟七二篇應彼闕經錯簡文也古文斷裂繆續於此

身度平按此篇自篇首至末俱見素問卷八弟二十八通評虛實論篇惟自問曰形度至何以知其度也一節在後脈浮而濇二句在前與甲乙經

卷七第一中篇同在經文春秋則生冬夏則死之下詳素問新校正云按甲乙經移續於此舊在後帝曰形度骨度脉度筋度何以知其度也下王氏以爲錯簡移附於此據新校正所云則本書編次與舊時無異也

問曰形度骨度脉度筋度何以知之其度也曰脉浮而濇濇者而身有熱者死也形骨筋等有病於身節度可診脉而知故脉浮而濇者身必有熱身熱脉浮濇者死也　平按素問甲乙而身上無者字

經絡虛實平按此篇自篇首至末見素問卷八第二十八通評虛實論篇又見甲乙經卷七第一中篇

問曰絡氣之不足經氣有餘何如答曰絡氣不足經氣有餘脉熱而尺寒秋冬爲逆春秋爲順治主病者絡虛經實何以得知絡爲陽也經爲陰也寸爲陽也外也尺爲陰也内也秋冬陰也春夏陽也絡氣不足陽氣虛也經氣有餘陰氣盛也於秋冬時診寸口得緩脉尺之皮膚寒爲逆春夏緩脉尺之皮膚寒爲順緩脉熱也以秋冬陽氣在内陰氣在外春夏陰氣在内陽氣在外故也於尺寸在内時寒熱取經絡虛實也

平按素問甲乙脉下有口字素問順作從問曰經虛絡滿何如答曰經虛絡滿者尺熱滿脉寒濇此春夏則死秋冬則生滿盛也經虛絡盛春夏診得尺之皮膚熱盛寸口得急脉爲逆故死秋冬得尺熱脉急故生脉急多寒脉緩多熱也　平按素問甲乙脉下有口字死生上無兩則字問曰治此者奈何答曰絡滿經虛灸陰刺陽經滿絡虛刺陰灸陽經虛陰虛故灸陰絡滿陽滿故刺陽也經滿陰滿故刺陰絡虛陽虛故灸陽也禁極虛平按此篇見甲乙經卷七第一中篇

問曰秋冬無極陰春夏無極陽者何謂也答曰無極陽者春夏無數虛陽虛陽則狂無極陰者秋冬無數虛陰陰虛則死數音朔春夏是陽用事秋冬是陰用事陰陽用事之時行鍼者不可數虛陽數虛陽者陽極發狂數虛陰者陰極致死也　平按甲乙虛陽虛陽作虛陽明陽明虛虛陰陰虛作虛太陰太陰虛

順時平按此篇自篇首至末見素問卷八第二十八通評虛實論篇又此篇前一段見甲乙經卷七第一中篇後一段見甲乙經卷十一第九

問曰春極治經絡夏極治經輸秋極治六府冬則閉塞者用藥而少鍼石處所謂少用鍼石者非癰疽之謂也癰疽不得須時春夏秋三時極意行鍼冬時有癰疽得極餘寒等病皆悉不得故不用稱其時也春時陽氣在於皮膚故取絡脉也夏時在於十二經之五輸故取輸也秋氣在於六府諸輸故取之也冬氣在於骨髓腠理閉塞血脉凝澀不可行於鍼與砭石但得飲湯服藥癰疽以是熱病故得用鍼石也以癰疽暴病不得須間失時不行鍼石也 平按素問甲乙極作亟素問閉塞下重閉塞二字處作也須時素問作頃時回三字

因癰不知不致按之不應手乍來乍已刺手太陰傍三與嬰絡各二有因癰生不痛不知不得其定按之不應其手乍來似有乍去似無者此是肺氣所爲可取手太陰脉有主此病輸傍三刺之及纓脉足陽明之輸主此病者二取之 平按素問甲乙因癰不知不致作癰不知所嬰絡作纓脉據本注應作纓脉素問三下有痏字

刺瘧節度 平按此篇自篇首至渴之則失時見素問卷十第三十六刺瘧篇自瘧不渴至末見靈樞卷五第二十六雜病篇又見素問刺瘧篇惟文義畧有不同又見本書二十五卷十二瘧篇又自篇首至末見甲乙經卷七第五

瘧病脉滿大急刺背輸用中鍼傍五胠輸各一適肥瘦出其血 滿盛也脉大多氣少血也急多寒也瘧病寸口脉盛氣多血少而寒可取背輸有療瘧者用中鍼刺輸傍五取及胠輸兩脇下胠中之輸有療瘧者左右各一取之取之適於肥瘦出血多少傍左右箱也 平按素問甲乙瘧下無病字輸作俞五素問作伍

瘧脉小而實急灸脛少陰刺指井 脉小者血氣皆少瘧病診得寸口之脉血氣皆少而實而多寒可灸足少陰療瘧之輸並指有療瘧之井也 平按素問甲乙無而字

瘧脉滿大急刺背輸用第五鍼胠輸各一適行至於血也 第五鈹鍼以取大膿今用刺瘧背輸可適行至血出而已也 平按用第五鈹胠輸各一素問作用五胠俞背俞各一甲乙經無此條新校正云經文與次前經文重複王氏隨而注之別無義例不若士安之精審不復出也

瘧脉緩大虛便用藥所宜不宜用鍼 脉緩者多熱瘧病診寸口脉得多熱多氣少血虛者

可用藥用藥者取所宜之藥以補也　平按便用藥所宜素問作便宜用藥　凡治瘧者先發如食頃乃

前可以治過之則失時此療瘧時節也　平按素問甲乙無前字瘧不渴間日

而作取足陽明渴而日作取手陽明瘧不渴取足陽明渴取手陽明皆取所主輸

平按瘧不渴間日而作取足陽明素問作刺足太陽本書十二瘧篇同新校正云按九卷云足陽明太素同檢今本靈樞亦云取足陽明是不渴間日而作之瘧可取足太陽陽明二處故十二瘧楊注謂治寒瘧本篇謂取所主輸也

刺腹滿數平按此篇自篇首至按之立已見靈樞卷五弟二十六雜病篇自腹暴至末見素問卷八弟二十八通評虛實論篇又自篇首至足厥陰見甲乙經卷九弟九自腹滿大便不利至末見甲乙經卷九弟七

少腹滿大上走胃至心泝泝身時寒熱小便不利取足厥陰水氣聚於少腹上走至於心下泝泝惡寒寒熱小便不利下熱也是足厥陰所由故取其輸穴也　平按靈樞少腹作小腹走胃甲乙作走胸泝泝靈樞作淅淅甲乙作索索然腹滿大便不利腹大上走胸嗌喘息

喝喝然取足少陰此皆足少陰脉所行之處故取其脉之輸穴有本少陰爲少陽　平按上走靈樞作亦上走甲乙無喘息二字注云靈樞有喘息二字足少陰甲乙作足少陽腹滿食不化腹響響然不便取足太陰腹滿食不化腹虛脹不大便皆足太陰脉所主故取之輸穴也　平按甲乙化下無腹字不便靈樞作不能大便甲乙作不得大便足太陰甲乙作足太陽腹痛刺臍左右動脉已刺按之立已不已刺氣街已刺按之立已腹痛足陽明脉所主故臍左右動脉足陽明動也氣街亦是足陽明動脉故不已取之也　平按甲乙氣街下無已刺二字腹暴滿按之不下取太陽經絡經絡者則人募者也少陰輸去脊椎三寸傍五用員利鍼足太陽與足少陰爲表裏足少陰上行貫肝膈發腹諸穴故腹暴滿故取太陽經絡經脉絡脉人之感募之氣腹滿亦取足少陰之輸俠脊相去三寸輸傍五取之用員利鍼募有本爲幕也　平按甲乙暴下有痛字素問太陽上有手字經絡二字不重則人募者也作胃之募也甲乙作取太陽經絡血者則已無人募者也四字少陰上有又刺二字素問王注云太陽爲手太陽經絡之所生故取中脘穴即胃之募也新校正云楊上善注云足太陽其說各不同未知孰是

刺霍亂數平按此篇見素問卷八弟二十八通評虚實論篇又見甲乙經卷十一弟四

霍亂刺輸傍五足陽明及上傍三霍亂刺主療霍亂輸傍可五取之及足陽明下脈與上有療霍亂輸傍可三取之也　平按輸傍五素問王注云取少陰俞傍志室穴新校正引楊注云刺主霍亂輸傍五取之

刺癇驚數平按此篇見素問卷八弟二十八通評虚實論篇又見甲乙經卷十二弟十一

刺癇驚脈五鍼手太陰各五刺經太陽五刺手少陽經絡者傍一寸足陽明一寸上踝五寸刺三鍼之刺癇驚脈凡有五別手太陰五取之又足太陽輸穴五取之又手少陽經絡傍二取之又足陽明傍去一寸上踝五寸三鍼之　平按手太陰甲乙作手足太陰素問手少陽作手少陰甲乙作手足少陰素問甲乙兩一字下均無寸字三鍼下無之字又按素問王注自鍼手太陰以下主治霍亂新校正云按別本注云悉不主霍亂甲乙經太素均爲刺驚癇王注爲刺霍亂者非也又注經絡傍三取之別本作經絡傍一寸以下空位取之

刺腋癰數平按此篇見素問卷八弟二十八通評虚實論篇又見甲乙卷十一弟九

腋癰大熱刺足少陽五刺癰而熱手心主三刺手太陰經絡者大骨之會各三足少陽脈下胸絡肝屬膽循脇裏在腋下故腋脇之間有癰大熱可刺足少陽脈□□之穴五取之熱而不已刺手心主脈其脈循胸下腋三寸上抵腋故腋癰三取之又取手太陰經絡各三大骨之會者手太陰脈循臂内上骨下廉即爲經絡會處也　平按刺癰而熱素問甲乙作刺而熱不止注之穴上原缺二字上一字不全下一字作主謹擬作所主二字袁刻作輒筋二字

病解平按此篇自篇首至末見素問卷八第二十八通評虛實論篇又見甲乙經卷十一第六及卷十二第五等篇

凡治消癉仆擊偏枯痿厥氣滿發逆肥貴人則膏粱之疾也此之六種是肥貴人膏粱所發之病　平按痿厥氣滿發逆甲乙作厥氣逆滿四字鬲塞閉絶上下不通暴憂之病此之四種因暴愁憂所生之病鬲塞鬲中塞也閉謂七竅閉也謂噫與下使之氣即上下也暴厥而聾不通偏塞也閉内不通風也内留著也暴厥耳聾偏塞也内氣暴滿薄不從於内中風病也以脾氣停壅不順於内故瘦留著也　平按不通偏塞也素問甲乙作偏塞閉不通内氣暴薄也閉内内

不通風也内留著也素問甲乙作不從内外中風之病故瘦留著也痹病蹠之石反跛有本爲跛也

蹠跛寒風溼之病也風溼之氣生於蹠跛

久逆生病平按此篇見素問通評虛實論篇又見甲乙卷十一弟二

黃疸暴痛癲疾厥狂久逆之所生此之五病氣之久逆所生平按甲乙黃疸作貫疸注云素問作黃疸暴痛作暴病狂上無厥字

六府生病平按此篇見素問甲乙同上篇

五藏不平六府閉塞之所生六府受穀氣傳五藏故六府閉塞藏不平也

腸胃生病平按此篇見素問同上篇又見甲乙卷十二弟五

頭痛耳鳴九竅不利腸胃之所生腸胃之脉在頭在於七竅故腸胃不利頭竅病也

經輸所療平按此篇見素問同上篇又見甲乙經卷十一弟九

暴癰筋濡隨外分而痛魄汗不盡胞氣不足治在經輸筋濡者謂筋溼也隨分痛者隨分肉間痛也魄汗者肺汗也胞氣不足者謂膀胱之胞氣不足也此之五病可取十二經輸𤻲主病者也　平按濡素問作緛隨下素問甲乙無外字

素問內經太素卷第三十　雜病

黄陂　陳孝啟　蕭貞昌　校字

蘭陵堂刊

校正内經太素楊注後序

内經太素楊上善注三十卷兩唐志皆箸錄北宋以還漸多散佚宋志僅存三卷元以來遂鮮稱及之者蓋亡失久矣光緒中葉吾鄉楊惺吾先生始從日本獲唐寫卷子本影鈔以歸存二十三卷桐廬袁忠節公得其書未加詳校即以付刊譌謬滋多未爲善本吾姻友蕭北承孝廉精於醫始聚羣籍校正其書殫精廿年以成此本余受而讀之蓋合靈樞素問纂爲一書編次卷目皆有不同反覆以觀然後知内經十八卷之自有真後人援他書以竄亂素問者固非而

據一二淺短之文疑靈樞之出於僞託者亦誤也漢志載黃帝内經十八卷初無素問之名後漢張仲景傷寒論引之始稱素問晉皇甫士安甲乙經序稱鍼經九卷素問九卷皆爲内經與漢志十八卷之數合是素問之名實起於漢晉之間故其書隋志始箸於錄然隋志雖名九卷已注明梁八卷是其書自梁以來早闕其一卷故全元起注本僅八卷已亡其第七篇是爲素問原書最初之本至唐王冰作注不知所據何書妄稱得先師秘本即隋所亡之第七篇竄入本書移易篇第纂爲二十四卷是爲今素問四庫箸

錄本其書出宋林億等所校正當校正時即謂天元紀大論以下七篇居今素問四卷篇卷浩大不與前後相等所載之事亦不與餘篇相通疑此七篇乃陰陽大論之文王氏取以補素問之闕卷者今按其說未知確否而其文係王氏補入爲全元起本所未有則顯而易見蓋林億等校正此書即取全本對勘於王本移易篇第之下注明全元起本在第幾卷獨此七篇篇目之下未經注明全本其引太素楊上善注雖不及引全注之詳亦幾於卷卷有之獨此七篇曾無一字引及此可爲素問原書無此七篇之確證其

不加刪汰者徒以係古醫書過而存之云爾今觀楊氏此書則林億等所引以駁正王注者具在卷中而天元紀大論以下七篇則全書俱無其文此可見楊氏所據以編纂此書之經文即同元起本而全注所據之已闕第七篇本乃係素問原文竄亂之迹明而原書之真出矣此可徵林億等之説之確者也靈樞之名漢隋唐志皆不載宋紹興中錦官史崧出其家藏舊本送官詳正世始有傳是其書至宋中世而始出故宋志始箸於錄四庫提要謂即王冰取九靈所改名九靈尤詳於鍼故皇甫謐名之爲鍼經疑其一

經而二名杭堇浦靈樞經跋據隋志所載謂九靈自
九靈鍼經自鍼經不可合而爲一冰以九靈名靈樞
不知其何所本觀其文義淺短與素問之言不類疑
即出冰之僞託不知内經十八卷醫家取其九卷别
爲一書名曰素問其餘九卷本無專名張仲景序傷
寒論歷引古醫經於素問外稱曰九卷並不標以異
名存其實也晉王叔和脈經一同皇甫士安序甲乙
經本仲景之意以爲内經十八卷即此九卷及素問
又以素問亦九卷無以别此經因取其首篇之文謂
之鍼經九卷其實鍼經非九卷之名也故其後仍稱

九卷甲乙經内所引靈樞之文其稱皆同於此今觀楊氏此書所引九卷之文不一而足並有引九卷篇名如終始篇者今其文具在靈樞之中可知靈樞之文古祇稱爲九卷楊氏據之其傳甚古王冰謂靈樞即漢志内經十八卷之九其言確有可徵九靈之文今已不傳不知何若在王氏並未取以更名靈樞固可信也若其文義淺短疑爲僞託則不知内經一書雖出黃帝其在古代不過口耳相傳晚周以還始著竹帛大都述自醫師且不出於一手故其文義時有短長今觀其義之深者九卷之古奥雖素問有不逮

其淺而可鄙者即素問未嘗不與九卷略同而以源流而論則素問且多出於九卷觀素問方盛衰論言合之五診調之陰陽已在經脈經脈即靈樞篇目王注已言之是素問之文且有出於靈樞之後者素問且宗靈樞而謂靈樞不逮素問乎徒以宋史崧撰靈樞音釋欲以此九卷配王注素問之數適分其卷爲二十四分其篇爲八十一至元間併素問爲十二卷又併史崧靈樞之卷以合素問於是古九卷之名湮後人遂疑靈樞爲晚出之書豈知素問自素問九卷自九卷二者同屬古書皆爲楊氏所據初不疑其僞

託此可證杭氏之說之誤者也北承究心醫書涉覽極博内經不去手者蓋數十年其校此書也據甲乙經靈樞素問以訂經文之異同據傷寒論巢氏病源論千金方外臺秘要日本醫心方等以證注義之得失體例與素問王注新校正相近其穿穴經論微契聖心雖未知於仲景諸家奚若而用漢學治經義之法於宋賢校醫書之中一義必析其微一文必求其確蓋自林億高保衡以還數百年無此詣精之作可斷言也嘗自謂生平精力盡於此書而決其必傳久客京師一旦書成遂即南歸不肯復出其自信也如

此即其書可知矣余懵於醫無以贊之喜其刻之成而得以有傳於世也輙爲之僭書於後甲子冬十月

姻愚弟周貞亮謹序

鈔卷覆刻

黃帝內經太素

缺卷覆刻黄帝内經太素目録

黄帝内經太素卷第十六診候之三

通直郎守太子文學臣楊上善奉　勅撰注

虚實脈診

雜診

脈論

虚實脈診

黄帝問於岐伯曰余聞虚實以決死生願聞其情岐伯曰五實死五虚死人之所病五實具有者不洩當死所病五虚具有者不下食當死也黄帝曰何謂五實五虚岐伯曰脈盛其皮熱腹脹前後不通悶瞀此謂五實人迎脈口脈大洪盛一實也皮膚温熱陽盛二實也心腹脹滿三實也大小便不通四實也悶瞀不醒五實也悗音悶瞀木候反侶目也脈細皮

寒氣少洩注利前後飲食不入此謂五虛（人迎脈口脈少細一虛也皮膚寒冷陽虛二虛也心腹少氣三虛也大小便利四虛也飲食不下五虛也）黃帝曰其時有生者何也岐伯曰漿粥入胃洩注止則虛者活（漿是穀液爲粥止利具有五虛粥得入胃即虛者可生也）身汗得後利則實可活此其候也（服藥發汗或利得通則實者可活也）黃帝問岐伯曰願聞虛實之要（虛實是死生之本故爲要也）岐伯對曰氣實形實氣虛形虛此其常也反此者病（氣謂衛氣也形身也）穀盛氣盛穀虛氣虛此其常也反此者病（食多入胃曰穀盛也胃氣多曰氣盛也）脈實血實脈虛血虛此其常也反此者病（脈謂人迎寸口脈也血謂經絡血也）黃帝曰如何而反岐伯曰氣虛身熱此謂反（衛氣虛者陰乘必身冷今氣虛其身更熱故爲逆也）穀入氣少此謂反穀不入氣多此謂反（食多入胃者胃氣還多食不入胃胃氣還少此爲順也食多入胃胃氣反少食不入胃胃氣反多此爲逆也）脈盛

血少此謂反脈少血多此謂反寸口人迎脈少經絡血少此爲順也寸口人迎脈盛而血反少寸口人迎脈少而經絡血多此爲逆也

氣盛身寒者病得之傷寒氣虛身熱者得之傷暑衛氣盛者其身當熱今反身冷此以傷寒所致也衛氣虛者其身當冷今反熱者此以傷熱所致也

穀多而氣少者得之有所脱血居濕下也多食當噫胃氣多也而反少者此爲脱血虛劣安臥處濕濕傷脾氣故少氣也

穀入少氣多者邪在胃及與肺也食少當胃氣少也而反多者因胃及肺受於邪氣以爲呼吸故氣多也

脈小血多者飲中熱也寸口人迎脈小經絡之血當少今反多者因傷熱飲故經絡血盛也

脈大血少者脈有風氣水漿不入此之謂也寸口人迎脈大經脈之血應多今反少者因脈有邪氣漿水之液不得入脈故血少也

夫實者氣入也夫虛者氣出也以下方刺之法邪氣入中爲實也正氣出中爲虛也

氣實者熱也氣虛者寒也地者行於補寫病之處者也以手捫循其地熱者所病即實可行寫也其地冷者所病即虛宜行補也

入實者左手開鍼空左手以鍼刺入於實行其寫已可徐出鍼用左手開其鍼空令氣得出以爲寫也

入虛者左手閉也

右手刺入於虛行其補已可疾出鍼用左手閉其鍼空使氣不出以爲補也黃帝問曰何謂虛實岐伯答曰邪氣盛則實精氣奪則虛風寒暑濕客身盛滿爲實五藏精氣奪失爲虛也何謂重實曰所謂重實者言大熱病氣熱脈滿是謂重實傷寒熱病大熱曰實經絡盛滿故曰重實也問曰經胳俱實如何何以治之答曰經胳皆實是胳急而尺緩也皆當俱治之故曰滑則順濇則逆脈寸口陽也尺脈陰也脈急寒多也尺緩熱多也寸口是陽今反急寒尺地是陰冷反爲熱是爲經胳皆實可俱寫之經胳雖實脈滑氣盛爲順易已脈濇氣少爲逆難已也夫虛實者皆從其物類終始五藏骨肉滑利可以長久萬物之類虛實終始皆滑利和調物得久生也是以五藏六府筋脈骨肉柔弱滑利可以長生故曰柔弱者生之徒者也問曰寒氣暴上脈滿實如何答曰實如滑則生實如逆則死矣雖實柔滑可生也實而寒溫濇死之徒也問曰其形盡滿何如答曰舉形盡滿者脈急大堅尺滿而

不應也如是者順則生逆則死舉身滿悶曰形盡滿也寸口之脈寒氣盛堅然尺脈不應其滿悶然手足温者順療之易已故生手足寒者逆故死也問曰何謂順則生逆則死答曰所謂順者手之温也所謂逆者手足寒也寒氣滿身手足冷者陽氣盡故死手足温者陽氣在四體漸來通陽氣和則生問曰乳子而病熱脈懸小者何如答曰足温則生寒則死乳子病熱脈應浮滑而反懸小者足温氣下故生足寒氣不下逆者而致死也問曰乳子中風病熱者喘鳴肩息者何如答曰喘鳴肩息者脈實大也緩則生急則死乳子中風病熱氣多血少得脈緩熱宣洩故生得急爲寒不洩故死也問曰何謂重虛答曰脈氣虛尺虛是謂重虛也寸口脈虛尺地及脈不虛故曰重虛也問曰何以知之答曰所謂氣虛者言無常也尺虛者行步恇然也脈虛者不象陰也恇𠍱方反怯也謂行步虛怯然也重虛者何以知其候也膻中氣虛不足令人無言志定診得尺脈虛者陰氣不足腰脚有病故行步不正也診得寸口之脈虛則手太

三

盛文堂刊

陰肺虛陰氣不足故曰不象也問曰如此者何如答曰滑則生濇則死寸口雖不得太陰和脈而得溫滑者生寒濇者死也問曰腸辟便血何如答曰身熱則死寒則生血虛陽乘故死血未甚虛其身猶寒所以得生也問曰腸辟下白沫何如答曰脈沈則生脈浮則死脈沈陰氣猶在故生脈浮陰盡陽乘故死也問曰腸辟下膿血何如答曰脈懸絕則死滑大則生脈懸絕陽氣盡絕也故死滑大氣盛猶溫也故生也問曰腸辟之病身不熱何如答曰身不熱脈不懸絕滑大皆曰生懸濇皆曰死以藏期之脈不懸絕陰氣猶在滑大是陽氣盛好故生其脈懸絕濇爲寒是爲陽絕以其藏之病次傳爲死期也問曰癲疾何如答曰脈摶大滑久自已脈小堅急死不治大者氣多血少滑者氣盛微熱以其氣盛微熱故久自差脈小氣血俱少堅急爲寒是則陽虛陰乘故死之問曰癲疾之脈虛實何如答曰虛則可治實則死癲疾陽盛病也故陽脈盛而實者不離於死陽虛陰和故可療也問曰消

癉虛實何如答曰脈實大病久可治脈懸小堅病久不可治死脈實又氣多血少病雖久可療其脈懸絶血氣俱少又脈堅病久不可療當死問曰虛實何如答曰氣虛者肺虛也氣逆足寒非其時則生當其時則死餘藏皆如是也氣虛者肺氣虛也脈虛故足寒寒爲氣逆也秋時肺王肺氣虛者爲死餘時肺氣虛不死如有肝氣虛肝氣逆者足逆冷當春時肝氣王時虛者爲死非其時爲生如此餘藏以爲例也問曰脈實滿手足寒頭熱何如答曰春秋則生冬夏則死下則陽虛陰盛故手足冷也上則陰虛陽盛故頭熱也春之時陽氣未大秋時陰氣未盛各處其和故病者遇之得生夏日陽盛陰格則頭熱加病也冬時陰盛陽閉手足冷者益甚也故病遇此時即死也

雜診

黃帝問岐伯曰診法常以平旦陰氣未動陽氣未散診法在旦凡有五要故須旦以診色脈肺氣行至手太陰十二經胳所有善惡之氣皆集寸口故曰未動未入諸陽脈中故曰未散此爲一也飲食未進進飲食已其氣即行

善惡散而難知故曰未進食此爲二也經脈未盛未進飲食故十二經氣未盛此爲三也胳脈調均以經未盛大胳亦未盛故胳脈調均此爲四之也氣血未亂故𨞵可診衛氣營血相參以行其道故名爲亂今並未行即氣血未亂此爲五也平旦有斯五義故取平旦察色診脈易知善惡之也有過之脈切脈動靜營衛將諸脈善惡行手太陰過寸口時以手切按其脈動靜即知其善惡之也而視精明察五色視其面部及明堂藏府分肉精明天惡五色之別觀五藏有輸餘不足五府強弱形之盛衰五府謂頭背腰膝髓五府者也以此切脈察色視知五藏氣之虛實五府氣之強弱及身形盛衰之也以此參伍決死生之分以此平旦切脈察色知藏府形氣參伍商量以決人之死生之分之也夫脈者血之府以下切脈也穀入於胃化而爲血行於經脈以奉生身故經脈以爲血之府之也長則氣治短則氣病寸口之中滿九分者爲長八分七分爲短也數則爲煩心動疾曰數大則病進洪盛曰大上盛則氣高人迎脈不時盛下盛則氣脹寸口脈不盛氣脹充也代則氣衰久而一至爲代滑則氣少脈滑利故氣少濇則心痛脈之動難爲濇也渾渾單至如涌泉病進

如涌泉上衝人手也。而絶弊弊綽綽其去如弦絶者死。弊弊綽綽未詳脈來卒去比之弦斷此爲死侯有本絶爲化之也　夫精明五色者氣之華也。次察色者也五行之氣變爲精華之色各見於面及明堂部內明堂鼻之也　赤欲如以帛裹朱不欲如赭也白欲如白璧之澤不欲如堊也一曰白欲如鵞羽不欲如塩黃欲如羅裹雄黃不欲如黃土也黑欲如重漆色不欲如炭也一曰如地青欲如青璧之澤不欲如藍青也。赭赤土也堊白土阿洛反　五色精微象見矣其壽不久。精明五色微闇象見者名曰色夭壽命不久之也　夫精明者所以視萬物別白黑審短長以長爲短以白爲黑是精則衰矣。萬物精明則黑白辨矣若不精明則黑白不分是夭色也　五藏者中之府也中盛滿氣傷恐音聲如從室中言是中氣之濕也。次聽聲者也六府貯於水穀以爲外府五藏藏於精神故爲中府五藏之氣有餘盛滿將有驚恐有傷者乃是中氣得濕上衝胸嗌故使聲重如室中言也言而微終日乃復言者此奪氣也言聲微小又不用言者當是有所奪氣氣少故爾也衣被不斂言語善惡不避親踈者此神明之亂也是其陽明之氣熱盛爲病心亂故其身不知所爲其言不識善惡以其五神失守故也倉廩所藏是門戶不惡也脾胃之氣失守則倉廩不藏以其咽口門戶不自要約遂食於身不便之物也水泉不止是膀胱不藏也水泉小便也人之小便不能自禁者以溷胞不能藏約故遺尿不止也得守者生失守者死如前之病神明不亂得守者生其神明亂失守者死也之夫五藏身之強也五藏藏神藏神爲身主故是身之強也頭者精明之府也頭憊視深精將奪矣頭爲一身之天天有日月人之頭有二目五藏之精皆成於目故人之頭爲精明府所以精明將奪力極頭傾視深力意視也憊蒲介反背者胸之府背曲肩隨府將壞矣心肺二輪在上當背太陽故背爲胸府背曲肩隨而乘胸臆將壞也之腰者腎之府轉搖不能腎將憊矣腎在腰脊之中故腰不隨腎將憊矣憊病也膝者筋之府屈伸不能行則僂跗筋將憊矣

身之大筋聚結於膝膝之屈伸不能行則曲腰向跗皆是膝筋急緩故知筋將病也髓者骨之府也不能久立行則掉標骨將憊髓爲骨液髓高則脛疼不能久立行則掉標戰動即知骨將病矣得強則生失強則死攝養前之五府得身強者爲生失者爲死也岐伯曰反四時者有餘爲精不足爲消上黃帝將問自說其義周備故岐伯言強之得失所以人雖失強反於四時得有餘者則五藏精勝爲生人之失強得不足者則五藏消損爲死應大過不足爲精有餘爲消寸口人迎相過一倍以上爲應大過也大過得氣不足則五藏精勝氣過有餘則熱故五藏消損之也陰陽不相應病名曰關格人迎寸口四倍以上曰陰陽不相應不相應者陽氣外格陰氣內關之病也診血脈者多赤多熱多青痛多黑爲久痹多赤多黑多青皆見寒熱也身痛面色微黃齒垢黃爪甲上黃黃癉血脈者胳脈也癉音丹內黃病也診目痛赤脈從上下者太陽病足太陽經從目內眥上額故有赤脈從上下貫瞳子者太陽之胳令人目痛當療太陽從下上者陽明病手足陽明之經並從鼻至目內眥故有赤脈從下上者陽明之胳令目有痛當療陽明之也從外走

内者少陽病手足少陽經皆從目外來去於目皃皆走於目内故有赤脈從外入目者少陽之胳令目有痛當療少陽診寒熱赤脈從上下至瞳子見一脈一歲死見一脈半一歲半死見二脈二歲死見二脈半二歲半死見三脈三歲死赤脈從上下者太陽之絡也太陽絡脈從上下至瞳子三脈一時至者至三年死乃至唯見一脈至一年死者三陽者太陽也太陽之氣最大故獨見者至一年死二陽者陽明也至陽明有二胳見其氣不大故二年死一陽者少陽也至少陽有三胳見其陽氣少故得三年死也診齲齒痛按其陽明之脈來有過者獨熱在左左熱在右右熱在上上熱在下下熱手陽明脈從左右手指上行入下齒中上至於鼻足陽明脈從鼻下行入上齒中下至左右足指手足二陽明脈有病經所部過時獨熱者二脈一箱獨偏熱也手足陽明獨熱在左箱者即左箱熱也獨熱在右箱者即右箱熱也得手陽明脈熱即知下齒齲也足陽明左右得熱准手陽明可知然得足陽明熱即知上齒齲也獨熱在頭在左爲上在足在右爲下准手則足之左右可知齲者上下牙齒腫痛或出膿血此皆因熱風氣所致故得熱爲候也據此正經兩箱俱診陽明即太陰兩手俱有如何脾肺獨出於右理必不然也嬰兒病其頭毛皆逆上者必死腎主於血腎府足太陽脈上頭以榮頭毛嬰兒血衰將死故頭毛逆上也耳間青脈起者瘛痛耳間青脈足少陽膽脈也嬰兒

无病則胳陷有病則起起者瘛痛之候也大便赤青辨食洩小者手足寒難已飧洩脈小手足温易已也嬰兒大便所出青赤辨異者名曰飧洩飧音孫脈小手足冷者飧洩難已脈小爲順手足温陽氣榮四末故易已也黄帝問曰何以知懷子之且生也岐伯曰身有病而無邪脈也以子在身故雖病其病之氣不至於脈故無邪脈也黄帝問岐伯曰診得心脈而急此爲何病病形何如答曰病名心疝少腹當有形曰何以言之曰心爲牡藏小腸爲之使故曰少腹當有形黄帝曰善診得心脈心爲陽也急爲寒也寒氣在心太陽小腸故少腹有形形疝積者也黄帝曰診得胃脈疝形何如岐伯曰胃脈實則脹虚則洩胃脈軟弱爲平今得胃氣實脈即知胃中脹滿若得胃氣虚脈即知洩利胃虚故脈虚也曰病成而變何如人病成極變爲他病未知變作何病之也曰風成爲寒熱風病在中成極變爲諸寒熱病也癉成爲消中癉脾胃熱也脾胃内熱日久變爲消中消中湯飲内消病也厥成爲癲

疾陽明熱厥成極上實下虛變爲癲疾也久風爲飡泄春傷於風在腸胃之間日久變爲洩利之病賊風成爲癘賊風入腠不洩成極變爲癘亦之謂大疾眉落鼻柱等壞之也病之變化不可勝數夫病變爲他疾有斯五種若隨心隨物㬉衍多端不可勝數但可以智量處調之取中縱醫方千卷未足以爲當之也黃帝曰有病厥者診右脈沈左脈不然病主安在岐伯曰冬診之右脈固當沈緊此應四時厥寒厥也左手不得沈緊得浮遲故曰不然也冬陰也右手亦陰也沈緊亦陰也冬時右手得沈緊之脈固當順四時也左浮而遲此逆四時在左當主病診在腎頗在肺當腰痛左陽也浮肺脈也冬時得左手肺脈虛邪來乘故腎病腰痛頗在於肺此即是左手有肺脈之也曰何以言之曰少陰脈貫腎上胃肓胳肺今得肺脈腎爲之病故腎爲腰痛黃帝曰善腎脈足少陰從腎上膈入肺中故冬時左手得肺脈腎爲腰痛也厥陰有餘病陰痺足厥陰肝脈也脈循股陰入毛中環陰器上抵少腹故脈氣有餘者是其陰氣盛故爲陰痺者謂陰器中寒而痛不足病生熱痺厥陰脈氣虛者少陽來乘陰器中熱而痛也痺痛之也滑則狐疝風

厥陰脈氣滑者陽氣盛微熱以其氣盛微熱乘陰故爲狐疝風也風氣也狐夜不得尿日出方得人之所病與狐同故曰狐疝一曰孤疝謂三焦孤府爲疝故曰孤疝也濇則病少腹積厥氣也濇多血少氣微寒以其厥陰多血少氣有寒故少腹中血積厥氣也少陰有餘病皮痺隱軫少陰足少陰腎脈也從足湧泉上貫肝入歸中肺主皮毛故少陰陰氣有餘病於皮痺又病皮中隱軫皮起風疾也不足病腎痺少陰之肺虛受寒濕之氣入腎故爲腎痺也滑則病腎風疝少陰氣虛太陽氣乘微熱故爲腎風疝痛也濇則病積溲血氣少微寒爲血多爲血積盛而浘血太陰有餘則病肉痺寒中足太陰脾脈也主肉故太陰盛以爲肉痺寒中也不足病脾痺太陰不足即脾虛受邪故爲脾痺也滑則病脾風疝得足太陰脈滑則是脾虛陽明氣乘故脾病風疝之也濇則病積心腹時脹滿得太陰脈濇即少氣微寒多血故爲血積太陰脈注心中心腹時脹滿也陽明有餘病脈痺身時熱胃足陽明脈正別上至脾入腹裏屬胃散而之脾上通於心故陽明有餘不足心有病也心主於脈是以陽明有餘爲脈痺身時之熱者也不足病心痺陽明氣虛不足太陰乘故爲心痺滑則病心風疝陽明氣盛微熱故心病風疝也濇則病積時善驚陽明氣虛陰乘微寒血多爲積積氣時上衝心故喜驚之也太陰有餘病骨痺身重足太陽膀

胱脈也足太陽脈氣有餘盛乘於少陰少陰主骨今少陰病名曰骨痺寒濕在骨故身重之也不足病腎痺太陽虛而不足則少陰腎氣使盛故爲腎痺滑則爲腎風疝太陽脈滑則陽盛微熱乘腎腎病風疝之濇則病積善時癲疾診得太陽脈濇則少氣微寒多血下爲血積也善積氣時上衝頭則爲癲疾之也少陽有餘病筋痺脇滿足少陽膽脈也肝主筋也足少陽盛陰病故爲筋痺肝病脇滿也不足病肝痺陽虛陰盛故爲肝痺也滑則病肝風疝得少陽滑者則少陽氣盛微熱乘肝故肝病風疝也濇則病積時筋急目痛得少陽脈濇少陽氣少微寒多血爲積也足少陽脈起目兌眥故脈寒筋急目痛也

脈論

孟春始至黃帝燕坐臨觀八極始正風八之氣而問

雷公曰陰陽之類經脈之道五中所主何藏最貴八極即八方也八方之風即八風也夫天爲陽也地爲陰也人爲和陰而無其陽衰殺無已陽無其陰生長不止生長不止則傷於陰陰傷則陰災起矣衰殺不已則傷於陽陽傷則陽禍生矣故須聖人在人在天地間和陰陽氣令萬物生也和氣之也道謂先修身爲德則陰陽氣和陰陽氣和則八節風調八節風調正則八虛風正於是疵癘不起嘉祥競集此不和所以然而然亦也故黃帝問身之經脈貴賤依之調攝修德於

身以正八風之氣斯是賡成所問之道也雷公曰春甲乙青中主肝治七十二日是脈之主時臣以其道最貴雷公以肝主春甲乙萬物之始故五藏脈中謂肝藏脈爲貴黃帝曰却念上下經陰陽從容子所貴最其下也雷公致齋七日復侍坐三陰三陽五藏終始之惣此最爲貴肝脈主時爲下故雷公自以爲未通致齋得詔之也黃帝曰三陽爲經三陽足太陽也膀胱脈也足太陽從二目內眥上頂分爲四道不項並正別脈上下六道以行於背與身爲經也以是諸陽之主故得惣名也二陽爲經二陽足陽明脈也以是二陽之惣故得名也足陽明脈胃者脈也爲經絡海從鼻而起下咽分爲四道並正別脈六道上下行腹綱維於身故曰爲維也一陽游部一陽足少陽膽脈者也足少陽脈以是少陽故曰一陽游部有三部頭法於天以爲上部腰下法地以爲下部腰中法人以爲中部此一少陽起目外眥絡頭分爲四道下缺盆並正別脈上下主經營一節流氣三部故曰游部也此知五藏終始此三陽脈起於五藏終於五藏故知此脈者知五藏終始之也三陽爲表二陰爲裏一陰至絕作明晦却具合以攻其理三陽太陽也太陽在外故也爲表也二陰少陰也少陰居中故爲裏也一陰厥陰也厥陰脈至十二經脈絕環之終寸口人迎亦然故曰至絕如此三陽三陰之脈見於寸口人迎表裏作日夜之變却審委具共相合會以政身之理之也雷公曰受

業未能明也雷公自申不通之意黃帝曰所謂三陽者太陽爲經三陽脈至手太陰而弦浮而不沉決以度察以心合之陰陽之論太陽揔於三陽之氣衞氣將來至手太陰寸口中見供太以長是太陽平也今至寸口弦浮不沉此爲病也如此商量可決之以度數察之以心神也所謂二陽者陽明至手太陰弦而沈急不鼓炅至以病皆死炅音桂皃也此經熱也陽明之氣揔於二陽也陽明脈至於寸口見時浮太而短是其陽明平也今至寸口弦而沈急不鼓是陰擊陽又爲熱病熱至故爲陽明太陽之病皆死也一陽者少陽也至手太陰上連人迎弦急懸不絕此少陽之病也專陰則死陽氣始生故曰少陽少陽脈至寸口乍疎乍數乍長乍短平也今見手太陰寸口並及喉側胃脈人迎二處之脈並弦急懸微不斷絶是爲少陽之病也若弦急實專陰無陽懸而絶者死也三陰者此六經之所主也三陰太陰也六經謂太陰少陰厥陰之脈手足兩箱合有六經脈也此六經脈揔以太陰爲主太陰有二足太陰受於胃氣與五藏六府以爲資糧手太陰主五藏六府之氣故曰六經所主也交於太陰伏鼓不浮上空志心交會也三陰六經之脈脈皆會於手太陰寸口也肺氣手太陰脈寸口見時浮濇此爲平也今見寸口伏鼓不浮是失其常也腎脈足少

陰貫脊屬骨絡膀胱從腎貫肝上鬲入肺中從肺出肺心肺氣下入腎志上入心神之空也一陰至脈其氣歸膀胱外連胃脾二陰少陰也少陰上入於肺下合膀胱之府也外連脾胃者脾胃爲藏府之海主出津液以資少陰少陰在內外與脾胃藏府相之者也一陰獨至絶氣浮不鼓勾而滑一陰厥陰也厥陰之脈不兼餘脈故爲獨也在寸口亦至絶雖浮動不鼓盛也勾實邪來乘也滑者氣盛而微熱之也此六脈者乍陽乍陰六屬相并繆通其五藏而合於陰陽五藏六府三陰三陽氣之盛衰故見寸口則乍陰乍陽也繆牙也藏脈别走入府府脈别走入藏皆交相屬可通藏府合陰陽之也先至爲主後至爲客陰陽之脈見寸口時先至爲主後至爲客也假令先得肝脈肝脈爲主後有餘脈來乘即爲客也雷公曰臣悉書嘗受傳經脈誦得從容之道以合從容之道以合從容不知次第陰陽不知雌雄三陰三陽經脈容從之道悉書以讀之未知陽造物次第及雄雌之别也從容審理也雷公自謂得審理之經行之合理身之理也黄帝曰三陽爲父三陽太陽也太陽陽脈在背管五藏六府氣輸以生身尊比之於天故爲父也二陽爲衛二陽陽明也陽明脈在腹經絡於身故爲衛一陽爲紀一陽少陽也少陽之脈在身兩側經營百節綱紀於身故爲紀者之三陰爲

母三陰太陰也太陰脈氣內資藏府以生身尊比之內地故爲母母也二陰爲雌二陰少陰也少陰既非其長又非其下在內居中故爲雌也一陰獨使一陰厥陰也厥陰之脈唯一獨行故曰獨使也是二陽一陰陽明主病不脈一陰耎而動九竅皆沈耎當動義蠕動輕動二陽陽明也一陰厥陰也是陽明厥陰二脈至者即陽明爲病以陽明不勝厥陰以厥陰蠕動勝陽故九竅沈塞不利也三陽一陰太陽勝一陰不能止內亂五藏外爲驚駭三陽太陽也一陰厥陰也診得太陽厥陰之脈是爲外陽勝陰陰氣內虛厥陰不能止陽則陽乘於內五藏氣亂外陽復發盛爲驚駭之病之二陰一陽病在肺少陰沈勝肺傷脾故外傷四支二陰少陰也一陽少陽也少陰氣盛少陽氣微少陰脈氣上乘於肺傍及於脾故使四支不用也二陰二陽皆交至病在腎罵詈妄行癲疾爲狂陰二陰少陰也二陽陽明也陰陽明俱至交會則陰虛陽勝遂發爲狂罵詈馳走若上實則爲癲疾倒仆也二陰一陽病出於腎陽氣客游於心管下空竅堤閉塞不通四支別離二陰少陰也一陽少陽也診得少陰少陽二脈是爲陰實爲病故曰出腎也足少陽正別之脈上肝貫心故少陽客於心管之下陽實爲病故心管下空竅皆悉堤障閉塞不通利也心管心系也心府手太陽之

脉絡心循咽抵胃胃主四支故不通爲四支之病也手足各不用不相得故曰别離之也一陰一陽代絶此陰氣至心上下無常出入不知喉嗌乾燥病在土脾一陰厥陰也一陽少陽也厥陰肝脉也少陽膽脉也少陽之脉上肝貫心診得二脉更代上絶陰脉盛時乘陽至心從心更代上下無常不可定其陽出陰入故曰出入不知也厥陰上抵少腹使胃上貫膈布脇肋循喉嚨故其病喉嗌乾燥病在於脾脾胃同氣也厥陰之氣連土脾胃之也二陽三陰至陰皆在陰不過陽陽氣不能止陰陰陽並絶浮爲血瘕沈爲膿胕二陽陽明也三陰太陰也至陰脾也足陽明絡脾故與太陰皆在陰也其陰不能過入出土陽陽復不能過土陰是爲陰陽隔絶陽脉獨浮故結爲血瘕陰脉獨沈結以爲膿胕扶反義當腐壞壞陰陽皆壯以下至陰太陰陽明皆盛以下入脾爲病陰陽之解上合昭昭下合冥冥診決死生之期遂次含歲年如前經脉陰陽論解解道言其生也上合昭昭陽之明也語其死也下合冥冥陰之闇也如此許診决死生不失其候遂得次第各合日月歲年之期之也雷公曰請問短期黄帝不應雷公復問黄帝曰在經論中指在此經論短期中者也雷公曰請問短期請問短期之論黄帝曰冬

三月之病病合土陽者至春正月脈有死徵皆歸出春冬陰也時有病有陽氣來乘至正月少陽王時陰氣將盡故脈有死其徵死冬三月病皆歸出春春時出王萬物故曰出春也冬三月之病病在理已盡草與柳葉皆殺陰陽皆絶期在孟春理中也冬時陽氣在肉冬之陰氣爲陽所傷已盡在草柳葉火時反而死若陰陽隔絶正月時死之者也春三月之病陽病日殺陰陽皆絶期在乾草春爲陽也春陽氣王今陽病者是陽衰故死也若陰陽隔絶不相得者至土季秋金氣王時被尅而死之也夏三月之病至陰不過十日陰陽交期在溓水夏陽也至陰脾也夏陽脾病爲陽所優故不過脾之成數十日而死若陰陽交擊期在溓水廉檢反水靜也七月水生時之也秋三月之病三陽俱起不治自已陰陽交合者立立不能坐坐不得起三陽獨至期在石水三陽太陽陽明少陽也秋三月病診得三陽之脈同時而起是陽向衰少陰雖病不療自已若陰陽交事一上下故立不能坐不能起也若三陽之脈各別獨至者陽不勝陰故至十月水凍時死也寒甚水凍如石故曰石水也二陰獨至期在盛水也二陰少陰也少陰獨至則陰不勝陽故至春月氷解水盛時死之也黃

帝坐明堂召雷公問曰子知醫之道乎誦而頗能別別而未能明明而未能章足以治群僚不足至侯主（明堂天子所居室也習道有五一誦二解三別四明五章子能誦之未能解別且可行之士群僚不可之進尊貴）星與日月光以章經術後世益明上通神農若著至教擬於二皇（樹立也雷公所願立天之道以章經術益明後代上通神農至教擬於古之伏羲神農二皇大道也疑當爲擬者也）黃帝曰善無失此陰陽表裏上下雌雄輸應也（試令至誠）而道上知天文下知地理中知人事可以長久（言其所教合道行之長生久視也）以教衆庶亦不疑殆醫道論篇可傳後世可以爲寶（誠令至傳寶也）雷公曰請受道諷誦用解黃帝曰子不聞陰陽傳乎曰不知曰夫三陽太陽爲葉上下無常合而病至偏周陰陽（三陽太陽也諸陽之行從頭至足若上下行不能依度數合而爲病則內

傷五藏外害六府無所不周也雷公問曰三陽莫當請聞其解莫當言其力太黃帝曰三陽獨至者是三陽并至并至如風雨上爲巔疾下爲漏病亦無期内無正不正中經紀診無上下以書別三陽獨至謂太陽獨至也太陽獨至即太陽陽明少陽并於太陽以太陽爲首而至故曰并至也陽氣好昇上走於頭如風雨暴疾上盛下虛上盛故爲巔疾下虛發爲漏病漏病謂膀胱漏洩大小便數不禁守也雷公曰臣治踈乾脫意而已黃帝曰三陽者至陽也積并則爲驚病起而如風至如礔礰九竅皆塞陽氣傍溢乾嗌喉塞太陰之極以爲至陰太陽之極以爲至陽也太陽與陽明少陽爲惣若別用則無病若并聚惣用則陽氣盛故爲驚也驚狂起速故如風也病作甚重如礔礰也陽氣熱盛傍溢上下則九竅不通嗌乾喉塞也溢溢也并於陰則上下無常薄爲腸辟陰謂脾腎陽盛并於脾腎則腸胃中氣上下無常若盛氣停薄腸胃之中發爲腸辟腸辟下利膿血是傷寒熱者也此謂二陽直心坐不得起臥者身全二陽之病也二陽陽明也陽明正別之脈屬胃散脾上通於心故曰直心陽明脈胃也脾胃生病四支不用

坐臥身重即陽明之病也且以知天下可以別陰陽應四時合之五行上雷公請願受樹天度四時陰陽今已爲子具言之耳也黃帝燕坐召雷公而問之曰汝受術誦書善能覽觀雜學及於比類通合道理爲余言子所長帝令雷公言己所長五藏六府膽胃大腸脾胞腦髓涕唾哭泣悲哀水所從行此皆人之所生治之過失也子務明之不以十全即不能知爲世所怨脾胃糟粕入於小腸小腸盛受即是脾之胞也並腦髓此衆人有爲六府並泣唾泣諸津液等衆人莫不以此爲生也其理生失者子乃欲明理生之術使病者十全而不能明必爲天下人所怨也雷公曰臣請誦脈經上下篇甚衆多別異比類由未能以十全也安足以別明之臣之所誦脈經比類甚衆多療疾病猶未能病十全十又安能調人未病之病以爲開明乎也黃帝曰子試別通五藏之過六府之所不知鍼石之敗毒藥所宜湯液滋

味具言其狀悉言以對請問不知誠至審也過不知五藏之失也五藏六府鍼石毒藥湯液滋味子所不通者可具言其狀當悉爲言對子所不知也雷公問曰肝虛腎虛脾虛皆令人重體煩悗當投毒藥刺灸砭石湯液或已或不已請聞其解此三陰藏其脈從足上行太陰少陰上至於口厥陰上至頭頂所以此三陰脈虛多參居爲病故令體重煩悗療之有差請聞其解也悗音悶也黃帝曰公何年之長而問之少也余眞問以自謬也吾問子窈冥子言上下篇以對何也子之年長所問須高今問卑少是所恠也余眞問子脈之浮沈窈冥之道子以上下篇中三藏虛理以荅余者未爲當之也夫脾虛浮似肺腎小浮似脾肝急沈散似腎此皆工之所時亂也然恐從容得也言四藏之脈浮沈相似難以別知名曰窈冥肺脈浮虛如毛脾之病脈浮虛相似腎脈雖沈血氣少時虛浮似脾肝脈弦急沈散似腎脈沈此皆工人時而不知唯有從容安審得之名曰窈冥也若夫三藏土木水參居此童子之所知也問之何也土脾木肝水腎三氣參居受邪令人體重者此乃初學未足深也雷公曰

於此有人頭痛筋攣骨重怯然少氣噫噦腹滿時驚不嗜臥此何藏之發也舉此八病問所生處脈浮而弦切之石堅不知其解問以三藏以知比類問三藏之脈浮弦石等比類同異也黃帝曰夫之從容之謂三藏之脈安審知之故曰從容也夫年長則求之其府五十已上曰長如前三藏脈病有年五十已上者療在六府以其年長血氣在於六府之中故求之府也年少則求之於經男子十六已上女子四十已上今血氣在五藏之中故求之藏也今子所言皆夫八風菀熟五藏消鑠傳邪相受八風八邪虛邪風也八邪虛風菀熟次傳入於藏令五藏消也鑠式藥反銷也菀熟言蓄積故爲病也夫浮而弦者腎不足也腎脈沈石今反弦浮故腎不足也沈而石者是腎氣內着也腎脈微石是其平也今沈而復石是腎眞脈無有胃氣內着骨髓也怯然少氣是水道不得形氣索怯心不足也腎氣虛故腎間動氣微弱致使膀胱水道不得通利也腎間動氣乃是身形性命之氣眞氣不足動形取氣故曰形氣乘也欬嗽煩悗是腎氣之逆水道不利氣循腎脈上入心肺故欬嗽煩悗是腎氣之逆也一人之

氣病在一藏也若言三藏俱行不在法也此爲一人之氣病在腎藏非一人病在腎脾脈肝三藏者也雷公曰於此有人四支懈惰喘欬血洩愚人診之以爲傷肺切脈浮大而緊愚不敢治粗工下砭病愈多出血止身輕此何物也子所能治知亦衆多與此病失矣懈惰喘欬洩血而脈當沈細今反洪大而緊愚人雖謂以爲肺傷疑不敢療也有粗工不量所以直下砭石出血病差衆多然於大病不當而出血即能除差其義何也黃帝曰譬以鴻飛亦神于天夫聖人治病修法守度援物比類化之冥冥循上及下何必守經鳥行無章故鴻飛而得冲天聖人不守於經適變而有所當故粗工於經雖有所失於病遇所當斯亦不足以爲恠也今夫脈浮大虛者是脾氣之外絶去胃外歸陽明也夫二火不勝三水是脈亂而無常也以其脾病其氣不行於胃故脈浮大也脾氣去胃外乘陽明也二火者二陽即陽明也三水者三陰即太陰也今太陰病氣外乘陽明即二火不勝三水也陽明不勝太陰故脈亂無常之也

四支懈惰此脾精之出行脾之精氣出散故出行也出散不營也故四支懈惰也喘欬者是水氣并陽明也太陽三水并陽明也手陽明絡肺故喘也血泄者脈急血無所行也陽明血脈盛急不行故嘔血也若夫以爲傷肺者由以狂也不引比類是知不明也夫傷肺者脾氣不守胃氣不輕精氣不爲使眞藏壞決脈傍絶五藏漏泄不衄則嘔此二者不相類譬如天之無形地之無理白與黑相遠矣是吾失過以子知之故不告子明引比類從容是以名曰診經是謂至道輕清也不清胃氣獨也是傷肺泄血與脾虛泄血其理不同以爲同者是失也謂子知之不告子者吾之過也如能明引比類安審得之是謂診經道也

問曰人之居處動靜勇怯脈亦爲之變乎曰凡人之驚恐志勞動靜皆以爲變言勇怯之人非直動靜有驚恐志勞其脈亦有喘數也是以夜行

則喘喘出於腎夜陰也腎亦陰也夜行志勞陰并破脈喘出腎也淫氣病肺有所墮恐喘出於肝淫邪之氣之先病於肺又因墜墮恐怖有喘者是肺賊邪乘肝肝病爲喘之也淫氣客於脾有所驚駭喘出於肺淫邪之氣先客於脾又因有所驚駭脈有喘者是脾虛邪乘肺肺病爲喘也淫氣傷於心度水跌仆喘出於腎與骨當是之時勇者氣行已怯者則着而爲病腎主水及與骨也淫邪先傷於心又因度水跌仆心悕腎氣盛爲賊邪乘心故心病爲喘也當爾心病因驚失水仆時勇者壯氣助心正氣得行病得除已怯者因驚失神故曰病而喘之也故曰診病之道觀人勇怯骨肉皮膚能知其情者以爲診法診病之道先觀人之五事得其病情者以爲診法也故飽甚則汗出於胃汗陰液也人動有所過陽盛反衰所以陰液出也傷飽氣盛反衰故汗出胃也驚而奪精汗出於心驚怖傷神反衰故汗出心也持重遠行汗出於腎持重氣盛傷志反衰故汗出腎者也疾走恐懼汗出於肝疾走恐懼氣盛傷魂反衰故汗出肝也搖體勞苦汗出於脾脾主體内故搖動形體勞苦氣盛反衰汗出於脾也故春秋冬夏四時

陰陽生病起過用此爲常人於四時飲食勞佚不能自節以生諸病斯乃愚人起過之常也食氣入於胃散精於肝淫氣筋食氣入胃胃之血氣之精散入五藏而獨言肝以肝爲木東方春氣爲物之先故也淫溢氣爲筋者也食入於胃濁氣歸心胃氣分二清者爲氣濁者爲血心主於血故濁歸於心也淫精於脈脈氣留經心之精甚停留十二大經中也經氣歸於肺肺以主氣故二經脈之氣皆歸於肺也故肺主氣也肺朝百脈十二經脈奇經八脈十五大絡等絡脈皆集肺脈兩手太陰寸口而朝之輸精於皮毛肺氣行於孫絡通輸精氣至皮毛中也毛脈合精行氣於府毛脈即孫脈也謂孫絡者即精氣和合行於六府皆肺氣也府精神留於四藏六府貯於水穀水穀之氣化爲精神留在四藏之中亦肺氣之所行者也氣歸於權衡以平氣口成寸以決死生權衡謂陰陽也以其陰陽之平平於氣口之脈成九分爲寸候五藏六府之脈以決死生也飲食入於胃游溢精氣上輸於脾脾氣散精上歸於肺溝洫通水處也深八尺曰洫四尺曰溝飲食入胃津液遊於肺中比之游洫精氣上輸與脾脾受氣已上輸與肺有字爲洫與溢同從胃流氣入脾非散溢也肺調水道下輸膀胱肺以主氣通津液濁者下行輸與膀胱爲溲也水精四布

水精血氣也肺行血氣布於四藏也五經並行合於四時五藏陰陽動靜揆度此以爲常四藏經脈並肺藏經以爲五經也五藏經並行於氣以外合四時之氣內應五藏陰陽動靜以應法度也揆應度應法度之也太陽藏獨至厥喘虛氣逆是陰不足陽有餘也表裏當俱寫取下輸太陽足太陽即三陽也藏足少陰二陰者一府藏腎與膀胱脈獨至時厥而復喘虛而氣逆虛者是陰氣不足厥而喘者陽氣有餘也少陰不足微不足也太陽有餘有餘太也故微寫少陰使其不盛甚寫太陽使其平也所以表裏俱取下輸下謂是足少陰及足太陽下五輸也陽明藏獨至是陽氣重并也當寫陽補陰取下輸陽明足陽明也即二陽也藏足太陰三陰者也此一府藏脾與胃脈獨至寸口陽明爲首兼太陰而至寸口者即陽氣重并於陰故寫足陽明補足太陰也皆取下之五輸也少陽獨至是厥氣也蹻前卒大取下輸少陽獨至者一陽之過足少陽即一陽也少陽獨至即是厥逆氣至也少陽與厥逆氣至是少陽盛而爲過其絡卒太在足外踝之上三寸蹻脈付陽穴前以筋骨之間爲下輸也太陰藏傳者用省眞五脈氣少胃氣不平三陰也宜治下輸補陽寫陰太陰足太陰也即三陰也藏謂脾藏也摶輸聚不營五即用省少也眞五藏脈少於

胃氣故曰不本故太陰脈即是三陰者也如此即陰盛陽虛所以須補陽寫陰取下五輸之也一陰獨嘯獨嘯少陰之厥也陽幷於上血脈爭張陰氣歸於腎宜治經絡寫陽補陰足少陽從耳後入耳中出走耳前所以陽盛耳鳴故曰一陰獨嘯也腎主於耳腎脈少陰也陽盛耳鳴即知少陰厥逆陽盛於上陰氣歸下宜寫陽補陰經之脈之也二陰至厥陰之治也眞虛悁心厥氣留薄發爲白汗調食和藥治在下輸二陰少陰也眞實也少陰之脈虛厥陰脈實虛者悁心故厥氣停薄於心發爲白汗心液也如此可調於食可和於藥可行鍼石於下五輸別療之也悁居玄反色忿之也太陽藏何象三陽而浮太陽三陽也故脈象三陽之脈浮者是也少陽藏何象一陽滑而不實滑者陽氣盛微熱不實虛也陽明藏何象象心之太浮也象心脈太而浮也太者多少氣之也太陰藏搏言其伏鼓也太陰之脈聚伏鼓動也二陰搏至腎沈不浮少陰之脈聚至沈於骨邊不浮也

黃帝内經太素卷第十六 診侯之二

香山賀耀光校字

仁安二年十一月十一日以同本書寫之
移點校合了　　丹波賴基

本云
保元元年九月廿四日戌刻許於燈燭之下
薰毗比校移點了　　憲基

黃帝内經太素卷第廿一 九鍼之一

通直郎守太子文學臣楊上善奉 勅撰注

九鍼要道

九鍼要解

諸原所生

九鍼所象

九鍼要道

黃帝問岐伯曰余子萬民養百姓而收其租税余哀其不終屬有疾病余欲勿令被毒藥無用砭石欲以微鍼通其經脉調其血氣營其逆順出入之會令可

傳於後世 五方療病各不同術令聖人量其所宜雜令行之取十全故次言之子者聖人愛百姓猶赤子也中有耶傷屬諸疾病不終天年有療之者行於毒藥或以砭石傷膚毒藥損中可九種微針通經調氣以傳後代也 必明爲之法令終而不滅久而不絶 法令即針經法也 易用難忘 毒藥砭石麁術之法難用易忘九種鍼要道易用難忘也 爲之經紀 可爲微鍼之經紀也 異其篇章 可爲微鍼篇目章句也 別其表裏 取其府輸爲表藏輸爲裏 爲之終始 微鍼之數始之於一終之九也 令各有形先立鍼經願聞其情 爲前五法必須各立形狀立前五形之本須作倣經法故請先立鍼經欲聞敍鍼之情也 岐伯曰臣請推而次之令有綱紀始於一而終於九請言其道 次之者推九鍼之序綱紀之次也 小鍼之要易陳而難入也粗守形工守神神乎神客在門未視其疾惡知其源刺之微在速遲粗守關工守機機之動不離空中之機清靜以微其來不可迎其往不可追知機道者不可掛

以髮不知機者扣之不發知其往來要與之期粗之闇乎眇哉工獨有之往者爲逆來者爲順明知逆順正行無問迎而奪之惡得無虛追而濟之惡得無實[但九鍼要道下成解中自當其釋也之]迎之隨之以意和之鍼道畢矣[逆順察之於陰陽迎奪施之於補寫]凡用鍼者虛則實之滿則洩之宛陳則除之耶勝則虛之大要曰徐而疾則實疾而徐則虛言實與虛若有若無察後與先若亡若存爲虛與實若得若失[言以意調][於補寫則鍼道可窮矣也]虛實之要九鍼最妙補寫之時以鍼爲之[五方別療][莫先於鍼所以補寫以針爲之也]寫曰必持而內之放而出之排陽出鍼疾氣得洩[凡寫之道內鍼必持出鍼必放之搖火其穴排陽耶而出針疾病之氣得洩謂之寫也]按而引鍼是謂內溫

血不得散氣不得出以手按其所鍼引之後煖氣內聚以心持鍼不令營血得散外閇其門令衛氣不得洩出謂之補也補曰隨隨之意若忘之隨氣呼吸而微動鍼之也若行若悔如蚊虻上欲去欲作為行悔也鍼在皮膚之中去來微動如彼蚊虻止又皮膚微覺有之也如留如還鍼在皮膚之中若似留停人如還去此皆言其候氣者也去如絶絃得氣已去即此補陰□補得之也即疾出鍼如絶絃者言其速也令左屬右其氣故止左手按穴右手行鍼內氣已補右手出鍼左手閇門使氣相續不滅也屬續也外門已閇中氣乃實痏孔為外門也補已不洩故內氣得實也必無留血急取誅之補者留其氣也不可留於客邪血也邪血留者可刺去之故曰急誅之也持鍼之道堅者為實持鍼不堅則氣散不從鍼正指直刺鍼無左右刺者欲中其病若鍼入左右不當於穴其病不愈也神在秋豪秋豪謂秋時兔新生豪毛其端鋭微也謂怡神在鍼端調氣故曰神在秋豪也屬意病者念其鍼下病无邪也審視血脈刺之無殆審視十二經脈及諸胳盧實刺之無殆也殆危也方刺之時必在懸陽及與兩衡神屬勿去知病存亡以所言方刺之時先觀氣色者也懸陽鼻也懸於衡下也鼻為明堂五藏六府氣色皆見明堂及與眉上兩衡之中故將鍼者先觀氣色知死生之候然後刺

也

血所在輸横居視之獨滿切之獨堅血脈胳脈也有脈横居輸穴之中視之滿實切之獨堅者是横居胳脈也夫氣之在脈也耶氣在上濁氣在中清氣在下故鍼陷脈則耶氣出鍼中脈則濁氣出鍼太深則耶氣反沈病益甚故曰皮肉筋脈各有所處病各有所含鍼各有所宜各不同形各以任其所宜無實實無虛虛無損不之而益有餘是謂重病病益甚取五脈者死取三脈者恇奪陰者死奪陽者狂鍼害畢矣恇區方反怯也氣少故怯鍼害者言前所禁甚也刺之而氣不至無問甚數刺之氣至乃去之勿復鍼鍼各有所宜各不同形任其所爲刺之要氣至而有効効之候若風之吹雲照乎若見蒼天刺

之道畢矣鍼入不得其氣無由補寫故轉鍼以待氣不問其數也得氣行補寫已即便出鍼其病愈速故譬惡風吹雲見蒼天也黄帝曰願聞五藏六府所出之處岐伯曰五藏五輸五五廿五輸六府六輸六六卅六輸經脈十二胳脈十五凡廿七氣以上下所出爲井所溜爲滎所注爲輸所行爲經所入爲合也廿七氣所行皆有五輸節之交三百六十五會知其要者一言而終不知其要流散無窮所言節者神氣之所遊行出入也非皮肉筋骨也覩其色察其目知其散復壹其形聽其動靜知其耶正右主推之左推之而御持之氣至而去凡將用鍼必先診脈視氣之劇易乃可以治病五藏之氣已絶於内而用鍼者又

實其外是謂重竭重竭則必其死其死也靜治之者輙反其氣取掖與膺五藏之氣已絕於外而用鍼者又實其內是謂逆厥逆厥則必死也躁治之者反取四末（言刺必須診也）刺之害中不去則精泄不中而去則致氣精泄則病甚而恇致氣則生爲癰瘍（不中病中精故精泄不中病病雖暫去更致弗氣爲癰瘍也精泄病甚故恇也）

九鍼要解

所謂易陳者易言也難入者難著于人也（言者甚易行之難著）粗守形者守刺法也工守神者守人之血氣有餘不足可

補寫也守刺規矩之形故粗守血氣中神明故工也神客者正耶共會也神者正氣也客者耶氣神者玄之所生神明者也神在身中以爲正氣所以身中以神爲主故耶爲客也耶來乘于正故爲會也在門者耶循正氣之所出入也門者腠理也循正氣在腠理出入也未覩其疾者先知正邪何經之病未覩病之已成即能先知正耶之發在何經脈中也惡知其原者先知何經之病所取之處也先知何注有病之微療之處所惡知言不知也刺之微在數遲者徐疾之意也刺之微妙之機在於徐疾也數疾也粗守關者守四支而不知血氣正耶之往來也五藏六府出於四支粗守四支藏府之輸不知營衛正之與邪往來虛實故爲粗也工守機者知守氣也機弩牙也主射之者守於機也知司補寫者守神氣也機之動不離其空者知氣之虛實用鍼之徐疾也以因於空所以機動由於孔穴知神氣虛實得行徐疾補寫也空中之機清靜以微者鍼已得氣密意守氣勿失也神在孔穴鍼頭候得氣已神清志靜密意守氣行於補寫不令有失故爲微也其

來不可迎者氣盛不可補也（氣盛不可補之補之實實也）其往不可追者虛不可以寫也（氣往而虛不可寫之寫之虛虛也）不可掛以髮者言氣易失也（利機掛以絲髮其機即發神氣如機微耶之氣如髮微耶來觸神氣之謂之掛也微耶來至神智即知名曰智機不知即失故曰易也）叩之不發者言不知補寫之意血氣已盡而不下也（不知機者謂鈍機也鈍機也叩之不發謂無智之人行於補寫耶氣至而不知有害血氣皆盡而疾不愈下愈也）知其往來者知氣之逆順盛虛也要與之期者知氣可取之時也（知虛實可取之時爲知往來要期也）粗之闇乎者冥冥不知氣之微密也眇哉上獨有之者蓋知鍼意也往者爲逆者言氣之虛而少少者逆來爲順言形氣平者順也明知逆順正行無問者知所取之處也（往者氣散故少氣逆也來者氣集故氣實順也明知氣之逆順即行補寫更亦不須問者謂善知處也）迎而奪之者寫也追而濟之

者補也迎而奪之致虛追而濟之令實故皆不可所謂虛則實之者氣口虛而當補之也診寸口脈虛當補所由之經也滿則洩之者氣口盛而當寫之也診寸口脈實當寫所由之經也宛陳則除之者去血脈也宛陳謂是經及胳脈聚惡血也耶勝則虛者言諸經有盛者皆寫其耶也有客耶在諸經皆寫去也徐而疾則實者言徐内而疾出也此言其補疾而徐則虛者言疾内徐出也此言其寫實與虛若有若無者言實者有氣也虛者無氣也若有氣實若無氣虛也察後與先若亡若存者言氣之虛實補寫之先後也察其氣之已下與尚存也若先實者寫而已之令後虛也若先虛者補而存之便後實也爲虛與實若得若失者言補則佖然若有得也寫則怳然若有失也補之得於神氣故佖然也佖文一反色儀和也寫失於耶氣故怳然也夫氣之在脈也耶氣在

上者言耶氣之中人也高故在上也高在頭風熱耶氣多中人頭也故曰在上也濁氣在中者言水穀皆入于胃其精氣上注於肺濁氣留于腸胃言寒温不適飲食不節而病于腸胃故命曰濁氣在中也穀入於胃化爲二氣清而精者上注於肺以成呼吸行諸經隧其濁者留於腸胃之間因於飲食不調爲病故曰在中也清氣在下者言清濕地之氣中人也必從足始故曰耶氣在上濁氣在中清氣在下清寒氣也寒濕之氣多從足上故在下也鍼陷脈則耶氣出者取之上上謂上脈頭及皮膚也鍼中脈則濁氣出者取陽明合也中者中脈謂之陽明是胃脈也陽明之合者胃足陽明合三里至巨虛上廉與大腸合至巨虛下廉與小腸合也鍼太深則耶氣反沈者言淺浮之疾不欲深刺也深則耶從之入故曰反沈也鍼過其分耶從鍼入病更益深故曰反沈也皮肉筋脈各有所處言經絡

各有所生也（言經在筋肉胳在皮膚也）取五脈者死言病在中氣不足但用鍼盡大寫其諸陰之脈也（五藏中虛用鍼者大寫五藏之脈陰絶故死也）取三脈者恇言盡寫三陽之氣令病人恇然不復也（一時盡三陽之脈陽絶故恇然不復也）奪陰者死言取尺之五里五往者也（五里在肘上不在尺中而言尺之五里者寸爲陽尺爲陰也陰尺動脈動於五里故曰取尺五里也五往者五寫也）奪陽者狂正言（奪陽陽虛故狂此爲禁之正言）覩其色察其目知其散復（觀其明堂五色察其目之形色則病之聚散可知也復聚也）壹其形聽其動靜者言工知相五色于目有知調尺寸小大緩急滑濇以言所病也（相五色於目謂壹其形也相目之形有五色別以知一形也調尺寸之脉六變謂聽其動靜也聽動靜者謂神思脈意也）知其耶正者知論虛耶與正耶之風（正耶者謂人因飢虛用力汗出腠理開發逢風入者名曰正耶也虛耶者謂八正虛耶氣也）右主推之左持而御之者言持鍼而出入也（右手推鍼出入左手持而御也）氣至

而去之者言補寫氣調而去之也氣若不至久而待之氣若至者依數行補寫去其實虛也調氣在于終始壹者持心持心在於終始故爲壹也節之交三百六十五會者脈胳之滲灌諸節者也數人骨節無三百六十五此名神氣遊行出入之處爲節非皮肉筋也故胳脈滲灌三百六十五空穴以爲節會也所謂五藏之氣已絕于內者脈口氣內絕不至反取其外之病處與陽經之合有留鍼以致陽氣陽氣至則內重竭即死也矣其死無氣以動矣故靜所謂五藏之氣已絕于外者脈口氣外絕不至反取四末之輸有留鍼以致其陰氣陰氣至則陽氣反入入則逆逆則死也陰氣有餘故八十一難五藏氣已絕於內者謂腎肝之氣爲陰在內也而醫之用鍼反實心肺心肺爲陽也陰氣虛絕陽氣盛實是爲實實虛虛故死心肺爲外心肺之氣已絕用鍼者實於腎肝亦爲實實虛虛所以致死之也所以察其目者五藏

使五色循明〔目爲五藏使候也循增也察目五色增明即知無病者也〕循明則聲章聲章者言聲與生平異〔五色增明異常明五聲辨章別於生平蓋是无病之候也〕

諸原所生

五藏有六府六府有十二原〔八十一難五藏皆以第三輸爲原各二以爲十原也又取手少陰經第三輸二爲十二原六府皆收井滎輸經四穴之後別立一原六府各二爲十二原然則五藏六府合有廿四原原者齊下腎間動氣人之生命也十二經之根本也故名爲原三膲行原氣經營五藏六府故三膲者原氣之別使也行氣故五藏第一輸故第三輸名原六府以第四穴爲原夫原氣者三膲之尊號故三膲行原氣止第四穴輸名爲原也今五藏六府有十二原者言五藏六府各有十二原也合而言之亦有廿四原文言六府有十二原者後人妄加二字耳〕十二原出于四關四關主治五藏五藏有疾常取之十二原十二原者五藏之所以禀三百六十五節氣味者也〔四關四支也此中唯言五藏有十二原生病所由不言六府十二原也五藏在内原在於外故五藏有府皆從外入所以五藏皆禀十二原也以其三百六十五節交會穴中穀之氣味皆在中會也〕五藏有疾也應出于十二原而原各有

所出原之脈氣皆出其第三輸明知其原覩其應而知五藏之害矣明知十二原所出之處又知內應五藏則妙達五藏所生之害也陽中之少陰肺也其原出于大淵大淵二日夕少陰故曰陽中少陰也陽中之大陽心也其原出于大陵大陵二日中大陽故曰陽中大陽也陽中之少陽肝也其原出于大衝大衝二日出初陽故曰陽中之少陽也陰中之大陰腎也其原出于大谿大谿二夜半重陰故曰太陰也陰中之至陰脾也其原出于大白大白二土爲四藏陰之至極故曰至陰也鬲之原出于鳩尾鳩尾一膈氣在於鳩尾之下故鳩尾爲原也肓之原出于脖胦脖胦一肓謂下肓在齊一寸脖蒱忽反胦於桑反謂胦齊也凡此十二原者主治五藏六府之有疾者也脹取三陽飧洩取三陰脹取六府三陽原也洩取五藏三陰原也之今夫五藏之有疾也譬猶刺客耶入身其猶刺也猶汗也五志藏神其猶汗也

猶結也陰陽積聚其猶結也猶閉也血氣不流其猶閉也刺雖久猶可拔也汙雖久猶可雪也結雖久猶可解也閉雖久猶可決也或言久疾之不可取者非其說也夫善用鍼者其取疾也猶拔刺也猶雪汙也猶解結也猶決閉也疾雖久猶可畢也言不可者未得其術也三陽不通其猶閉也不得其術者言上工所療皆愈也刺熱者如手探湯刺熱者決寫熱氣不久停鍼徐引鍼使病氣疾出故如手探湯言其疾也刺寒清者如人不欲行刺寒者久留於鍼使温氣集補故如人行遲若不行待氣故也陰有陽疾者取之下陵三里正往無殆氣下乃止不下復始諸陽以爲陰陽有疾也疾高而內者取之陰之陵泉疾高而外者取之陽之陵泉所病在頭等爲高根原在脾足太陰內者故取太陰第三輪陰陵泉也所病在頭爲高其原在膽足少陽外故取足少陽第三輪陽陵泉也

九鍼所象

黄帝曰余聞九鍼於夫子衆多博大矣余猶不能寤敢問九鍼焉生何因有名九鍼法於三才故曰博大岐伯曰九鍼者天地之大數始於一而終於九故曰一以法天二以法地三以法人四以法四時五以法五音六以法六律七以法七星八以法八風九以法九野此言其博太也黄帝曰以鍼應九之數奈何岐伯曰夫聖人之起天地之數也一而九之故以立九野九而九之九九八十一以起黄鍾數焉以鍼應數黄鍾即起於一也之一者天也天陽也五藏之應天者肺也肺者五藏六府之蓋也皮者肺之合

人之陽也故爲之治鍼必以大其頭而兌其末令無得深入而陽氣出二者地也地者土也人之所以應土者肉也故爲之治鍼必筒其身而員其末令无傷肉分傷則氣竭三者人也人之所以成生者血脈也故爲之治鍼必大其身而員其末令可以按脈勿陷以致其氣令耶氣獨出四者時也時者四時八風之客於經絡之中爲痼病者也故爲之治鍼必筒其身而鋒其末令可以寫熱出血而痼病竭以下言九鍼有法象也此一名鑱鍼卒兌之者令其易入大其頭使不得深也二者員鍼員其末如鷄卵也三者鍉鍼員其末者末如黍粟之兌也四者鋒鍼筒其身如筒之員也鋒其末者鍼末三隅利也五者音也音者冬夏分分於子午陰與陽別寒與熱爭兩氣相薄

合爲癰膿者也故爲之治鍼必令末如劒鋒可以取大膿（名曰鈹鍼）六者律也律者調陰陽四時而合十二經脈虚邪客於經胳而爲暴痺者故爲之治鍼必令尖如氂且員且兑中身微大以取暴氣（名曰員利鍼也氂毛也毛形且員且兑中身微大也）七者星也星者人之七竅耶客於經而爲痛痺舍於經絡者也故爲之治鍼令尖如蚊虻喙靜以徐往微以久留正氣因之眞耶俱往出鍼而養者也（喙詡穢反口觜也名曰豪鍼也養者久留也）（況羽反 即移反）八者風也風者人之股肱八節也八正之虚風八風傷人内舍於骨解腰脊節腠之間爲深痺者也故爲之治鍼必長其身鋒其末可以取深耶遠痺（名曰長鍼鋒利也）九

者野也野者人之節解皮膜之間也淫耶流溢於身如風水之狀而留不能過於機關大節者也故爲之治鍼令尖如梃其鋒微員以取大氣之不能過於關節者也名曰大鍼也大節十二大節也梃當爲筳小破竹也黃帝曰鍼之長短有法乎岐伯曰一曰鑱鍼者取法於布鍼去木半寸卒兌之長一寸六分主熱在頭身也二曰員鍼取法於絮鍼筩其身而卵其鋒長一寸六分主治分間氣三曰鍉鍼取法於黍粟之兌長三寸半主按脈取氣令耶出四曰鋒鍼取法於絮鍼筩其身鋒其末長一寸六分主癰熱出血五曰鈹鍼取法於劒鋒廣二分半長四寸主

大癰膿兩熱爭也六曰員利鍼取法於氂微大其末反小其本令可深内也長一寸六分主取癰暴痺者七曰毫鍼取法於豪毛長一寸六分主寒痛痺在胳者也八曰長鍼取法於綦鍼長七寸主取深耶遠痺者九曰大鍼取法於鋒鍼其鍼微員長四寸主取大氣不出關節者鍼形畢矣此九鍼小大長短之法也此言九鍼之狀并言所療之病鑱仕咸反鍉釘奚反針形也錍披眉反綦奇眉反也凡鍼之名各不同形一曰鑱鍼二曰員鍼三曰鍉鍼四曰鋒鍼五曰錍鍼六曰員利鍼七曰豪鍼八曰長鍼九曰大鍼鑱鍼者頭大末兌主寫陽氣員鍼者鋒如卵形揩摩分間令不得傷肌

以寫分氣鍉鍼者鋒如黍粟之兌主按脈勿陷以致其氣鋒鍼者刃參隅（參音三也）以發痼疾鈹鍼者末如劍鋒以取大膿員利鍼者尖如氂且員且兌中身微大以取暴氣豪鍼者尖如蚊虻喙靜以徐往微以久留之而養以取痛痺長鍼者鋒利身博（音團）可以取遠痺大鍼尖如梃其鋒微員以寫機關之水九鍼畢（此言九鍼用法）

黃帝內經太素卷第廿一　九鍼之一　香山賀耀光校字

仁安三年四月六日以同本書寫之
移點校合了　丹波賴基

本云
保元二年仲春廿二日以家相傳本移點比校了
憲基

內經二十一

本云

保元元年中春廿日以家本移點比校了　憲基

移點校合了　丹波賴基

仁安三年四月六日以同本書寫之

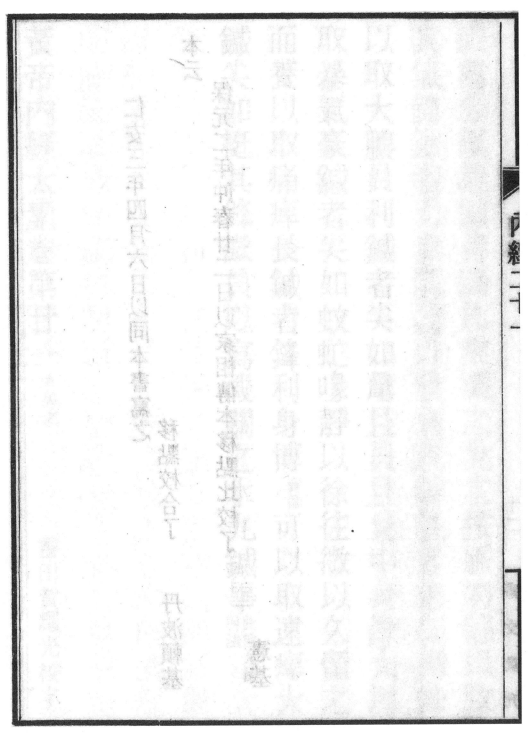

黄帝内經太素卷第廿二 九鍼之二

通直郎守太子文學臣楊上善奉 勅撰注

刺法

九針所主

三刺

三變刺

五刺

五藏刺

五節刺

五邪刺

九刺

十二刺

刺法

黃帝問岐伯曰余願聞持鍼之數內鍼之理縱舍之意扦皮開腠理奈何岐伯曰帝之所問鍼道畢矣□□字數不詳二行欠爲□□扦寒半反衛也謂衛皮也黃帝曰持針縱舍奈何岐伯曰必先明知十二經之本末起處爲本止處爲末膚之寒熱皮膚熱即血氣通寒即脈氣壅也脈之盛衰滑濇其脈滑而盛者病日進虛而細者久而持陽氣盛而微熱謂之滑也多血少氣微寒謂之濇脈□□細微□□□□□□□大以濇者爲痛痺多氣少血爲大多血少氣爲濇故爲痛痺也陰陽如一者瘤難治其本末陰陽之脈不可辨故如一也瘤懸疣之類也以不可辨故本末難療也上

熱者病尚在其熱以衰者其病亦去矣〔頭及皮膚熱也其頭及皮膚熱衰病必去也〕因持其尺察其肉之堅脆小大滑濇寒温燥濕也〔持尺皮膚決死生也〕因視目之五色以知五藏而決死生〔五藏之精華並歸於目也□□□□藏徵也〕視其血脈察其五色以知痛痺〔候色脈決死生也〕黃帝曰持鍼縱舍余未得其意也〔重言□□□持鍼縱舍故重問也〕岐伯曰持鍼之道欲端以正安以靜〔持鍼當穴故端正以志不亂故安靜也〕先知實虛而行疾除〔補寫所由也〕左指執骨右手循之毋與肉果之〔□□然□堅固故曰執骨之右手循□□□不可傷肉果也果音顆也〕寫欲端以正補必閉膚〔寫欲直入直出故曰端正□□□□□□□□□□□□□□〕轉鍼導氣邪得淫泆眞氣得居〔□□轉鍼□□□□□□導氣□□□執淫泆洩出令眞氣居而不散之也〕黃帝曰扞皮開腠理奈何岐伯曰因其分肉在別其膚〔膚皮也以手按得分肉之穴當穴皮上下鍼故曰在別其膚之也〕

微内而徐端之適神不散邪氣得去黃帝曰善之寫法雖以
□□□必冷以審詳爲先故曰微内而徐正之□□□□邪得□□□□二調也黃帝問岐伯曰人有八虛各何
以候岐伯答曰以候五藏八虛者兩肘兩腋兩髀兩膕此之人虛故曰八虛以其虛故眞邪二氣留過故爲機關之室也眞過則機
關動利邪留則不得屈伸故此八虛候五藏之氣也黃帝曰候之奈何岐伯曰肺心有邪其
氣留於兩肘兩肘肺脈手太陰心脈手少陰二脈所行故肺心有邪肘爲候也肝有邪其氣留於兩
腋兩腋脇下肝氣在中故肝有邪腋爲候也脾有邪其氣留於兩髀脾足太陰脈循股内上□□樞令□□□明故脾有邪髀爲候
也腎有邪其氣留於兩膕腎脈足少陰出膕内廉故腎有邪膕爲候也凡此八虛者
皆機關之室眞氣之所過血胳之所游邪氣惡血固
不得住留留則傷筋胳骨節機關不得屈伸故病痀
攣此八大節相屬虛處乃是□□之動利機關又□□□□□□□□所故曰機關之室痀其俱反曲脊背傴也黃帝問岐伯曰余聞

針道於夫子衆多畢悉矣夫子之應若失而據未有
堅然者夫子之問學熟乎將審察於物而心生乎據依也堅
定也言夫子所說九鍼之應曲從物理而變似未有定爲□也夫子所問所學從誰得乎□□審□□□□人變□□□心乎也岐伯答曰聖人之
爲道者上合於天下合於地中合於人事必有明法
以起度數法式檢押乃後可傳焉□□□□合理乃後傳之三合而爲法度故可傳也故匠
人不能釋尺寸而意短長癈繩墨而起水平也工人
不能置規而爲員去矩而爲方匠人從尺寸之度非以意而爲短長准繩墨□□□不有私而起水平此爲技巧也
工人爲員無置規而爲□□欲爲方者無棄矩而爲妙此爲大工也聖人之爲教也法自然之至理以起法度之爲而□稱聖人也知用此者固自然
之物易用之教逆順之常繩墨非他亦自然之繩墨因其自然故其教用易是故違之則爲逆順之得常之也黄帝
曰願聞自然奈何岐伯曰臨深決水不用功力而水

可竭也循掘決衝而經可通也此言氣之滑濇血之清濁行之逆順夫自然者非爲自能與也所謂因氣之滑濇血之清濁臨深決水如通之如臨深決水取自然之便而水可竭故曰自然之也黃帝曰願聞人之白黑肥瘦少長各有數乎白黑色異也肥瘦形異也少長強弱異也刺之深淺多爲分不同故曰有數乎也岐伯曰年質壯大血氣充盈膚革堅固因加以邪刺此者深而留之此爲肥人廣肩腋項肉薄皮厚而黑色脣臨臨然其血黑而濁其氣濇其爲人貪於取與刺此者深而留之多益其數此黑色人也黃帝曰刺瘦人奈何岐伯曰刺瘦人者薄皮色少肉廉廉然薄脣輕言其血清氣滑易脱於氣易損於血刺此者淺而疾之瘦人謂天然瘦也黃帝曰刺常人奈何岐伯曰視其白黑各爲調

之其端正長厚者其血氣和調刺此者無失常數之常謂平和不肥瘦人刺之依於深淺常數不深之不淺之也黃帝曰刺壯士眞骨者奈何岐伯曰刺壯士眞骨堅肉縱節監監然此人重則氣濇血濁刺此者深而留之多益其數□刺謂□堅大者也勁則氣滑血清刺此淺而疾之勁急也黃帝曰刺嬰兒奈何岐伯曰嬰兒者其肉脱血少氣弱刺此者以毫鍼淺刺而疾發鍼日再可也刺嬰兒日再者不得過多也黃帝曰臨深決水奈何岐伯曰血清氣滑疾寫之則氣竭焉自有血清氣滑刺之如臨深決水不可行也若血濁氣濇而形壯氣盛可取自然之便刺而寫之如臨深決水黃帝曰循掘決衝奈何岐伯曰血濁氣濇疾寫之則經可通也循其血氣掘決其衝寫不通之使其平也黃帝問曰逆順五體言人

骨節之小大肉之堅脆皮之薄厚血之清濁氣之滑濇脈之長短血之多少經絡之數余已知之矣此皆布衣匹夫之士也夫王公大人血食之君身體柔脆肌肉軟弱血氣慓悍滑利其刺之徐疾淺深多少可得同乎岐伯答曰夫膏粱菽藿之味何可同也氣滑則出疾氣濇則鍼大而入深深則欲留淺則欲疾以此觀之刺布衣者深以留刺大人者微以徐此皆因氣慓悍滑利者也脈氣五十動有伐者順也不滿五十動一伐者逆也言大人食以膏粱布衣匹夫之士食以菽藿□□故刺之深淺去留之異也

黃帝問曰形氣之逆順奈何岐伯答曰形氣不足病氣有餘是邪勝也急寫之急寫邪氣補形氣也形氣有餘病氣不足

急補之 急以正氣補之氣安則病除也 形氣不足病氣不足此陰陽氣俱不足也不可刺之刺之則重不足重不足則陰陽俱竭血氣皆盡五藏空虛筋骨髓枯老者絶滅壯者不復矣 俱不足者不可得刺宜以湯藥調也 形氣有餘病氣有餘此謂陰陽俱有餘也急寫其邪調其實虛故曰有餘者寫之不足者補之此之謂也 形氣爲陽病氣爲陰也俱有餘者可以寫陰邪氣以調形氣使和也 故曰刺不知逆順眞邪相薄滿而補之則陰陽四溢腸胃充郭肝肺内䐜陰陽相錯 滿而補之陰陽之氣滿於四支故曰四溢腸胃氣聚所以脹而充郭肝肺俱滿故曰内䐜叱隣反陰陽俱盛所以相錯也 虛而寫之則經脈空虛血氣竭枯腸胃攝辟皮膚薄著毛腠夭膲豫之死期 攝辟腸胃無氣也攝紙輒反也 故曰用針之要在乎知調調陰

與陽精氣乃光合形與氣使神內藏（光章盛貌神內藏者五神守藏也）故曰上工平氣中工亂經下工絶氣危生故下工不可不慎也（平氣致氣和也下工守形不知平氣傷損實□故不可不慎也）必審其五藏變化之病五脈之應經絡之實虛皮之柔麤而後取之（五脈五時之脈也柔麤謂調尺之皮膚柔弱麤強也）

九針所主

九刺之要官鍼最妙（官者謂用鍼時邪着於鍼也）九鍼之宜各有所爲長短小大各有所施不得其用病不能移病淺鍼深內傷良肉皮膚爲癰病深鍼淺病氣不寫反爲大膿病小鍼大氣寫大疾必後爲害病大鍼小大氣不寫亦後爲敗夫鍼之宜大者大寫小者不移已言其過請

言其所施言九鍼之用所宜各異并言用法也病在皮膚無常處者取以鑱鍼于病所膚白勿取鑱鍼頭大末鋭主寫陽氣故皮膚痛無常處陽氣盛也痛處膚當色赤故白處痛移不可取也病在分肉間者取以員鍼於病所員鍼之狀鋒如卵揩摩分肉不傷肌以寫分氣也病在脈氣少當補者取以鍉鍼于井滎分輸鍉鍼之狀鋒如黍粟之鋭主當行循於井滎之輸以致於氣也病爲大膿者取以鈹鍼鈹鍼之狀末如劒鋒以取大膿也病痺氣暴發者取以員利鍼員利鍼狀如氂氂毛也用取暴痺痺病氣痛而不去者取以毫鍼毫鍼之狀尖如蚊䖟之喙靜以徐往留之養神以取痛痺也病在中者取以長鍼長鍼之狀鋒利身摶以取藏中遠痺也病爲水腫不能過關節者取以大鍼大鍼之狀尖如筳筳如草筳其鋒微圓以能通關節者也病在五藏固居者取以鋒鍼寫于井滎分輸取以四時鋒鍼之狀刃參隅以發固居之疾寫於井滎分輸取以四時也

三刺

所謂三刺則穀氣出者先淺刺絕皮以出陽邪三刺者陽刺邪陰刺穀氣刺也陽邪浮淺在皮故一刺淺之陽邪得出也再刺則陰邪出者少益深絕皮致肌肉未入分間也陰邪次深在於肌肉故再刺出之也已入分肉之間則穀氣出穀氣者正氣也故後刺極深以致正氣也故刺法曰始刺淺之以逐邪氣而來血氣後刺深之以致陰氣之邪最後刺極深之以下穀氣此之謂也逐邪氣者逐邪來血氣引正氣也下穀氣不下引之令下也故用鍼者不知年之所加氣之盛衰虛實之所起不可以爲工也人之大忌七藏已上次第加九至一百六名曰年加也不知年加氣之盛衰虛實爲不知也凡刺之屬三刺至穀三刺得於穀氣也邪僻妄合陰陽二邪妄與正止氣相合一也陽陰易居府藏一氣相乘名曰易居二也逆順相反營氣逆肺衞氣順脈

以爲相反三也沈浮異處春脈或沈冬脈或浮故曰異處四也四時不得謂四時脈不相順五也稽留淫泆言血氣或有稽留癰遏或有淫泆過度六也須鍼而去以此六過故須微鍼以去之也一刺則陽邪出再刺則陰邪出三刺則穀氣至穀氣至而止所謂穀氣至者已補而實已寫而虛故以知穀至也已補而實已寫而虛皆正氣至故病愈也邪氣獨去者陰與陽未能調而病知愈也行補寫已邪氣已去以陰陽未調病雖不愈後必愈矣也故曰補則實寫則虛痛雖不隨鍼高必衰去矣引上經證也陰盛而陽虛先補其陽後寫其陰而和之陰虛而陽盛先補其陰後寫其陽而和之重實寫之爲易重虛補之爲難故先補後寫也三脈重足大指之間三脈足陽明足厥陰足太陰三脈也足太陰脈起足大指端循指內側白肉際過覈骨後上踝不言之大指岐間此言重在大指間者從大指端循大指側入大指間以過覈骨而上也足厥陰脈起大指叢毛上入大指間重在太陰之上上循足跗足陽明支別於跗上入大

指間重在厥陰之上必審其實虛虛而寫之是謂重虛重虛病益甚必審大指間三脈虛實以手按之先補虛者後寫實者若不知三脈有實寫其虛者是謂重虛重虛病益甚也凡刺此者以指按之脈動而實且病者疾寫之虛而徐者則補之反此者病益甚其重也陽明在上厥陰在中太陰在下二脈有動而實者有徐而虛者皆審調補寫也膺輸中膺背輸中背膺輸在胸中背輸在背中也肩膊虛者取之上補肩髃肩井等故曰取之上也重舌刺舌柱以鈹針重舌謂舌下重生肉也舌柱舌下柱以鈹針刺去血也手屈而不伸者其病在筋伸而不屈者其病在骨在骨守骨在筋守筋腎足少陰脈主骨可守之少陰脈發會之穴以行補寫肝足厥陰脈主筋可守足厥陰脈發會之穴以行補寫也補須一方實深取之希按其痏以極出其邪氣量此補下脫一寫字方處也欲行寫者須其寫處是實然後得爲寫也深取之□其令出氣多也希遲也按其痏者遲按針傷之處使氣洩一方虛淺刺之以養其

脈疾按其痏無使邪氣得入行於補者須補處是虛也淺取者惡其洩氣所以不深也以養其脈者留針養其所取之經也
按其痏者按針傷之處疾閉其門使邪氣不入正氣不出也邪氣來也堅而疾穀氣來也
徐而和鍼下得氣堅疾者邪氣也□希按徐和穀氣也派實者深刺之以洩其氣脈虛
者淺刺之使精氣無得出以養其脈獨出其邪氣脈實者邪
氣盛也虛者正氣少也刺諸痛者深刺之諸痛者其脈皆實其脈之實滿爲痛故深洩也
從腰以上者手太陰陽明皆主之從腰以下者足太
陰陽明皆主之腰以上爲天肺主天氣故手太陰手陽明主之也腰以下爲地脾主地土故足太陰足陽明主之也病
在上者下取之病在下者高取之手太陰下接手陽明手陽明下接足陽明足陽明下接足太陰以其上下
相接故手太陰陽明之上有病宜療足太陰陽明足太陰陽明有病宜療手太陰陽明故曰高取之也病在頭者取之足病在
腰者取之膕足之三陰三陽之脈從頭至足故病在頭取之足也足太陽脈循腰入膕故病在腰以取膕也病生于頭者頭

重生于手者臂重生于足者足重治病者先刺其病所從生者頭手足有病之處其候皆重各頭支其病生所由以行補寫也春氣在毫毛人之毫毛中虛故春之傷氣在毫毛夏氣在膚膚肉上也陽氣在皮肉也秋氣在分肉分肉謂䐃肉之間也冬氣在筋骨筋附骨上最深故冬陽氣深在筋骨也刺此病者各以其時爲齊故刺肥人者以秋冬之齊刺瘦人者以春夏之齊秋冬之齊者刺至筋骨言其深也春夏之齊刺在於皮膚言其淺也病痛者陰也痛而以手按之不得者陰也深刺之人之病痛以手按之得與□病痛爲陰病陰病在深在深刺也病在上者陽也在下者陰也癢者陽也淺刺之衛氣行皮膚之中壅遏爲癢故淺刺之也病先起於陰者先治其陰而後治其陽病先起其陽者先治其陽而後治其陰皆療其本也刺熱厥者留針反爲寒刺寒厥者留針反爲熱

留久者則先熱動針留之爲寒先寒動針留之爲熱也刺熱厥者二陰一陽刺寒厥者二陽一陰所謂二陰者二刺陰也一陽者一刺陽也皮爲陽分也肌肉爲陰分也刺熱厥者二度刺陰留補其陰也一度刺陽留寫其陽也刺寒反之久病者邪氣入深刺此病者深內而久留之間日而復刺之必先調其左右去其血脈刺道畢矣病久益深物理之恒故非深取久留不去去之邪氣不能速出故須間日而取取之先調左右血絡刺而去可謂盡刺之理者也凡刺之法必察其形氣形肉未脫少氣而脈又躁躁厥者必爲繆刺之以下繆刺之法也形肉之脫察其形也少氣察其氣也脈躁察其脈也有此三種所由必須繆刺大絡左刺右右刺左也散氣可收聚氣可希希散也繆刺之益正氣散而收聚邪氣聚而可散也深居靜處爲鍼調氣凡有六種深居□□□氣靜一也與神往來去妄心隨作動二也閉戶塞牖魂魄不散去馳散守魂魄三也專意一神精氣不分去異思守精神四也無聞人聲以收其精去異聽守精氣五也必一其神令

之在針淺而留之微而浮之以移其神氣至乃休（移平和也守針下和氣六也）男内女外堅巨勿出謹守勿内是謂得氣（男者在家故爲内也女者出家故爲外也是男爲内氣女爲外氣針下得男内氣堅巨勿令出也得女外氣謹守勿入内也）

三變刺

黃帝問曰余聞刺有三變何謂三變伯高答曰有刺營者有刺衛者有刺寒痺之留經者黃帝問曰刺三者奈何伯高曰刺營者出血刺衛者出氣刺寒痺者内熱（刺營見血出惡血也刺衛見氣出邪氣也刺痺見熱故曰三變寒温之氣停留於經絡久留針使之内勢以去其痺也）黃帝問曰營衛寒痺之爲病奈何伯高答曰營之生病也寒熱少氣血上下行衛之生病也氣痛時來時去怫愾賁響風

寒客於腸胃之中寒痺之爲病也留而不去時痛而皮不仁佛愾上扶物反下許氣反氣盛滿皃賁嚮腹脹皃也黃帝問曰刺寒痺内熱奈何伯高曰刺布衣者必火焠刺大人者藥熨之黃帝問曰藥熨之奈何伯高曰用醇酒二十升蜀椒一升干薑一升桂一升凡四種皆㕮咀漬酒中用綿絮一斤細白布四丈皆並内酒中置酒馬矢温中蓋封塗勿使洩五日五夜出布綿絮曝乾復漬以盡其汁每漬必晬其日乃出乾並用滓與綿絮複布爲複巾長六七尺爲六七巾即用之生桑炭炙巾以熨寒痺所刺之處令熱入于病所寒復炙巾以熨之卅遍而止即汗

出灸巾以拭身亦卅遍而止起步內中無見風每刺必熨如此法病已矣此所謂內熱者也（酒椒薑桂四物性熱又洩氣故用之熨身皮腠適而可刺也此在冬日血氣不流之時熨之令通也㕮弗禹反咀㕮與反㕮咀謂調麄細令等也晬祖類反一日周時也）

五刺

凡刺有五以應五藏一曰半刺半刺者淺內而疾發鍼令針傷多如拔髮狀以取皮氣此肺之應（凡刺不減一分今言半刺當是半分故以拔髮爪欲令淺刺多則傷皮氣也）二曰豹文刺豹文刺者刺左右前後針之中脈爲故以取經絡之血者此心之應也（左右前後針痏狀若豹文故曰豹文刺也中經及絡以出血也）三曰關刺關刺者直刺左右盡筋上以取筋痺慎無出血此肝之應也或曰淵刺一曰豈刺（刺關身之左右盡至

筋上以去筋痹故曰開刺或曰關刺也四曰合刺合刺者左右鷄足針于分肉之間以取肌痹此脾之應也刺身左右分肉之間痛如鷄足之跡以合分肉間之氣故曰合刺也五曰輸刺輸刺者直入直出深内之至骨以取骨痹此腎之應也依於輸穴深内骨以去骨痹故曰輸刺也

五藏刺

邪在肺則病皮膚痛寒熱上氣喘汗出欬動肩背肺病五有取之膺中外輸背三椎五椎之傍以手疾按之快然乃刺之取之缺盆中以起之膺中内輸在膺前也膺中外輸肺輸也在背第三椎兩傍心輸在第五椎兩傍各相去三寸按之快然此爲輸也肺之五病取於肺輸及肺缺盆中也邪在肝則兩脇中痛寒中惡血在内行者善瘛節時腫肝病有四取之行間以引脇下行間足厥陰脈滎肝脈也在大指間肝在

脇下故引兩脇下痛與明堂少異也補三里以温胃中三里足陽明胃脈人病寒中陽虚也故取三里補足陽明即胃中温也取血脈以散惡血惡血在内上下行者取其病處脈血見者刺而散之也取耳間青脈以去其痺耳間青脈附足少陽脈瘛脈一名資脈在耳本如鷄足青脈絡刺出血如豆可以去痺也邪在脾胃則肌肉痛陽氣有餘陰氣不足則熱中善飢陽氣不足陰氣有餘則寒中腸鳴腹痛陰陽俱有餘若俱不足則有寒有熱皆調於三里陽氣即足陽明也陰氣即足太陰也此脾之七病皆取三里以行補寫故曰調之邪在腎則骨痛陰痺陰痺者按如不得腹脹腰痛大便難肩背頸項痛時眩取之涌泉崑崙視有血者盡取之涌泉足少陰脈井足心陷中屈足捲指宛中崑崙足太陽經在外踝後跟骨上陷中腎之十病皆取此二穴刺去血也邪在心則病心痛喜悲時眩仆視有餘不足而調之其輸心病三種皆調其手心主經脈之輸也

五節刺

黄帝問於岐伯曰余聞刺有五節奈何岐伯對曰固有五節一曰振埃二曰發矇三曰去爪四曰徹衣五曰解惑節約也謂刺道節約也此言其名也黄帝曰子言五節余未知其意岐伯曰振埃者刺外經去陽病也以下言刺道五節之意也外經者十二經脈入府藏者以爲内經行於四支及皮膚者以爲外經也發矇者刺府輸去府病也六府卅六輸皆爲府輸也去爪者刺關節之支絡也開四支也四開諸節及餘大節也支絡孫絡也徹衣者盡刺諸陽之奇輸也諸陽奇輸謂五十九刺故曰盡也解惑者盡知調陰陽補寫有餘不足相傾移也寫陰補陽寫陽補陰使平故曰相傾移也黄帝曰刺節言振埃夫子乃言刺外經去陽病余不知其所謂也願卒聞之岐伯曰振

埃者陽氣大逆滿於胸中憤瞋肩息大氣逆上喘喝坐伏病惡埃煙餲不得息（以下問答解釋五刺節義埃塵微也謂此三種陽病惡於埃塵煙氣其病令人氣滿閉塞得喘息言其埃也餲音噎也）請言振埃尚疾於振埃也（以下言其振埃也刺之去痛疾於振埃故曰振埃也）黃帝曰善取之何如岐伯曰取之天容也（天容在耳下曲頰後足少陽脈氣所發也）黃帝曰其欬上氣窮詘胸痛者取之奈何岐伯曰取之濂泉也（詘音屈窮詘氣不申也濂泉在頷下結喉上也濂斂塩反）黃帝曰取之有數乎岐伯曰取天容者無過一里而止取濂泉者血變而止黃帝曰善（一里一寸也故明堂刺天容深一寸也）黃帝曰刺節言發矇余未得其意夫發矇者耳無所聞目無所見夫子乃言刺府輸何使然願聞其故（矇莫東反耳謂目不明也）岐伯曰妙乎哉問也

此刺之約針之極也神明類也深簡所發矇謂外刺去矇者也神明謂是耳目去矇得明故曰神明類也口說書卷猶不能及也發矇愈疾之速得於神言書所不及也請言發矇尚疾於發矇也岐伯望請口言發矇之速也黃帝曰善願手受之岐伯曰刺此者必於日中刺其聽宮中其眸子聲聞于耳此其輸也黃帝曰善何謂聲聞於耳岐伯曰邪刺以手堅按其兩鼻竅而疾偃其聲必應於針也黃帝曰善此所謂弗見爲之而無目視見而取之神明得者矣日中正陽故開耳目取日中也手太陽脈支者至目兌眥却入耳中手足少陽脈支者從耳後入耳中出走耳前至目兌眥故此三脈皆會耳目聽宮俱連目中眸子眸子目中瞳子也刺聽宮輸時矇聵速愈故得聲聞於耳也針聽宮時按鼻仰臥者感氣合出於耳目口即耳通目明矣此之妙者得之於神明非由有目而見者也黃帝曰刺節言去爪夫子乃言刺関節之支絡願卒聞之岐伯曰腰背者身之大關

節也股胻者人之所以趨翔也莖垂者中身之機陰精之候津液之道也爪謂人之爪甲肝之應也肝足厥陰脈循於陰器故陰器有病如爪之餘須去之也或水字錯爲爪字耳腰脊於手足關節爲大故曰大關節也陰莖在腰故中身陰莖垂動有造化故曰機也精從莖出故爲陰候屎府中道爲津液道也故飲食不節喜怒不時飲食不節言飲食過度言其喜怒不時反春夏也津液内溢乃下溜於睪言飲食多水溢流入陰器囊中也睪音高也水道不通日大不休俛仰不便趨翔不能此病滎然有水不上不下水道既閉曰日長大也滎然水聚也不上者上氣不通不下者小便及氣下不洩也鈹石所取形不可匿常不得蔽故命曰去爪黄帝曰善以下言去爪也蔽塞也言下鈹針使水形不得匿而不通不常閉塞黄帝曰刺節言徹衣夫子乃言盡刺諸陽之奇輸未有常處也願卒聞之岐伯曰是陽氣有餘而陰氣不足不足則内熱陽氣有餘則外熱與熱相薄熱於

懷炭外重絲帛衣不可近身又可不近席腠理閉塞不汗舌燋脣槁腊嗌乾欲飲不讓美惡也藏之陰氣在內府之陽氣在外陰氣在外陰氣不足則陽乘之故內熱薄停也重絲帛衣複衣也腊肉乾也內熱盛渴故飲下擇好惡也腊性亦反也黃帝曰善取之奈何岐伯曰取之其府大杼三痏有刺中膂以去其熱大杼內輸皆是足太陽脈氣所發寫陽氣之要穴也補手足太陰以出其汗熱去汗希疾於徹衣黃帝曰善手太陰主氣足太陰主穀氣此二陰氣不足爲陽所乘陰氣不洩以爲熱病故寫盛陽補此二陰陽去二陰得實陰氣得通流液故汗出熱去得愈疾於徹衣故曰徹衣也

黃帝曰刺節言解惑夫子乃言盡知調陰陽補寫有餘不足相傾移也惑何以解之岐伯曰大風在身血脈偏虛虛者不足實者有餘大風謂是痱風等風病也輕重不得傾側宛伏手足及身不能傾也宛謂宛轉也不知東西又不知南北心無知也乍上乍

下乍反覆顛倒無常甚於迷惑 志言性失也 黃帝曰善取之奈何岐伯曰寫其有餘補其不足陰陽平復用針若此疾於解惑 盡知陰陽虛實行於補寫使和也 黃帝曰善請藏之靈蘭之室不敢妄出也 靈蘭之室黃帝藏書之府今是蘭臺故名者也

五邪刺

黃帝曰余聞刺有五邪何謂五邪岐伯曰疾有時癰者有容大者有狹小者有熱者有寒者是謂五邪黃帝曰刺五邪奈何岐伯曰凡刺五邪之方不過五章癉熱消滅腫聚散亡寒痺益温小者益陽大者必去請道其方 五法題別爲章也癉熱病也音丹 凡刺癰邪無迎隴 隴大盛也癰之大盛將有膿不可迎而寫之也

易俗移性不得膿詭道更行行去其鄉不安其處所
乃散亡易其常行法度之俗移其先爲寒温之性更量膿之所在上下正傍以得爲限故曰去其鄉不安於處一病乃散亡也諸陰陽過癰
所者取之其輸寫之諸陰陽之脈過癰所者可取癰之所由脈輸寫之也凡刺大邪日以小
洩奪有餘乃益虛慓其道針于其邪肌肉親大邪者實邪也行寫爲易故小
洩之益虛取和也於針之道戰慓謹書以針于邪使邪氣得去肌肉相附也親附也視之無有反其眞視邪氣無有反其眞氣乃止也刺諸
陽分肉間刺大邪在所也凡刺小邪日以大補其不足乃無害
小邪虛邪也行補爲難也故曰大補使其實也視其所在迎之界遠近盡至不得外界畔際也
視虛邪畔界量眞氣遠近須引至虛中令實不得外而不至也侵而行之乃自費侵過也補須實知即止補過即損正氣費損也刺
分肉之間也刺小邪所在也凡刺熱邪越而滄出遊不歸乃無
病爲開道乎刺熱之道寫越熱氣便覺滄然熱氣不歸病則愈也辟門戶使邪得出疾乃已

辟開也凡刺寒邪日以温徐往疾去致其神門戸已閉氣不分虛實得調眞氣存刺寒之道日日使温徐往而入得温氣已去疾而出針以致神氣爲意也黄帝曰官鍼奈何岐伯曰刺癰者用鈹針刺大者用鋒針刺小者用員利針刺熱者用鑱針刺寒者用毫針刺五邪者九鍼之中用此五針是所宜也請言解論與天地相應四時相副人參天地故可爲解人法天地故可爲解人應天地之數故請言之下有漸洳上生葦蒲此所以知形氣之多少也洳汝攄反漸洳潤濕之氣也見葦蒲之茷焠知漸洳之多少觀人身之強弱識血氣之盛衰之陰陽者寒暑也熱則滋而在上根荄少汁人氣在外皮膚緻腠理開血氣減汗大洩肉淖澤春夏陽而暑也草木陽氣滋其枝葉根莖少汁也荄莖也有本荄爲葉者非也人亦如之氣溢於外皮腠淖湊大汗洩出血氣内減寒則地凍水冰人氣在中皮膚緻腠理閉汗不

出血氣強肉堅濇秋冬陰而寒也陽氣不降寒氣在地地凍水冰人氣亦大痠氣入藏陰氣在於皮膚故腠理閉塞血氣強肌肉堅濇也當善穿地者不能鑿凍善用針者亦不能取四厥而脈涘結堅搏不往來者亦未可即柔水之性流故謂之往言水可往而冰不可流人之在冬四支寒冷脈涘肉堅故不行針也今之醫者嚴寒之時不獎而針傷肌破肉更增他病可不衰歟四厥四支逆冷也故行水者必待天温冰釋凍解而水可行地可穿也人脈猶是也治厥者必先熨調和其經常與掖肘與脚項與脊以調之火氣通血脈乃行然後視其病脈淖澤者刺而平之善行水穿地者必待春夏也冬日用針者須薑椒桂酒之巾熨令經脈淖澤調適然後可行針也兩手兩掖兩肘兩脚膕膝項之與脊肫之□解經脈所行要處故熨之通脈道也堅緊者破而散之氣下乃止此所以解結者也病之堅緊因適破散令其□□因於解結用針之類在於調氣氣之不調則病故療病者在於調氣也氣積於胃以通營衛各行其道

胃受水穀以生於氣故水穀之氣積於胃也衛氣起於胃之上口營氣起於胃之中口營在脈內衛在脈外今月針謂於胃氣通於營衛使各行其道也

宗氣留於海其下者注於氣街穀入於胃其氣清者上注肺濁者下流於胃胃之氣上出於口以爲噫氣肺之宗氣留積氣海謂腎間動氣也動氣下者注經氣街生足陽明脈上注肺也

其上者走於息道肺之清氣積於海者走於息道以爲呼吸也

故厥在於足宗氣不下脈中之血涘而止弗之火調弗能取之厥四支逆冷心之動氣不循脈行下至於足故曰涘而止也冬日不用火調不可取之也

用針者必先察其經絡之實虛切如循之按而彈之視其應動者乃後取而下之用針之法一則察經絡虛實二則切循其脈三則按其所針之處以手彈之視其變動然後取而下之也

六經調者謂之不病雖病謂之自已也三陽三陰六經相得不可有病雖客邪爲病必當自已也

一經上實下虛而不通者此必有橫絡盛加於大經令之不通視而寫之此所謂解結者也一經十二經中隨是何經也夫經絡隨身上下故爲從也絡脈傍引故爲橫也正經上實下虛者必是橫絡受邪盛加正經以爲病法故視寫之以

爲解經也上寒下熱先刺其項太陽久留之已則熨項與肩胛令熱下合乃止所謂推而上之者也上寒腰以上寒下熱腰以下熱項太陽之太陽脈也久留針者推別熱而使之上也熱既聚於肩項爲令和之故熨使下也推熱令上故曰推而上之也上熱下寒視其虛脈而陷下於經絡者取之氣下乃止所謂引而下之者也腰以上熱腰以下冷視腰以下有虛脈陷於餘經及絡者久留鍼使氣下乃止故曰引而下之者也大熱徧身狂而妄見妄聞妄言視足陽明及大絡取之足陽明主熱其氣強盛狂妄見聞及妄言多因此脈故取陽明正經及絡以去之也虛者補之血實者寫之因令偃臥居其頭前以兩手四指使按頸動脈久持之卷而切推下至缺盆中復上如前熱去乃止此謂推而散之者也若足陽明上實下虛爲狂等病宜補下虛經也上之血絡盛而實者可刺黃帝曰有一脈去血以寫之因令仰臥以手按頸人迎之脈肘下至缺盆中後上來去使熱氣洩盡乃可休止故曰推而散之也有本爲腹上如前恐錯也

生數十病者或痛或癰或寒熱或癢痺或不仁變化無窮其故何也岐伯曰此皆邪氣之所生也上經十二經脈生病各異此言一脈生數十種病變化無窮者十二經生病非無有異至於變化亦不可窮故欲取者甚須審察不得輕然以定是非也

九刺

凡刺有九以應九變一曰輸刺輸刺者刺諸經榮輸藏輸也取五藏經榮輸之輸故曰輸刺二曰遠道刺遠道刺者病在上取之下刺府輸也足三陽從頭至足故足三陽頭之有病取足三陽府經之輸故曰遠道也三曰經刺經刺者刺大經之結絡經分也大經分間經之結絡故曰經刺非正經刺也四曰絡刺絡刺者刺小絡之血脈也刺孫絡也五曰分刺分刺者刺分肉之間也六曰大刺大刺者刺大膿以鋒針也七曰毛刺毛

刺者刺浮痺於皮膚也（刺於皮膚洩多傷比之拔毛也）八曰巨刺巨刺者左取右右取左也（刺於大經左右牙取巨大也）九曰焠刺焠刺者燔針即取痺也（火焰燔針曰焠也）

十二刺

凡刺有十二節以應十二經（節約也）一曰偶刺偶刺者以手直心若脊直痛所一刺前一刺後以治心痺刺此者傍針之也（病心痺者心背痛傍刺之故曰偶刺傍刺者惡傷心也）二曰報刺報刺者痛無常處上下行者直內無拔針以左手隨病所按之乃出針復刺之也（刺痛無常處之病出針復刺故曰報也）三曰恢刺恢刺者直刺傍之舉之前後恢筋急以治筋痺者也（恢寬也筋痺病者以針直刺傍舉之前後以寬筋急之病故曰

恢刺也四曰齊刺齊刺者直入一傍入二以治寒氣小深者或曰參刺參刺者治痹氣小深者也寒氣病者刺之直一傍二深淺齊同故曰齊刺直一傍二故曰參刺五曰陽刺陽刺者正內一傍內四而浮之以治寒氣氣之博大者也寒氣博大之病正一傍四內針浮而留之使温故曰陽刺有作極刺錯也六曰直針刺直針刺者引皮乃刺之以治寒氣之淺者也寒氣病者可引其皮不當其穴然後當穴刺而補已出針放皮閉門不令氣洩下針時直故曰直刺也七曰輸刺輸刺者直入直出希發針而深之此治氣盛而熱者也氣盛熱病者直入直出希發於針以刺於輸故曰輸刺也八曰短刺短刺者刺骨痛稍搖而深之致針骨所以上下摩骨也骨痛病者刺之至骨搖針摩骨使病役而即愈故曰短刺也九曰浮刺浮刺者傍入而浮之此治肌急而寒者也肌急寒病者傍入浮之故曰浮刺之十曰陰刺陰刺者

左右卒刺之此治寒厥中寒厥取踝後少陰也（少陰踝後足少陰脈也病寒厥者卒刺於陰故曰陰刺也）十一曰傍針刺傍針刺者直刺傍刺各一此治留痺久居者也（留痺久居病者直一刺之傍更一刺故曰傍刺也）十二曰贊刺贊刺者直入直出數發針而淺之出血此治癰腫也（癰腫未成病者淺刺數發於針出血調助以愈於病故曰贊刺贊助也）脈所居深不見者刺之微內針而久留之以致其空脈氣（凡刺經脈之邪經脈深者久留於針以致空穴脈氣然後出針也）脈淺者勿刺按絶其脈乃刺之無令精出獨出其邪氣耳（刺其脈者恐其精出故按脈令絶然後刺之使邪氣獨出耳）

黃帝内經太素卷第廿二 九鍼之二

香山賀耀光校字

仁安三年四月十四日以同本書之
移點校合了　丹波賴基

本云
保元二年三月二日以相傳本校合移點了
憲基